DRA. MED. PETRA WENZEL

La farmacia en casa

Remedios eficaces de la medicina naturista y convencional

*La salud no es tanto
un estado sino más
bien una actitud
y se consigue
teniendo alegría
de vivir.
(Tomás de Aquino)*

Prólogo

Con *La farmacia en casa* tiene en sus manos un libro en el que encontrará consejos competentes, prácticos y modernos para cuidar de la salud de toda la familia. Ya conoce el dicho "prevenir es mejor que curar". Obtenga información a través de este manual sobre una alimentación sana y el aporte equilibrado de micronutrientes como base para una buena salud, así como el uso de complementos alimenticios cuando sea necesario. Además, su médico de cabecera también le proporcionará consejos para prevenir enfermedades.

No obstante, si en alguna ocasión sufre molestias, *La farmacia en casa* le informa sobre algunas opciones básicas para su tratamiento. Según las circunstancias, sus preferencias personales y la intensidad de las molestias, podrá elegir si desea tratarse usando remedios a base de plantas, homeopatía, productos químicos sintéticos o sales de Schüssler. Con frecuencia, es posible prescindir de la ingesta de medicamentos. Lea cómo puede mejorar los síntomas que le afectan a usted y a su familia aplicando la hidroterapia Kneipp, paños, baños o la técnica tradicional de la acupresura. También le indicará dónde están los límites de los tratamientos que puede aplicarse uno mismo y cuándo ha llegado el momento de acudir al médico.

Para aplicar correctamente los tratamientos recomendados, el lector tiene a su disposición una sección de consejos prácticos que presenta en detalle todos los métodos mencionados en el libro para la prevención y la curación y explica su aplicación paso a paso. Si siempre había deseado saber cómo alimentarse de forma sana, qué complementos alimenticios son recomendables y qué es exactamente la homeopatía, cuándo son de ayuda las sales de Schüssler o cómo funciona la acupresura, entonces posiblemente le apetezca hojear este libro aunque no tenga molestias de ningún tipo, simplemente por prevenir. La aplicación regular de las buenas prácticas le ayudará a fomentar y mantener una buena salud a largo plazo.

Dra. Petra Wenzel
Bad Kissingen (Alemania), noviembre de 2005

Los remedios de la farmacia en casa

Molestias y enfermedades

Índice

➤ Primeros auxilios en caso de urgencia

▶ Prevención y autoayuda

▶ Para consultar

Los remedios de la farmacia en casa

El secreto de nuestra farmacia está en combinar remedios caseros de toda la vida y medicamentos modernos; así estará bien surtida y podrá tratar de forma fiable las molestias cotidianas y los pequeños. trastornos de salud. En este capítulo encontrará todo lo que necesita saber para tener en casa una farmacia equipada y práctica así como información relevante para la prevención de enfermedades, el uso de medicamentos y los límites del autotratamiento.

Curarse en casa y mantener la salud

La vieja farmacia en casa que servía a toda la familia con remedios sencillos pero de eficacia probada y en la que se guardaba con celo la receta de la abuela contra la tos no está desfasada. La tendencia actual es tratarse uno mismo las pequeñas afecciones de salud como la tos, el resfriado, los dolores de vientre o los dolores de cabeza. La mayoría de las personas intentamos probar suerte con un remedio casero antes de visitar al médico.

También la circunstancia de que ya se vendan sin receta muchos medicamentos que antes requerían una prescripción facultativa aumenta la tendencia a tomar las riendas uno mismo para paliar las pequeñas dolencias. Sin embargo, autotratarse y automedicarse requiere ciertos conocimientos básicos así como una aplicación responsable de las posibles terapias, y no todo el mundo se siente lo suficientemente seguro en estas cuestiones.

Estos son los conocimientos que podrá adquirir gracias a los consejos fiables y de fácil comprensión que encontrará en *La farmacia en casa*, que le servirá de guía para un autotratamiento razonable y seguro con métodos de curación suaves y sin recetas, así como de manual de consulta moderno para toda la familia. Especialmente, se ha hecho hincapié en indicar los medios de prevenir los problemas de salud.

AUTOTRATAMIENTO: BUENOS RESULTADOS Y LIMITACIONES

Este manual de consulta no se ha elaborado para tratar enfermedades graves o crónicas, sino, tal como indica su nombre, para usarlo "en casa". En la parte dedicada a los tratamientos (a partir de la pág. 28) se encuentra información, consejos y soluciones prácticas para las molestias más habituales y una parte práctica sobre primeros auxilios en caso de urgencia claramente organizada por los diferentes sistemas del cuerpo humano.

● Prevenir es mejor que curar

En el manual encontrará indicaciones importantes de cómo prevenir de forma eficaz las molestias siempre que sea posible. Algunos consejos pueden parecer muy simples pero en la práctica estas indicaciones son las más eficaces a largo plazo para mantener la salud. Una vida saludable requiere siempre llevar una alimentación equilibrada, que puede completarse con complementos alimenticios de fuentes naturales. Encontrará información básica y consejos en los puntos referidos a las molestias y enfermedades y en el capítulo dedicado a la prevención de enfermedades y la autoayuda.

● Autoayuda en dos pasos

En las propuestas de tratamiento, el procedimiento siempre es el mismo:

En primer lugar, hay que intentar tratar las molestias que nos afectan adoptando medidas y utilizando remedios que se toleren bien. A veces, simplemente con cambiar los hábitos alimenticios, tomar complementos alimenticios de forma razonable, beber infusiones para un fin específico y tomar baños, aplicar cataplasmas y afusiones con la técnica adecuada basta para ponerse de nuevo rápidamente en forma.

En algunos casos es adecuado aplicar además medicamentos a base de plantas y homeopáticos, así como sales de Schüssler o preparados de síntesis química. Encontrará los remedios más adecuados en los apartados dedicados a cada una de las molestias y enfermedades. Además, el manual incluye consejos prácticos para la prevención de enfermedades mediante una alimentación sana, indicaciones para la elección de complementos alimenticios de calidad, instrucciones para la preparación correcta de las plantas medicinales, así como un resumen breve de cómo actúan la homeopatía y las sales de Schüssler. De este modo, le resultará fácil la aplicación práctica de remedios suaves y de buena tolerabilidad.

• En caso de gravedad

En cada punto del apartado sobre tratamientos no solo se mencionan las opciones terapéuticas disponibles sino también los límites del autotratamiento. Generalmente, se puede decir que, si en el plazo de tres días no se siente una mejoría clara a pesar de haberse iniciado un tratamiento, es necesario acudir al médico.

No se trata de apretar los dientes y hacerse el valiente pensando que ya se pasará, sino que hay que evitar que una enfermedad que quizás no sea tan inofensiva se siga arrastrando o vaya a peor. Asimismo, si se padece de dolores intensos repentinos, se pierde la consciencia o se sangra en abundancia, es imprescindible ponerse en manos de un médico.

MÉTODOS DE CURACIÓN PROBADOS

Las medidas recomendadas pueden aplicarse en casa. Se han elegido métodos de tratamiento probados como la hidroterapia (baños, afusiones, envolturas y compresas) y también la acupresura, la homeopatía y la terapia con sales de Schüssler porque se trata de métodos fáciles de aprender y que uno mismo puede aplicar. En el capítulo "Introducción a la

Una regla básica siempre que se vaya a tomar un medicamento: Leer previamente con detenimiento el prospecto adjunto.

prevención y la autoayuda" (pág. 220 y ss.) se mencionan los elementos necesarios y las técnicas más importantes.

Evidentemente, existen otros muchos métodos eficaces, pero mencionarlos todos resultaría de tal envergadura que no cabría en el marco de este manual de consulta, que está pensado para usarse en el día a día.

EL USO CORRECTO DE LOS MEDICAMENTOS

El autotratamiento también significa automedicarse de forma responsable. Esto no solo incluye la elección correcta de píldoras, supositorios, ungüentos y jarabes sino también su uso específico. En las próximas páginas obtendrá más información al respecto y también en el capítulo "Introducción a la prevención y la autoayuda" (pág. 220 y ss.), donde se detalla cómo preparar y de qué modo actúan los medicamentos homeopáticos y los que están formulados a base de hierbas, así como las sales de Schüssler.

"Y ¿no supone ningún riesgo?": es la pregunta que se plantea con mayor frecuencia a la hora de tomar un medicamento. Sobre todo las mujeres embarazadas deben mostrarse precavidas, pues, al tratarse enfermedades durante el embarazo, cierta cantidad del medicamento también penetra en el sistema circulatorio del bebé. Por otro lado, los prospectos que acompañan a los medicamentos no suelen ayudar a despejar este tipo de dudas.

• El prospecto adjunto

El prospecto adjunto informa sobre la composición, el ámbito de aplicación y la posología, así como los efectos secundarios, las interacciones, las contraindicaciones y las medidas preventivas que hay que tener en cuenta cuando se toma ese medicamento. Si alguna vez se ha detenido a leer esta información para

el usuario, quizás le haya sorprendido que incluso en los medicamentos más inofensivos se adjunte tal cantidad de información (que no siempre resulta fácil de entender). Sin embargo, la función de estos datos es que se use el medicamento de la forma más segura posible. Por ello es fundamental leerse el prospecto

Consejo

A la hora de comprar medicamentos, la calidad es lo más importante

Además de los remedios caseros de toda la vida, se recomienda también el uso de los principios activos de medicamentos homeopáticos, fitoterapéuticos y de síntesis química que pueden comprarse sin receta. Esto no significa, sin embargo, que todos los productos ofrezcan la misma calidad, se compren donde se compren. La ventaja de comprar medicamentos en las farmacias es que ofrecen una calidad probada según los estándares de la farmacopea. Esto los diferencia de los productos que se pueden adquirir en herboristerías, supermercados o a través de la venta por correo, cuya calidad se rige por las normas menos rígidas para los productos alimentarios y no se controla con la misma frecuencia. Además, lo que muy pocos consumidores saben es que estos productos suelen contener solo dosis muy pequeñas de los principios activos, generalmente insuficientes para llevar a cabo un tratamiento.

En el caso de los complementos alimenticios que se toman para la prevención eficaz de enfermedades, se puede decir que, gracias a la Ley sobre los medicamentos, se obtienen actualmente –tanto a través de la venta directa como de la mercadotecnia del boca a boca– productos con la dosificación internacionalmente recomendada de fabricantes. Compruebe que se trate de productos procedentes de fuentes naturales.

adjunto en cualquier caso y asegurarse antes de tomar un producto de que no haya vencido su fecha de caducidad.

Valorar los riesgos de los efectos secundarios

Leer la lista de los efectos secundarios asusta a cualquiera. Suele ocupar más espacio en la mayoría de los preparados que la descripción de los efectos curativos. Tras su lectura se prefiere no tomar el medicamento antes que exponerse al riesgo de asumir los numerosos efectos secundarios.

Hay que tener en cuenta que el fabricante de un producto farmacéutico tiene la obligación por ley de dar a conocer en el prospecto toda la información de que disponga sobre su producto. Y "toda" significa que también deben incluirse los efectos secundarios más raros e incluso los inocuos. Lo que no significa que vayan a producirse siempre. Se trata simplemente de que el usuario sea consciente de la posibilidad de que ciertos efectos secundarios pueden aparecer, si bien resulta complicado valorar en qué medida es "probable" o "imposible" que esto ocurra.

Información

El riesgo de los efectos secundarios

¿Con qué frecuencia aparecen realmente los efectos secundarios? Para poder evaluar el riesgo de posibles efectos secundarios, tenga en cuenta el significado de las siguientes expresiones:

➤ "con frecuencia" quiere decir que se producen en un 10% de los casos,

➤ "de vez en cuando" entre un 1 y un 10% y

➤ "en raras ocasiones" significa que el grado de incidencia es inferior a un 1% y se trata, por lo tanto, de casos aislados.

Por ello, los fabricantes se han esforzado en diseñar prospectos que resulten claros para el usuario y que expresen los posibles riesgos y efectos secundarios de una forma que permita valorarlos en cada caso.

Evitar las interacciones

Muchas personas padecen varias enfermedades al mismo tiempo. Quizás estén en tratamiento médico debido a una enfermedad, pero necesitan, por ejemplo, en caso de un resfriado, otro preparado, que compran por iniciativa propia en la farmacia. En estos casos, es imprescindible leer el prospecto adjunto para comprobar si los preparados interactúan y, si es así, dejar de tomarlos. Hay que añadir que no solo pueden darse interacciones entre medicamentos sino también entre el medicamento y productos alimenticios y estimulantes, así como bebidas (consultar la pág. 22).

Y, por favor, tampoco tome varios medicamentos a la vez con la esperanza de obtener un efecto mayor. Aquí no vale en absoluto "cuanto más mejor". Hay que decidirse por uno de los medicamentos propuestos y tomar solo ese.

Seguir las indicaciones sobre posología y aplicación

Los fabricantes de medicamentos invierten gran cantidad de dinero y esfuerzos para llevar a cabo investigaciones que proporcionen, entre otros resultados, información sobre cuál es la dosis adecuada para tratar una enfermedad con su medicamento. De ahí que el prospecto adjunto de un medicamento incluya la dosificación recomendada exacta, y que ésta resulte a veces muy diferente según el cuadro clínico del enfermo y el grado de gravedad de la enfermedad. Para alcanzar el efecto deseado, hay que seguir a rajatabla estas indicaciones. Además, en los prospectos también se indica en qué momento del día se recomienda

Consulte a su médico si no está seguro de cómo usar y dosificar un medicamento. De este modo podrá evitar equivocaciones.

tomar el medicamento. La dosis unitaria y la dosis diaria significan cuántas pastillas o grageas se debe ingerir en cada toma o en el plazo de 24 horas. Además, se añade en este apartado si el medicamento solo está pensado para tomarlo durante poco tiempo o si es adecuado para un tratamiento prolongado. Ante todo, no hay que olvidar que también los medicamentos que se obtienen sin receta deben tomarse en las dosis adecuadas para que los productos que los componen puedan desarrollar su efecto óptimo.

• En caso de duda, consultar al médico

Si usted es de las personas que tras leer el prospecto adjunto prefiere prescindir de tomar un medicamento debe tener en cuenta que qui-

zás exista un cierto riesgo de que surjan efectos secundarios pero por otro lado también existe el riesgo de que enferme y que posiblemente incluso empeore si no trata la enfermedad. Se trata, por lo tanto, de sopesar qué es mejor.

Si aún así no se siente seguro o segura, sobre todo durante el embarazo y la lactancia, es mejor que consulte a su médico de cabecera, a su ginecólogo o al farmacéutico, antes que autotratarse con algún remedio.

Si ha decidido tratarse con un medicamento, considere también cuánto tiempo es razonable tomarlo. Como norma, en caso de que perduren las molestias o los dolores, no debería alargar el tratamiento con ningún tipo de medicamento más allá de tres días sin consultar al médico.

La farmacia en casa bien surtida

En un hogar no puede faltar una farmacia a la que recurrir de forma inmediata en caso de resfriado y tos, cuando duele la musculatura fatigada después de haber practicado deporte o si nos hacemos una pequeña herida al cortar las cebollas. Pero, aparte de vendajes, píldoras o pomadas, también debería tener todo tipo de complementos para los cuidados de un enfermo en casa: desde un termómetro hasta las direcciones de los servicios de urgencias y las instrucciones para realizar los primeros auxilios.

Un resfriado acompañado de fiebre puede dejarle a uno "noqueado" y en un accidente en el hogar a veces hay que actuar con rapidez. En estos casos, resulta una gran contrariedad encontrar solo, y tras escarbar por toda la casa, un paquete antiquísimo de esencia de hierbas indefinibles, una venda dada de sí y un termómetro digital sin pilas. Por eso, vale la pena tomarse la molestia de invertir algo de tiempo en tener en casa una práctica farmacia a punto.

UBICACIÓN Y SEGURIDAD

El lugar favorito para ubicar la farmacia en casa suele ser el cuarto de baño. Pero ni la cocina ni el cuarto de baño son adecuados para el almacenamiento de medicamentos, pues son lugares con humedad y aire caliente.

El lugar idóneo debería ser seco y fresco, y estar protegido de la luz. Un lugar adecuado es, por ejemplo, un dormitorio de adultos o un rincón en el pasillo de la casa. Lo idóneo es que sea un armarito que se pueda cerrar. Esto será obligado si hay niños en la casa.

● Comprobación regular
No olvide comprobar con regularidad el contenido de su farmacia en casa.
➤ Compruebe la fecha de caducidad de sus medicamentos. Deberá darle al farmacéutico los medicamentos caducados y sustituirlos por nuevos.
➤ De igual modo, deberá llevar a la farmacia el resto de los medicamentos que haya recibido con receta médica tras padecer una enfermedad aguda cuando ya se haya curado.
➤ En ningún caso deberá usar medicamentos que requieran receta médica para tratar molestias de poca importancia. Si cree que el resto de un medicamento usado puede aplicarse para tratar una enfermedad aguda, consúltelo antes con su médico.

EL BOTIQUÍN DE VIAJE

A más de uno le ha salvado las vacaciones el hecho de llevar consigo un botiquín. Sin este habría padeciendo alguno de los trastornos típicos de los viajes nada más salir de casa. En cualquier caso, el botiquín de viaje es de gran ayuda, sobre todo en el extranjero, donde con frecuencia no resulta tan fácil poder consultar a un médico y puede que las farmacias en ese país no dispongan de ciertos medicamentos. La siguiente lista contiene remedios para todo tipo de incidencias.

● No olvidar nunca
➤ medicamentos que se toman habitualmente
➤ remedios para los trastornos del viajero
➤ analgésicos

Información

El equipamiento básico de una farmacia en casa

El siguiente listado de vendajes y de medicamentos, así como de los accesorios más importantes para los cuidados de un enfermo, forman el equipamiento básico de la farmacia en casa, que puede adquirirse en la farmacia o en una parafarmacia bien surtida. A la hora de confeccionar la lista de los medicamentos, solo se ha mencionado el tipo; para la elección de la marca comercial lo mejor es consultar con el médico para que se ajuste a sus gustos y necesidades.

Vendajes
➤ vendas de gasa de 6 y 8 cm de ancho
➤ vendas elásticas de 6 y 8 cm de ancho
➤ vendas universales
➤ paquetes de apósitos (pequeños, medianos y grandes)
➤ 1 rollo de esparadrapo
➤ 1 paquete de tiritas
➤ tiras para heridas (6 y 8 cm)
➤ algodón para vendajes
➤ 6 imperdibles
➤ clips de sujeción para vendaje
➤ 1 pinza para extraer astillas
➤ tijeras de vendaje
➤ 2 vendas triangulares

Medicamentos
➤ analgésicos

➤ pastillas para el dolor de garganta
➤ pastillas contra la diarrea
➤ pastillas contra el estreñimiento
➤ remedios contra el ardor de estómago (exceso de acidez), los gases y la sensación de pesadez
➤ remedios contra los catarros
➤ remedios contra las picaduras de insectos
➤ desinfectante de heridas
➤ plata coloidal
➤ gel para las heridas y las quemaduras
➤ medicamentos personales (los que uno tome habitualmente)

Artículos para el cuidado de enfermos
➤ termómetro clínico
➤ espátula bucal
➤ férula de dedo
➤ desinfectante suave
➤ 1 envoltura Kneipp, si se suele usar
➤ bolsa de agua caliente
➤ termómetro de baño

Otros artículos
➤ instrucciones para primeros auxilios
➤ direcciones de los servicios de emergencia con su número de teléfono
➤ indicaciones para el tratamiento mediante acupresura

➤ laxantes
➤ remedios contra la diarrea
➤ remedios contra el ardor de estómago
➤ productos para la desinfección de heridas (por ejemplo, plata coloidal), cremas cicatrizantes
➤ remedios contra los catarros
➤ protectores solares

➤ pomada o gel para las quemaduras provocadas por el sol
➤ crema para tratar contusiones y torceduras
➤ vendaje, gasas
➤ termómetro clínico
➤ pinzas para extraer esquirlas o astillas

➤ gotas oftálmicas para la inflamación de la córnea

➤ remedio contra el prurito y las picaduras de insectos

➤ remedio para aliviar el dolor de oído

➤ remedio para combatir los hongos

➤ remedio contra el insomnio

● Cobertura para los casos de enfermedad

En algunos casos, no está de más contratar un seguro de enfermedad y de accidente para el viaje, que también puede suscribirse en combinación con un seguro de reembolso de los costes del viaje en caso de renunciar a este.

Para viajar dentro del propio país, es suficiente llevar consigo la tarjeta sanitaria y para viajar por Europa, la tarjeta sanitaria europea. En algunos países tendrá cobertura suficiente mediante la tarjeta sanitaria para viajes. Se trata de un volante que puede obtener antes de iniciar el viaje en su delegación de Sanidad. Infórmese bien con antelación suficiente para obtener los detalles correspondientes.

Tres o cuatro meses antes de iniciar el viaje, también es conveniente comprobar el carné de vacunación y vacunarse si es preciso para viajar al país de destino. En cualquier caso debería refrescarse la vacuna antitetánica.

LA FARMACIA INFANTIL

Si en casa hay niños pequeños, es conveniente tener a mano algunos medicamentos adecuados en caso de urgencia pues las infecciones estomacales e intestinales del más pequeño le pueden fácilmente sorprender a media noche o en un domingo o un día festivo. Si en esos momentos dispone en casa de una farmacia bien surtida, podrá hacerse con las riendas de la situación más fácilmente.

Pero tenga en cuenta que los niños no son adultos en formato pequeño. Padecen otras dolencias y las funciones de sus órganos no pueden compararse a las de los mayores. Por eso no puede darse a un niño cualquier medicamento de adultos. En cualquier caso debe adaptar la dosis a la edad y el peso del niño. Es conveniente consultar al pediatra cuáles son los medicamentos que deben componer la farmacia en casa para los niños.

Otro consejo práctico: deje los medicamentos fuera del alcance de los niños. No los deje en cualquier lugar de la casa sino siempre guardados en el armario de las medicinas.

● Medicamentos para los niños que debe haber en la farmacia en casa

➤ supositorios para la fiebre (adecuados a la edad y el peso del niño)

➤ remedios para tratar la diarrea y los vómitos: preparados electrolíticos con glucosa en forma de polvo o pastilla

➤ remedios contra las flatulencias: gotas o infusiones (infusión de anís, hinojo y comino, infusión carminativa, ungüento carminativo, preparados antiespumantes, gotas carminativas)

➤ remedios contra la dermatitis producida por los pañales y para aliviar las escoceduras: aditivos para el baño y pomada a base de manzanilla, aditivos para el baño a base de corteza de roble, salvado, ungüento a base de cinc, pomada para rozaduras y heridas

➤ remedios para los catarros: ungüentos para fricciones a base de mentol sin alcanfor, gotas o nebulizadores nasales, gotas o jarabe para las inflamaciones de las vías respiratorias, congestión nasal y tos

➤ protectores solares para niños

➤ tiritas de colores

➤ plata coloidal para la desinfección de heridas, para curar inflamaciones oculares y para hacer gárgaras

Introducción a las técnicas del vendaje

*Un buen surtido de vendas y paquetes de tiritas en el armario no es
suficiente para convertirle a uno en especialista en primeros auxilios.
Además de una breve lista de los artículos imprescindibles encontrará
también en este apartado una explicación para adquirir suficiente
destreza en la aplicación de los vendajes.*

VENDAS Y ESPARADRAPOS

➤ Las vendas de gasa en diferentes tamaños son
el artículo básico para la realización de un vendaje; no suelen ser elásticas. Las vendas de gasa
elásticas son especialmente adecuadas para fijar
vendajes en partes del cuerpo que se mueven,
como las articulaciones. Pero también existen
vendas de gasa que, al enrollarlas ,se adhieren
de forma similar a un cierre de velcro.

➤ Una venda resistente de tela se denomina
venda universal. Ejerce un efecto de presión
y masaje. Debe lavarse con cuidado para que
mantenga su elasticidad.

CÓMO COLOCAR VENDAS Y VENDAJES

Colocar correctamente una venda no es difícil.
Estas reglas básicas le resultarán de ayuda.

➤ Gire las vendas, por norma, hacia el centro
del cuerpo. Si, por ejemplo, quiere vendar la
pierna, empiece por la articulación del pie y
suba envolviendo la pierna hasta llegar por
debajo de la rodilla. Lleve el resto de la venda
de nuevo hacia abajo o, si es demasiado larga,
córtela (no en el caso de vendas universales).

➤ Fije el inicio de la venda dando una pasada
más sobre esa zona con el rollo de venda.

➤ A partir de ese punto, se aplica la venda
como tejas que se solapan a cada pasada
siempre en dirección al centro del cuerpo.
Las diferentes capas deberían solaparse más
o menos en una tercera parte.

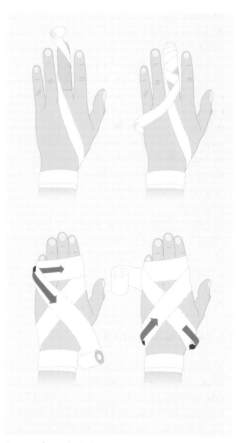

*Los vendajes de dedos y manos deben comenzarse
por la articulación de la muñeca, luego se vendan
los dedos o la mano entera para acabar de nuevo
en la muñeca, donde se fija la venda.*

➤ La venda debe estar tensa pero sin aprisionar la zona vendada. Cuando los dedos de los pies o de las manos pierden el tacto o se hinchan significa que el vendaje está demasiado apretado.

➤ Los paquetes de vendajes (esterilizados según la norma DIN 13151) contienen una combinación de compresas y vendas de gasa. En estos paquetes las compresas están cosidas al final de la venda de gasa, lo que facilita la aplicación sobre la herida. Hay tres tamaños de compresas de algodón y gasa para cubrir superficies de 6 x 8 cm (tamaño pequeño), 8 x 10 cm (tamaño mediano) y 10 x 12 cm (tamaño grande).

➤ El algodón de los vendajes protege las heridas y absorbe sus secreciones. Nunca debe aplicarse directamente sobre la herida.

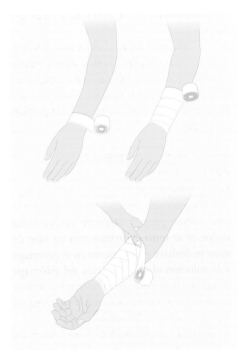

Para vendar un brazo, comenzar por la articulación de la muñeca y aplicar una capa sobre la otra solapándose en dirección hacia el cuerpo. El vendaje en espiga es especialmente compresivo.

● **Para que dure el vendaje**

Las vendas universales y las vendas elásticas se fijan generalmente con un clip de sujeción y más raramente con imperdibles. Los extremos de las compresas y también los de las vendas pueden fijarse con esparadrapo.

➤ Como adhesivo se utiliza el caucho natural o sintético impermeable al aire y al vapor del agua. Para las personas sensibles hay esparadrapos hipoalergénicos que llevan poliacrilatos como masas adhesivas. Aparte del esparadrapo sencillo para vendajes, también hay esparadrapos que contienen medicamentos.

➤ En las tiras adhesivas se combina el esparadrapo con el apósito para heridas.

CÓMO CURAR UNA HERIDA

El vendaje sirve para proteger la herida, absorber secreciones de la misma y mantener la herida en reposo. Si la herida sangra, hay que mantener en alto la parte del cuerpo herida para que remita el sangrado. No elimine la suciedad y los cuerpos extraños, es mejor que lo haga el médico, pues de otro modo puede infectarse más la herida. Tampoco hay que tratar la herida con "remedios caseros" como la harina, el aguardiente o el aceite, pues estas sustancias solo se adhieren a la herida y producen inflamaciones. Antes de empezar con el vendaje, se debe cubrir la herida con un apósito libre de gérmenes; lo más adecuado es una compresa de gasa recién extraída de su paquete. En caso de urgencia también vale un pañuelo limpio o trozo de tela limpio. Aplique encima un vendaje enrollándolo en dirección hacia el centro del cuerpo.

Para que el vendaje no se mueva, debe estar apretado, pero sin impedir la circulación de la sangre. El truco consiste en no enrollar la venda de forma perpendicular, sino siempre con una ligera inclinación con respecto a la parte del cuerpo afectada.

Correcta utilización de los medicamentos

*Los siguientes consejos prácticos e indicaciones pueden resultar de ayuda
para administrar medicamentos de modo que resulten eficaces, seguros
y bien tolerados. En cualquier caso, lea siempre primero el prospecto
adjunto del medicamento que ha adquirido.*

MEDICAMENTOS QUE SE INGIEREN

Alrededor de la tercera parte de los medicamentos se producen en forma de pastillas, grageas o cápsulas de modo que se puedan tragar (administración oral). Tome estos medicamentos generalmente con un vaso de agua y trágueselos sentado o de pie para que la pastilla o cápsula no se quede atascada en el esófago.

➤ Si le resulta difícil tragar pastillas de tamaño grande, puede disolverlas previamente en agua dentro de una cuchara, aunque el sabor resultará bastante desagradable, por lo general. Algunas pastillas también se pueden romper en trozos pequeños apretándolas entre dos cucharas o mediante un troceador de pastillas, que puede adquirir en la farmacia.

➤ Sin embargo en algunos casos no queda más remedio que tragárselas enteras: las cápsulas recubiertas, las grageas, las tabletas con película y los medicamentos con denominaciones como *retard*, *depot* o *long* no pueden trocearse.

Facilitar la ingesta de medicamentos

En la farmacia podrá adquirir diferentes utensilios que le ayudarán a tomar los medicamentos por vía oral. Entre ellos se encuentran los siguientes:

➤ abridores de blísters, que facilitan la extracción de las tabletas resguardadas en cajetillas soldadas de plástico o aluminio

➤ abridores giratorios de goma para abrir botellitas

➤ vasitos y cucharas medidores para una dosificación segura

➤ partidores de pastillas

➤ abridores de botellas con enganche de palanca

➤ botellines para los medicamentos de bebés

➤ cajitas para medicamentos donde puede organizar las pastillas que debe tomar al día o a lo largo de la semana a las horas correspondientes; estas cajitas también pueden obtenerse con escritura braille.

Antes, durante o después de las comidas

Si los medicamentos se toman en ayunas surten efecto más rápido. Cuanto antes actúe una pastilla para el dolor de cabeza tanto mejor. Si se toma en ayunas con un vaso de agua se deshace rápidamente en el estómago y la solución alcanza a través del estómago el intestino delgado. Los principios activos son absorbidos por la sangre y se distribuyen rápidamente por el cuerpo.

➤ Algunos medicamentos, sin embargo, irritan el tracto gastrointestinal; entre ellos también se encuentra la mayoría de los analgésicos. Si es sensible a los analgésicos es recomendable que los tome durante la comida o poco después de esta.

**Cuál es el momento ideal
para la ingesta**

➤ Si se toma con el estómago vacío,
el remedio actuará con rapidez pero
puede no sentar tan bien.

➤ Si se toma durante las comidas o
poco después de estas, el efecto del
medicamento será más lento pero
sentará mejor.

➤ En cualquier caso, lea atentamente el
prospecto adjunto.

➤ Los medicamentos antibióticos deben llegar de forma completa y rápida a las vías
sanguíneas. Por ello, es mejor tomarlos con
el estómago vacío.

➤ Los medicamentos que se toman para un
tratamiento prolongado o aquellos medicamentos que actúan con efecto prolongado
(los que se denominan preparados *retard* o
depot) pueden tomarse durante la comida ya
que no es necesario que actúen con rapidez.

➤ Los remedios liposolubles, como la vitamina
E, se deben tomar con las comidas para que
resulte más fácil su absorción en el organismo.

➤ Los remedios que actúan en el organismo
al ligarse a proteínas, como la procianidina
oligomérica (pág. 239), deben tomarse en
ayunas y con agua o infusiones de frutas que
no tengan taninos.

De otro modo, se ligarían a las proteínas de
los alimentos y serían eliminados por el organismo sin haber producido efecto alguno.

Por ello, hay que seguir siempre las indicaciones del fabricante.

● El líquido apropiado

Los medicamentos sólidos que deben tragarse
(cápsulas, pastillas, grageas) es preferible tomarlos siempre con unos 200 ml de agua.

➤ La leche no es tan adecuada porque puede
atacar la capa resistente a los ácidos del estómago de las pastillas que deben disolverse
en el intestino delgado. El resultado de ello
produce que el principio activo se libere
demasiado pronto y que se irrite la mucosa
del estómago o que pierda su efecto al entrar
en contacto con el ácido clorhídrico del estómago. Además, la leche contiene calcio, que
se liga con ciertos antibióticos (tetraciclina)
formando moléculas de tamaño tan grande
que el organismo no puede absorberlas. Hay
una serie de medicamentos que tampoco
pueden asimilarse o se asimilan en menor
grado si se ingieren junto con leche (sales
ferrosas, metotrexato, fluoruro potásico, so-
talol).

➤ El té, el café y los zumos de frutas contienen
fibras, taninos, flavonoides y otras sustancias
que interactúan con los principios activos de
los medicamentos de modo que en la mayoría de los casos estos ya no pueden asimilarse
suficientemente. Pero también puede ocurrir
lo contrario: el zumo de pomelo aumenta la
asimilación de ciertos medicamentos (como,
por ejemplo, la felodipina para disminuir la
tensión arterial), triplicándola.

¿Cuánto es una cucharada?

➤ 1 cucharada sopera equivale a 15
mililitros

➤ 1 cucharada sopera equivale a 10
mililitros

➤ 1 cucharada sopera equivale a 5
mililitros

Si no tiene a mano una cuchara dosificadora o
un envase medidor procure utilizar siempre la
misma cuchara mientras dure una enfermedad
para que la dosis sea siempre la misma.

➤ El alcohol irrita la mucosa del estómago. Esta irritación puede aumentar si se suma a medicamentos incompatibles con la mucosa del estómago. Por lo demás, la combinación de pastillas con alcohol está totalmente contraindicada.

Otros tipos de pastillas

➤ Las pastillas efervescentes se disuelven en agua fría y luego se beben.

➤ Las pastillas para chupar se dejan en la boca hasta que se disuelven. Estimulan la secreción de saliva. Pero hay que tener en cuenta que los niños no saben tomarlas hasta alcanzados los cuatro años.

➤ Las pastillas bucales deben disolverse en los carrillos y las tabletas sublinguales debajo de la lengua. Sus principios activos son asimilados por la mucosa bucal, por lo que su efecto es muy rápido.

➤ Los principios activos de las cápsulas masticables son de efecto especialmente rápido. La solución se queda en la boca mientras se escupen los restos de la cápsula.

➤ Las tabletas vaginales no se toman sino que se introducen en la vagina.

La administración de jarabes, gotas y polvo

➤ Los jarabes se tragan bien y tienen un sabor (casi siempre) aceptable. Con frecuencia hay que tomar una "cucharada", una "cucharadita" o una "cucharadita de niños" de un medicamento según las indicaciones adjuntas. Sin embargo, el tamaño de estas cucharadas no está estandarizado. Cuando sea posible, es mejor usar las cucharitas o los vasitos dosificadores especiales que puede obtener en la farmacia para que siempre tome la misma cantidad del principio activo.

➤ Las gotas suelen contener medicamentos que deben dosificarse con precisión algo mayor que los jarabes. Dosificar las gotas re-

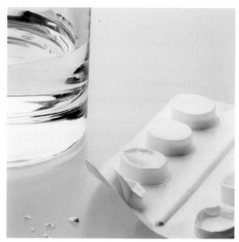

La mejor forma de tomarse las pastillas, grageas o cápsulas es con un gran vaso de agua.

quiere algo de maña. Si la botellita de las gotas tiene un orificio de ventilación lateral y un orificio para que salgan las gotas en el centro deberá mantenerse en vertical al dispensar las gotas. Las botellitas que tienen un cuentagotas con borde antigoteo deben sujetarse ligeramente inclinadas. Es el único modo de que el tamaño de la gota sea constante y se consiga una dosificación exacta.

Los pacientes mayores con problemas de vista pueden dejar caer las gotas en un vaso de plástico y contar las gotas por el ruido que producen al golpear el recipiente.

➤ Los polvos y granulados se toman generalmente con una cuchara y deben tragarse con un vaso de agua.

CASOS ESPECIALES: LOS NEBULIZADORES Y LOS AEROSOLES DOSIFICADORES

En realidad, estos remedios no se tragan sino se inspiran; sin embargo también se consideran medicamentos de ingesta oral.

**Tomar correctamente
los remedios homeopáticos**

Los remedios homeopáticos se extraen de plantas, minerales o productos de animales. Aunque su producción, modo de actuar y aplicación difieren por principio de los medicamentos de síntesis química y los medicamentos fitoterapéuticos (para obtener información exhaustiva consúltese la pág. 265 y ss.), también se usan en su preparación excipientes o vehículos como el azúcar, el agua o el alcohol, permitiendo así su ingesta oral.

Por ello, los productos homeopáticos también se administran en forma de gotas, pastillas o bolitas (glóbulos) y triturados (polvo) que se toman tragándolos o dejando que se deshagan en la boca.

Si no se indica otra cosa, son válidas las siguientes dosificaciones y tomas diarias de los remedios homeopáticos:

➤ 3 veces al día 1 pastilla

➤ 3 veces al día de 5 a 10 gotas

➤ 3 veces al día 10 glóbulos

➤ 3 veces al día tomar una pizca de polvo triturado sin diluir antes de las comidas

➤ Los envases con aerosol dosificador deben agitarse antes de su uso para que pueda distribuirse el principio activo. Siga con exactitud las indicaciones para su aplicación: hay que coordinar la expulsión del aerosol y la inspiración de modo que el medicamento no se aplique sobre la faringe.
➤ Los elementos auxiliares para facilitar la inhalación de aerosoles dosificadores son fáciles de aplicar, son las denominadas cámaras espaciadoras.

➤ Los aerosoles dosificadores llevan líquidos. Para que el líquido se pulverice de forma regular, hay que accionar unas tres veces la boquilla del aerosol antes de la primera aplicación. A partir de ese momento, el dosificador está listo para su uso.

OTROS TIPOS DE APLICACIÓN

No todos los medicamentos se ingieren. Aparte de la aplicación oral, hay otras formas de presentar un medicamento que son de aplicación externa.

● Gotas para la nariz, los oídos y los ojos
➤ Las gotas para la nariz deben aplicarse tras una limpieza en profundidad de las fosas nasales. Para ello, hay que echar la cabeza hacia atrás todo lo posible y a continuación dejar caer dos o tres gotas de la pipeta en cada fosa nasal. Si es posible, se debe mantener esa postura hasta sentir el sabor de las gotas en la parte posterior de la cavidad bucal. Luego inclinarse hacia delante y hacia abajo para que las gotas también alcancen las vías nasales superiores. Si las mucosas nasales están muy inflamadas puede repetirse esta aplicación hasta tres veces al día. Por otro lado, no debería prolongarse el tratamiento con gotas nasales antiinflamatorias más allá de una semana, ya que si no se corre el riesgo de perjudicar las mucosas nasales.
➤ Las gotas para los oídos se aplican a temperatura corporal. En ningún caso coloque las botellitas en el microondas para calentarlas ya que podrían explotar. Colóquelas en una taza con agua caliente. Puede comprobar la temperatura acercándose la botellita a la mejilla. Para la aplicación acuéstese de lado y deje actuar las gotas unos diez minutos antes de volverse a sentar. Tapone el oído enfermo con algodón.

Si no está seguro de que el tímpano está intacto y no tiene perforaciones, debería consultar a un médico si puede usar gotas para los oídos.

➤ Las gotas para los ojos se aplican con la cabeza muy inclinada hacia atrás. Estirar el párpado inferior del ojo hacia abajo y dejar caer las gotas. Procurar que la pipeta no toque el ojo ya que, por un lado, podría dañarse la córnea y, por otro, podría infectarse la pipeta. Tras la aplicación de las gotas, se debe cerrar los párpados y girar los ojos para que el medicamento pueda distribuirse regularmente.

Las gotas para los ojos solo pueden usarse durante seis semanas tras abrir la botellita debido a una posible acumulación de gérmenes. Tenga siempre en cuenta las indicaciones del fabricante.

La forma más adecuada de aplicar las gotas para los oídos es permanecer acostado y dejar que actúen durante diez minutos.

Pomadas y supositorios

➤ Las pomadas para los ojos se aplican en el párpado inferior tomando las mismas precauciones que con las gotas. Las pomadas son más indicadas para aplicarse antes de acostarse o antes de un periodo de descanso mayor, ya que nublan la vista. Hay algunas pomadas que están preparadas para su aplicación tanto en los ojos como en las fosas nasales (por ejemplo, la pomada para ojos y nariz con el principio activo dexpantenol). Una vez aplicadas en las fosas nasales, estas pomadas no deben entrar en contacto con los ojos.

➤ Las pomadas para el tratamiento de heridas, inflamaciones de venas, moraduras y forúnculos se aplican en una capa gruesa y a ser posible se cubren con gasa. Las pomadas para el corazón y los resfriados deben aplicarse mediante un masaje.

➤ Los geles para el tratamiento de quemaduras y heridas se aplican en las zonas afectadas y no se masajean.

➤ Los remedios para activar la circulación sanguínea han dado buenos resultados en el tratamiento de las tensiones musculares. Los hay en forma de pomada y en líquido. Es importante lavarse las manos después de la aplicación de estos remedios con agua y jabón y no tocarse sin querer los ojos ya que pueden producir escozor.

➤ Los supositorios deberían guardarse siempre en un lugar suficientemente fresco. Si se han puesto demasiado blandos, por ejemplo en verano, pueden solidificarse de nuevo colocándolos en su envoltorio en un vaso de agua fría. Deben utilizarse después de haber ido al baño. Los supositorios para las hemorroides no deben introducirse demasiado.

Los supositorios para el tratamiento de otras enfermedades deben introducirse más adentro para que actúen más rápido.

Molestias
y enfermedades

¿Cómo se pueden prevenir las enfermedades y las molestias? ¿Es necesario recurrir a los remedios de síntesis química en caso de enfermedades poco graves? ¿Es suficiente, para empezar, tomar una infusión caliente de hierbas o ponerse una envoltura alrededor del cuello en caso de tos, resfriado o afonía? ¿Qué remedio casero ayuda en caso de dolores de espalda y cuál es el medicamento adecuado para la migraña? ¿Cuándo resulta más conveniente pedir consejo médico? En las siguientes páginas encontrará respuestas fiables a estas y otras muchas preguntas.

Afecciones cardiovasculares

Un sistema de corazón y circulación sanguínea en buen funcionamiento es la premisa para que todos los órganos, así como los músculos, las articulaciones y los ligamentos, estén provistos de suficiente oxígeno. Los vasos sanguíneos intactos también eliminan toxinas. Los excesos en las comidas, el proceso natural de envejecimiento, así como haber fumado durante muchos años y haber padecido de enfermedades en los órganos, dañan los vasos sanguíneos con todas las consecuencias negativas que esto acarrea. Nuestro sistema cardiovascular forma una unidad que siempre es tan fuerte como el miembro más débil de la cadena. Por ello, las enfermedades del corazón y la circulación sanguínea no aparecen de forma aislada: los problemas en un lugar siempre afectan a todo el sistema. Así pues, las alteraciones de los vasos sanguíneos (por ejemplo, por exceso de grasa o calcificación) pueden provocar dolores en el corazón o en las piernas y desembocar en una presión sanguínea alta, así como daños duraderos en el corazón y el cerebro y tener como consecuencia heridas de difícil curación en los pies y las piernas.

Guía de las afecciones cardiovasculares

➤ Enfermedades de las arterias y arterioesclerosis, pág. 29

➤ Enfermedades de las venas, pág. 34

➤ Taquicardia y arritmia, pág. 38

Si el problema que usted padece no aparece en este listado, puede consultar el índice de contenidos (pág. 280 y ss.).

● Prevención

Se puede prevenir la aparición de enfermedades cardiovasculares e incluso hacerlas retroceder si se encuentran en estadios incipientes eliminando o disminuyendo los factores de riesgo.

➤ Más del 70% de las enfermedades del corazón y los vasos sanguíneos tienen su origen en una forma de vida poco saludable y una alimentación errónea y pobre en micronutrientes. La forma de protegerse de estas enfermedades es llevar una alimentación lo más equilibrada posible evitando los alimentos de elaboración industrial (consúltese las indicaciones para una alimentación sana en la pág. 222 y ss.).

➤ Evite las sustancias tóxicas como la nicotina y el alcohol.

➤ Haga deporte de forma regular y equilibrada y/o pasee todos los días al aire libre.

➤ Resérvese periodos de descanso suficiente y aléjese regularmente del exceso de estímulos cotidianos.

➤ Mantenga un equilibrio emocional en su vida ya que no es oportuno ni saludable estar siempre estresado.

➤ Un médico especialista en medicina preventiva que sea de su confianza le dará consejos pertinentes y le prestará apoyo para cualquier cuestión relativa a la prevención. Infórmese sobre quién puede asesorarle en su localidad.

Los trastornos tales como la tensión alta, la diabetes o los índices demasiado elevados de grasa en la sangre deben tratarse. El tratamiento no es necesariamente de por vida si se cambian ciertos hábitos y se aplican de forma activa los consejos para su prevención.

Los micronutrientes protegen el corazón. Si usted es de las personas que no consigue

Consumir a diario fruta y verdura fresca son la base de una alimentación sana.

tomar al día al menos 5 porciones de fruta y verdura fresca debería añadir a su dieta complementos alimenticios procedentes de fuentes naturales -esto es esencial- por el bien

de su salud. Puede obtener más detalles sobre este tema y conocer cuáles son los criterios de selección en la pág. 232 y ss.

Los productos que contienen el principio activo vegetal procianidina oligomérica (pág. 239) pueden proteger de la pérdida de colágeno, lo que beneficia al fortalecimiento de las paredes de los vasos sanguíneos. Su debilitamiento se considera la causa de las acumulaciones de agua (edemas) en los problemas de varices, varicosis y obstrucciones del flujo linfático así como de los problemas de circulación sanguínea en las arterias. En Francia, los médicos recetan la procianidina oligomérica para las enfermedades de los vasos arteriales y venosos, lo que demuestra su grado de eficacia. En España se pueden obtener preparados con este principio activo en las farmacias. Procure adquirir el preparado original clínicamente comprobado del profesor Masquelier, que garantiza una buena calidad.

ENFERMEDADES DE LAS ARTERIAS Y ARTERIOESCLEROSIS

Cuando en las arterias se deponen sales de calcio y lípidos se endurecen y engruesan sus paredes dejando de ser elásticas. El diámetro de los vasos disminuye al formarse capas de trombocitos que crecen entreverándose formando una especie de tejido conjuntivo, de modo que la sangre tiene cada vez mayores dificultades para circular y se estanca. La consecuencia es una falta de oxígeno en los órganos y músculos que no reciben el aporte necesario de los vasos sanguíneos afectados. Las toxinas resultan cada vez más difíciles de eliminar de las células, lo que produce daños adicionales en los tejidos.

Prevención

Hasta el momento se conoce múltiples factores de riesgo, pero el fundamental es una

alimentación inadecuada (demasiada grasa, alimentos cultivados de forma poco natural y por ello cargados de sustancias químicas, el exceso de alcohol) cuyas consecuencias negativas son múltiples: entre ellas está el sobrepeso, niveles de grasa en la sangre demasiado elevados y la diabetes. Otros factores negativos son el consumo elevado de nicotina así como los vicios previos adquiridos por la familia, no por herencia genética, sino por haber llevado una forma de vida poco saludable.

Cuando se lleva una vida sometida a muchas cargas, son síntomas típicos de las afecciones arteriales los pies fríos, los dolores en las piernas y los problemas de corazón (angina de pecho), además de heridas y ulceraciones en las piernas que cuesta curar, así como la tensión alta. La mejor forma de

Información

**Estadios
de la arterioesclerosis**

➤ Estadio 1: estrechamiento de los vasos, pero todavía sin molestias

➤ Estadio 2: claudicación intermitente

➤ Estadio 3: dolor en reposo en la pantorrilla y el muslo

➤ Estadio 4: endurecimiento de las arterias en las piernas causado por fumar

prevenir estos problemas es, en primer lugar, evitar los factores de riesgo.

Asegúrese de que su aporte básico de nutrientes sea suficiente a través de la alimentación o en caso de necesidad mediante complementos alimenticios. Además, existen productos especiales para mejorar la irrigación arterial como la OPC y la arginina. Los preparados de aceite de pescado con ácidos grasos Omega 3 pueden evitar las deformaciones arterioscleróticas en los vasos sanguíneos. En este caso también hay que recordar que su efectividad está determinada por la cantidad de la sustancia en cuestión. Consúltese sobre este tema el apartado "Suplementos dietéticos" (pág. 232 y ss.)

Tratamiento

Solo se puede evitar que avance la enfermedad evitando los factores de riesgo. Los medicamentos alivian los síntomas, pero no eliminan la causa.

⊕   Consultar al médico

Si tiene la sospecha de tener un problema de circulación arterial o la tensión alta debería consultar al médico para salir de dudas. También en caso de dolores en las piernas y en la zona del pecho que no tengan una explicación para usted acuda al médico.

Aplicaciones terapéuticas

Lo más importante es prevenir (pág. 29 y ss.). El objetivo de las recomendaciones siguientes es conseguir además una mejora de la circulación sanguínea en general. Para ello, están especialmente indicadas la hidroterapia y las terapias de ejercicio físico.

➤ Para reforzar los vasos sanguíneos en general tienen efecto los baños de sauna regulares, los baños de agua a diferente temperatura (pág. 243 y ss.), las humectaciones de cuerpo entero con agua tibia (pág. 249), los pediluvios con temperatura ascendente y los baños de medio cuerpo (pág. 245 y ss.), caminar dentro del agua (pág. 251), los baños con friegas (pág. 251) y la aplicación de afusiones en las rodillas (pág. 250), así como caminar sobre el césped con rocío o nieve.

➤ En especial antes de irse a dormir, es posible activar la circulación sanguínea de las piernas con baños de pies o de medio cuerpo, con una bolsa de agua caliente o haciendo gimnasia (*véase* abajo y a la derecha).

➤ Añadir al baño de pies o de cuerpo entero esencias de eucalipto, pino, romero o castaño de Indias estimula la irrigación sanguínea.

➤ El pediluvio (pág. 245) con mostaza molida produce con frecuencia el mismo resultado: añadir dos o tres cucharadas de mostaza molida en tres a cinco litros de agua muy caliente; la duración del baño es de 10 a 15 minutos como máximo. Nota: no aplicar en caso de heridas abiertas.

➤ Para estimular la circulación sanguínea de los pies se han fabricado unos rodillos que masajean y mueven los pies a la vez (se pueden obtener en la farmacia o en cualquier tienda de productos sanitarios).

➤ Si tiene los pies fríos y problemas de circulación sanguínea en las piernas haga gimnasia de pies de forma regular durante diez minutos por las mañanas y por las tardes: en posición sentada flexionar los dedos de los

Para mejorar los trastornos de irrigación sanguínea arterial

Aparte de las hidroterapias recomendadas, resulta beneficioso entrenar la musculatura de las piernas de forma intensiva para que se puedan formar nuevos vasos sanguíneos pequeños, mejorando con ello el aporte de oxígeno.

Los ejercicios principales son los siguientes:

➤ En posición sentada, acostada o de pie apretar el pie como si fuera una garra que quisiera coger algo, a continuación relajar los pies. Repetir el ejercicio varias veces.

➤ Ejercicios de circonducción según Ratschow: tiéndase de espaldas y eleve las piernas, flexiónelas de modo que la tibia mire hacia arriba y entonces mueva los pies dibujando círculos. A continuación deje los pies colgando hacia abajo. Realizar tres series de este ejercicio tres veces al día con una pausa de tres minutos entre cada serie.

➤ Ejercicio de caminata progresivo: determine a qué distancia puede caminar hasta que le aparezcan las primeras molestias. En el ejercicio de caminata deberá recorrer en el caso ideal la distancia completa, o al menos dos terceras partes. Una vez en la meta descanse durante tres minutos. Realice tres series seguidas de este ejercicio tres veces al día. Mediante un entrenamiento regular y consecuente debería ir en aumento la distancia recorrida de acuerdo con la mejoría de la circulación.

Un buen ejercicio para las piernas es hacer bicicleta, mejor si es al aire libre. Quien no tenga oportunidad de salir, puede utilizar en casa un aparato para su entrenamiento. Estos aparatos también se encuentran en la mayoría de gimnasios y centros de fitness.

Información

Angina de pecho e infarto de miocardio

La angina de pecho se conoce como una sensación de presión en el pecho que se repite con frecuencia y se produce a raíz de una descompensación entre la necesidad de oxígeno del corazón y la cantidad de oxígeno aportado. La falta de oxígeno produce dolores. Los ataques de angina de pecho deben considerarse como avisos de un posible infarto de corazón. Por lo general, la causa es una calcificación de las arterias.

➤ Las anginas de pecho aparecen cuando los esfuerzos físicos requieren un mayor aporte de oxígeno que ya no puede cubrirse.
➤ Después de una comida copiosa o cuando hace frío, el músculo del corazón también necesita más oxígeno, que, sin embargo, no puede ser transportado en la medida suficiente al tejido del corazón.

Cuando se produce un infarto de miocardio un vaso sanguíneo se ha obstruido del todo, de modo que el tejido del corazón se necrosa en la zona afectada. Los dolores son considerablemente mayores que en el caso de una angina de pecho; además, pueden aparecer otros síntomas tales como náuseas, vómitos, desasosiego, miedo, sudores fríos y pérdida de la consciencia. Consúltese las medidas de primeros auxilios necesarias en la pág. 206.

pies y volverlos a estirar de forma alterna, luego girar los pies tres veces hacia adentro y tres veces hacia fuera, y para acabar encoger los pies y volverlos a estirar; repetir la serie tres veces.
➤ Respirar profundamente refuerza la gimnasia podal. Haga pequeñas pausas entre los diferentes ejercicios con los pies y sentirá que con la respiración el calor fluye hasta las puntas de los dedos de los pies.
➤ Procure llevar calzado bien adaptado y cómodo y cuídese los pies. De este modo evitará heridas que se curan difícilmente cuando existen problemas de circulación sanguínea.

• Preparados y remedios

Los problemas de circulación sanguínea pueden mejorarse con numerosos preparados. Pero sea crítico cuando le ofrezcan nuevos remedios milagrosos, pues con frecuencia benefician más al fabricante que a su salud

Fitoterapia

➤ Para activar la circulación sanguínea se pueden usar esencias de eucalipto, romero, pino y castaño de Indias en el baño o hacerse friegas con alcohol de pino.
➤ Si se forman heridas de difícil curación en las piernas puede apoyar el tratamiento tomando OPC y curar las heridas con plata coloidal.
➤ Otros remedios naturales que se pueden ingerir son los preparados de ajo, ginkgo y espino blanco. Su efecto no es fundamentalmente ensanchar los vasos sanguíneos, sino que previenen el proceso de calcificación de las arterias o lo detienen. Estos preparados mejoran la fluidez de la sangre, de forma que también la sangre puede atravesar con mayor facilidad los vasos sanguíneos más pequeños, estimulando así el aporte de oxígeno.

ⓘ A tener en cuenta

Todos estos medicamentos deben tomarse a lo largo de tres o cuatro semanas antes de que se noten sus efectos. Si desea protegerse a largo plazo de las consecuencias de una mala circulación sanguínea, también puede tomar estos preparados en pequeñas dosis durante meses o más tiempo. Para ello, lea con detenimiento el prospecto adjunto.

Medicamentos de síntesis química

Hay una serie de medicamentos de síntesis química adecuados para el tratamiento de los problemas de circulación de la sangre en las arterias. Todos son de aplicación interna. Entre ellos, se encuentra la moxaverina y el ciclandelato. Aunque no se conoce todavía con exactitud cuál es el mecanismo de actuación de estas sustancias, puede justificarse el tratamiento con las mismas, puesto que tras tomarlas se alarga la distancia de paseo sin que aparezca dolor.

El nicotinato de xantinol y otros ácidos nicotínicos provocan un ensanchamiento momentáneo de los vasos sanguíneos, mejorando la circulación. Como efecto secundario, estos preparados pueden producir una congestión en zonas de la cara y el cuello.

Los preparados de ginkgo estimulan la circulación sanguínea y previenen la calcificación de las arterias.

Los pacientes aquejados de algún tipo de diabetes, con insuficiencia cardiaca y gota, solo deberán tomar estos preparados bajo supervisión médica.

Homeopatía

Las indicaciones sobre los efectos y la aplicación de los remedios homeopáticos se pueden consultar en la pág. 265 y ss. Los cuadros clínicos descritos a continuación están organizados por síntoma principal (**S**), estado anímico (**A**) y cambios que se producen (**C**):

➤ *Arnica* D4, D6 – gotas: **S:** cara acalorada, enrojecida, con mucha irrigación sanguínea, tensión alta, mareos al mover la cabeza, dolores de cabeza al caminar; **A:** aturdido, indiferente; **C:** cualquier movimiento empeora el estado.

➤ *Aurum* D6 (D30) – gotas: **S:** cara enrojecida, hinchada, congestionada; **A:** melancolía, decaimiento que llega hasta una tendencia al suicidio, desasosiego; **C:** empeora por la noche; mejora al hacer ejercicio.

➤ *Glonoinum* D4, D6 – gotas: **S:** problemas de circulación sanguínea, taquicardia, dolores de cabeza; **A:** miedo; **C:** empeora con el calor y el movimiento; mejora al aire libre.

➤ *Kreosotum* D4, D6 – gotas: **S:** problemas de circulación sanguínea, dolor con escozor, vómitos; **A:** depresivo, desesperado, asustadizo; **C:** empeora con frío y reposo.

➤ *Lachesis* D8, D12 (D30) – gotas: **S:** úlceras en las piernas, también inflamación (úlceras bordeadas de manchas rojas y azules), inflamación de varices, sudor pegajoso; **A:** agitación, locuacidad, no soporta las situaciones molestas; **C:** empeora al dormir y con calor.

➤ *Plumbum metallicum* D12 (D30) – pastillas: **S:** presión sanguínea alta, demacración, palidez, cólicos, parálisis, sensación de sordera; **A:** miedo, depresión; **C:** empeora por la noche y al hacer ejercicio.

➤ *Secale cornutum* D 4, D6 – gotas: **S:** demacración, tez apagada, piel lívida, pálida, agotamiento, frío, hambre exagerada, sed, sensación de sordera, espasmos en los dedos, las pantorrillas y los vasos sanguíneos, tensión alta; **A:** miedo, melancolía; **C:** empeora al hacer ejercicio y con el contacto; mejora con enfriamiento y aire fresco.

Sales de Schüssler

Las indicaciones sobre los efectos y la aplicación de las sales de Schüssler se pueden consultar en la pág. 268 y ss.
➤ n.º 3: *Ferrum phosphoricum* (fosfato de hierro) D12 y n.º 4: *Kalium chloratum* (cloruro de potasio) D6, aplicar los ungüentos correspondientes en los brazos y en las piernas.
➤ En caso de sensación de opresión del corazón y taquicardia, tomar n.º 7: *Magnesium phosphoricum* (fosfato de magnesio) D6 en caliente (pág. 269); si además siente debilidad, tome n.º 5: *Kalium phosphoricum* (fosfato de potasio) D6, también se puede tomar en forma de H6.
➤ En caso de taquicardia por temor y tensión, tomar n.º 6: *Kalium sulfuricum* (sulfato de potasio) D6.

ENFERMEDADES DE LAS VENAS

Las venas transportan la sangre usada de retorno al corazón y de ahí a los pulmones, donde vuelven a enriquecerse con oxígeno. En el hígado se transforman las toxinas en otras sustancias que se eliminan por el tracto digestivo. Para llegar hasta ahí la sangre debe fluir cuesta arriba, pues procede de la parte inferior del cuerpo.

Una mala alimentación, una debilidad del tejido conjuntivo, la falta de ejercicio, factores hormonales, el sobrepeso y una edad avanzada influyen en el debilitamiento de las paredes de las venas a lo largo del tiempo y producen varices. La consecuencia es que la sangre tiene más dificultades para circular, por lo tanto el primer síntoma es una sensación de pesadez en las piernas, hinchazón en los tobillos y notar que los pies ya no caben en los zapatos. Si se sigue en este estado durante un tiempo prolongado sin tratamiento pueden formarse úlceras en las piernas, porque ya no se eliminan las toxinas que afectan a la piel en el proceso de metabolismo celular.

Pero aún hay consecuencias más peligrosas: cuanto más lento fluya la sangre antes se acumularán los trombocitos, de modo que al final se formarán coágulos de sangre (trombosis).

• Prevención

Los estímulos mediante aplicación de frío mejoran la tensión de las paredes venosas. Pisar hierba con rocío, lavarse con agua fría (pág. 249), aplicar afusiones en las rodillas (pág. 250) y caminar dentro del agua (pág. 251) son medidas efectivas que se pueden aplicar, adaptándolas al tiempo y las posibilidades de que uno disponga. Simplemente es importante que se apliquen con regularidad (excepto en caso de tener los pies fríos).

Es especialmente importante realizar suficiente ejercicio cuando se tiene profesiones en las que se está sentado o de pie la mayor parte del tiempo.

Como suplemento dietético sobre todo han dado buen resultado los extractos de pepita de uva con procianidina oligomérica (pág. 239). Estos extractos producen un refuerzo de las paredes de los vasos sanguíneos. De este modo, mejora la circulación sanguínea y pueden evitarse los edemas en los tejidos y la pesadez y el dolor en las piernas.

Procure comprar solo aquellos productos comprobados clínicamente (con el certificado de autenticidad del profesor Masquelier). Por desgracia, en el mercado se ofrecen muchos productos que no contienen ninguna sustancia eficaz. Consulte también las recomendaciones para obtener los productos y las indicaciones para su administración en la pág. 240.

Tratamiento

Las varices deben tratarse en estadios tempranos para que no se desarrollen más. Una afección importante de las varices no puede eliminarse, solo se puede frenar su avance y disminuir sus consecuencias mediante un tratamiento sistemático. Por eso, es más importante la prevención que el tratamiento en sí, sobre todo si existe una predisposición a sufrir una afección venosa.

El tratamiento consta de una combinación de compresión mediante medias especiales y vendajes, terapias de ejercicios para apoyar el bombeo muscular, así como la ingesta de medicamentos. Estos se toman para reforzar las paredes de las venas y evitar la aparición de edemas.

Los vasos dilatados estéticamente molestos y de cuya función se puede prescindir también pueden eliminarse mediante una intervención quirúrgica. Pero esto tampoco es una solución a la larga, puesto que las molestias volverán a aparecer transcurridos entre cinco y siete años.

⊕ Consultar al médico

Siempre debe consultar a su médico para evaluar el estado de la enfermedad, así como en caso de que perciba endurecimientos dolorosos, que indican la posibilidad de que padezca una inflamación de venas o en caso de un dolor profundo de difícil localización en la pierna, que puede ser indicio de una trombosis venosa.

Aplicaciones terapéuticas

➤ Las envolturas frías de pantorrilla (pág. 255) alivian las inflamaciones de venas; también las compresas de arcilla y las compresas frías con barro curativo. El barro curativo o la arcilla (comprados en la farmacia o la herboristería) se mezclan con agua hasta que se forma una pasta; ésta se aplica sobre la pierna y se cubre con un paño. Pasadas unas horas, se enjuagan.

➤ Colocar las piernas en alto y realizar ejercicios de respiración produce un efecto de reflujo hacia el corazón. La bomba muscular también se activa mediante gimnasia de pies y piernas, mucha actividad y caminatas a buen ritmo.

➤ Eleve el extremo de la cama donde apoya los pies o apoye los pies sobre un cojín en forma de cuña, de este modo favorecerá el reflujo de la sangre en las venas. La inclinación

Consejo

Qué le conviene y qué no

➤ Son muy convenientes los paseos largos, nadar regularmente, cuidar la piel y los pies, las afusiones de agua fría, andar por agua fría y practicar deportes moderados que ejerciten la resistencia, como puede ser caminar por el monte o el esquí de fondo.

➤ Adopte la costumbre de realizar los siguientes ejercicios para activar la circulación: estire las piernas en posición acostada o sentada. Tensar la musculatura de las pantorrillas contrayendo los pies hacia el cuerpo y estirándolo de nuevo. Repetir varias veces.

➤ Hay que evitar el sobrepeso, el estar sentado o de pie mucho tiempo, el calor (tomar el sol, tomar saunas), la ropa estrecha, los tacones altos y deportes como el levantamiento de pesas y los ejercicios en el gimnasio que aumentan la presión en la zona abdominal, dificultando de ese modo el retorno de la sangre al corazón. Si va al gimnasio, pida a un entrenador profesional que le prepare un plan de entrenamiento adecuado y se lo actualice regularmente.

de la cama no debe ser muy pronunciada, sino la justa para que sienta un alivio y la posición le resulte cómoda.

➤ Un alivio no solo en caso de tener la sangre estancada: deje que su compañero o quien le atienda le frote las piernas con movimientos regulares desde el pie hasta el tronco mientras usted está acostado con las piernas en alto.

➤ Las medias especiales de compresión o elásticas o los vendajes de compresión ejercen presión sobre las piernas, de modo que la sangre es transportada más eficazmente hacia el corazón con el subsiguiente alivio de las piernas. Este tipo de medias y vendajes de compresión deben ser prescritos por el médico y adaptados o fabricados de forma individualizada.

● **Preparados y remedios**

Cuando se tiene una afección avanzada de venas ya no se puede curar completamente, pero pueden mejorarse las molestias mediante una terapia adecuada. Para ayudar a la eliminación de agua del cuerpo pueden usarse infusiones muy eficaces. Entre los muchos remedios para las venas de aplicación externa hay preparados fitoterapéuticos así como de síntesis química que pueden eliminar la hinchazón y la obstrucción dolorosa. Es de importancia esencial que no use los remedios arbitrariamente, sino que los tome o los aplique de forma sistemática y a largo plazo.

Fitoterapia

➤ Las medicinas a base de plantas para evitar edemas son preparados de castaño de Indias, trigo sarraceno, meliloto, ruda y rusco, así como sus principios activos aislados: la aescina, la cumarina y la rutina. Se toman o se aplican de forma externa.

➤ La eliminación de agua del organismo puede estimularse mediante infusiones (consúltese

Consejo

Remedios caseros para las úlceras en las piernas

Si ya se ha formado alguna úlcera en las piernas resultan beneficiosos los baños de piernas con agua fría, a los que es conveniente añadir permanganato de potasio para conferirles propiedades desinfectantes. Pero tenga en cuenta que no debe realizarse ninguna hidroterapia fría cuando tenga los pies fríos o si tiene problemas de circulación arterial.

Procedimiento

➤ Introducir las piernas en un recipiente (bañera para pies, cubo o bañera normal). Rellenar con agua fría (con aditivos) hasta que le llegue justo por debajo de la rodilla. Tomar el baño durante cinco minutos, escurrir el agua sobrante con las manos y dejar, a ser posible, que las piernas se sequen al aire.

➤ Los baños con cola de caballo, corteza de roble, tanino de corteza de pino o tomillo (pág. 252) así como las afusiones en las rodillas (pág. 250) y las envolturas de pantorrillas (pág. 255) con infusión de cola de caballo estimulan la curación.

➤ Las compresas con aceite de germen de trigo, miel, pasta de barro curativo, solución salina o de glucosa, infusión de cola de caballo, decocción de corteza de roble (pág. 252) y vino estimulan la formación de piel nueva. Para ello, coger un paño de hilo del tamaño adecuado bien empapado con el producto correspondiente o con una capa de emplasto de un dedo de grosor, aplicar y dejar que actúe una hora. A continuación enjuagar la pierna con agua tibia.

su preparación y dosificación en la pág. 264) o usando preparados listos para usar de hoja de abedul, hojas de ortiga, raíz de gatuña, diente de león, hojas y raíces de perejil, rabo de gato, raíz de esparraguera, ortosifón y vara de oro.

➤ En caso de inflamaciones venosas, son recomendables los preparados de aplicación externa con extractos de árnica, caléndula y hamamelis.

Remedios de síntesis química

➤ Otros principios activos para la terapia externa de las venas son la hirudina, que se obtiene a partir de las sanguijuelas, y la heparina, obtenida de órganos animales. Ambos pueden disminuir la coagulación y la acumulación de la sangre. Según las necesidades, se puede elegir una aplicación a modo de gel o loción refrescante, o en forma de cremas o ungüentos grasos, que también se adecuan en particular a la piel más seca de las personas mayores.

➤ De forma parecida a la heparina y la hirudina actúan también los remedios de síntesis química diosmina y troxerutina.

Si existe una tendencia a la aparición de úlceras en las piernas (Ulcus cruris), entonces se recomienda el uso de pomadas para las venas, que al contener la combinación de las sustancias de protección de la piel similares a las vitaminas, alantoína y dexpantenol, favorecen la regeneración de las zonas de la piel que están inflamadas.

➤ Si ya han aparecido úlceras en la piel son adecuados los preparados con dexmantenol y manzanilla para la curación de las heridas, así como sustancias analgésicas de aplicación local como el polidocanol.

Homeopatía

Las indicaciones sobre los efectos y la aplicación de los remedios homeopáticos se pueden consultar en la pág. 265 y ss. Los cuadros clínicos descritos a continuación están organizados por síntoma principal (**S**), estado anímico (**A**) y cambios que se producen (**C**):

➤ *Aesculus* D6 – gotas: **S:** hemorroides, varices dolorosas, inflamación de las varices, dolores lumbares, estreñimiento; **C:** empeoramiento por la noche; mejora con el calor.

➤ *Calcium fluoratum* D6, D12 – gotas: **S:** úlceras en las piernas con bordes duros, varices con dolores punzantes, tejido conjuntivo fofo, dolores lumbares; **A:** irritable, miedoso, depresivo; **C:** las percepciones sensoriales empeoran el estado.

➤ *Cardus marianus* D4 – gotas: **S:** obstrucción en la vena porta con formación de hemorroides y varices, problemas hepáticos ; **A:** enfadado, triste; **C:** empeora al estar de pie y comer; mejora al hacer ejercicio.

➤ *Lachesis* D8, D12 (D30) – gotas: **S:** inflamación de las varices, úlceras en las piernas con inflamación, sudor pegajoso; **A:** agitación, locuacidad, no soporta las situaciones molestas; **C:** empeora al dormir y con calor.

➤ *Sepia* D3, D4, D6, D12 – pastillas: **S:** hemorroides, varices, sofocos, extremidades frías, ventosidades; **A:** irritabilidad; **C:** mejora al hacer ejercicio y al aire libre; empeora al comer y por el aire caliente de las habitaciones.

Sales de Schüssler

Las indicaciones sobre los efectos y la aplicación de las sales de Schüssler se pueden consultar en la pág. 268 y ss.

➤ En caso de varices, tomar por vía oral y aplicar pomada del n.º 1: *Calcium fluoratum* (fluoruro cálcico) D12 alternándola con el n.º 11: *Silicea* (dióxido de sílice) D12. En caso de varices endurecidas, se ha obtenido buenos resultados con las sales n.º 6: *Kalium sulfuricum* (sulfato de potasio) D6.

➤ Si se tiende a retener agua en los tejidos, utilizar la sal n.º 10: *Natrium sulfuricum* (sulfato de sodio) D6 y tomar en caliente (pág. 269) para eliminarla.

TAQUICARDIAS Y ARRITMIAS

El corazón tiene su propio sistema de formación y conducción de estímulos. Esto significa que se coordina la actividad de ambas aurículas y ambos ventrículos, lo que mantiene en funcionamiento la circulación sanguínea. Los fallos (que no necesariamente tienen que ser patológicos) producen una modificación del ritmo normal, que está entre 60 y 70 pulsaciones por minuto.

➤ Los latidos adicionales o las pausas aparentes se denominan arritmias (extrasístoles). También aparecen en personas sanas, por ejemplo cuando se consumen cantidades de café o alcohol superiores a lo normal. En caso de una hiperfunción de la glándula tiroides, debilidad del músculo del corazón, una enfermedad de las arterias coronarias o enfermedades inflamatorias del corazón, las arritmias son un indicio de un posible daño en el corazón. También un estómago muy lleno puede producir arritmias.

➤ Un latir fuerte y rápido del corazón junto con inquietud y sensación de debilidad indican una taquicardia. La sobrecarga anímica, la agitación y el miedo pueden ser el detonante, pero no necesariamente. En algunos casos de taquicardia, aumenta la frecuencia del corazón por encima de las 150 pulsaciones por minuto.

➤ Cuando el ritmo cardiaco es demasiado lento se habla de una bradicardia. Esto produce cansancio y mareo, que se notan especialmente cuando se realizan ejercicios físicos.

● Prevención

Compruebe antes de cualquier tratamiento de apoyo cuáles son sus costumbres cotidianas:

➤ Mucha actividad física al aire libre refuerza el corazón y procura un suministro de oxígeno suficiente.

➤ Dormir suficiente y alimentarse de forma natural y sana puede prevenir las enfermedades del corazón. Absténgase de fumar.

➤ En la actualidad, ya se ha comprobado científicamente y de manera extensa que el magnesio tiene un papel fundamental en la transmisión de los estímulos al corazón, y por lo tanto en el ritmo cardiaco. También se sabe que muchas enfermedades del corazón van ligadas a una carencia de magnesio y que la alimentación con frecuencia no cubre las necesidades diarias de este mineral. Por eso es muy recomendable un aporte de magnesio tanto para la prevención como en el tratamiento de los problemas de formación y conducción de estímulos en el corazón.

También es muy importante un aporte suficiente de coenzima Q 10 a las células. Infórmese de los preparados correspondientes (pág. 237).

● Tratamiento

Como norma fundamental, hay que aclarar antes que nada en la consulta del médico qué tipo de trastorno del ritmo cardiaco o debilidad del corazón se padece. Solo si se ha confirmado que no se trata de un problema grave puede elegir el medicamento adecuado para usted de entre la amplia gama de preparados que fortalecen y activan el corazón.

La bradicardia (una frecuencia cardiaca demasiado baja) solo puede tratarse con medicamentos de prescripción facultativa.

● Preparados y remedios

En el marco de una automedicación, se puede mejorar una insuficiencia cardiaca en disminución con preparados de espino blanco y otras plantas medicinales adecuadas para el corazón. Un ritmo cardiaco acelerado acompañado de inquietud, problemas para dormir (pág. 175) y nerviosismo (pág. 178) puede frenarse con

El extracto de espino blanco aumenta la fuerza de contracción del músculo del corazón y disminuye la frecuencia cardiaca

remedios indicados en el apartado correspondiente a cada una de estas afecciones.

Fitoterapia

➤ Para activar la capacidad del corazón hay una serie de preparados a base de plantas individuales o combinados de plantas. El ingrediente principal de la mayoría de estos preparados es el espino blanco, cuyos principios activos mejoran la capacidad del corazón y el flujo sanguíneo.

Se puede aplicar los preparados de espino blanco con carácter preventivo pero también como apoyo a un tratamiento para el corazón prescrito por el médico. Estos preparados deben tomarse durante periodos prolongados. No se conocen efectos secundarios.

➤ Otros preparados listos para usar que actúan sobre el corazón contienen adonis de otoño, agripalma, combalaria, cebolla albarrana, muérdago y romero. Estos preparados se combinan con frecuencia con ajo para la prevención de la arterioesclerosis de los vasos coronarios.

Medicamentos de síntesis química

Existen preparados para el corazón de síntesis química que se aplican masajeando la zona del corazón. Para ello se utilizan los principios activos sintetizados de las plantas alcanfor y mentol. Los preparados de administración oral contienen el principio activo fitoterapéutico rutosida.

Homeopatía

Las indicaciones sobre los efectos y la aplicación de los remedios homeopáticos se pueden consultar en la pág. 265 y ss. Los cuadros clínicos descritos a continuación están organizados por síntoma principal (**S**), estado anímico (**A**) y cambios que se producen (**C**):

➤ *Aconitum* D4, D6 – pastillas: **S:** taquicardia repentina con inquietud, pinchazos en el corazón, pulso rápido y marcado, sed; **A:** miedo; **C:** empeoramiento por la noche y con calor.

➤ *Coffea* D3, D4, D6, D12 – pastillas: **S:** taquicardia, pulso rápido, migraña; **A:** emoción, insomnio con inquietud mental; **C:** empeoramiento con el ruido, el frío y por la noche.

➤ *Convallaria* D2, D3, D4 – pastillas: **S:** somnolencia durante el día, inquietud durante la noche, tendencia a inflamaciones en los tobillos; **A:** sensación como si el corazón dejara de latir y se pusiera de repente de nuevo en marcha.

➤ *Natrium muriaticum* D3, D4, D6, (D30) – pastillas: **S:** taquicardia con miedo, irritabilidad nerviosa, adelgazamiento a pesar de tener buen apetito; **C:** empeora con el trabajo físico e intelectual así como con la exposición al sol.

Sales de Schüssler

Las indicaciones sobre los efectos y la aplicación de las sales de Schüssler se pueden consultar en la pág. 268 y ss.

➤ En caso de opresión en el corazón, angina de pecho o taquicardia, tomar n.º 7: *Magnesium phosphoricum* (fosfato de magnesio) D6 en caliente; si al mismo tiempo se siente debilidad, tomar n.º 5: *Kalium phosphoricum* (fosfato de potasio) D6; también se puede tomar caliente.

➤ En caso de taquicardia por pánico, tomar n.º 6: *Kalium sulfuricum* (sulfato de potasio) D6.

Enfermedades de las vías respiratorias

Nuestras vías respiratorias están día y noche en funcionamiento. Suministran el oxígeno que es vital para nuestro organismo y eliminan el dióxido de carbono que se produce. En este proceso están expuestas a grandes esfuerzos, ya que tienen que luchar constantemente contra bacterias y virus así como toxinas de nuestro entorno. Se subdividen en vías respiratorias superiores (nariz, senos paranasales y garganta) y vías respiratorias inferiores (tráquea, bronquios y pulmones). Los trastornos más frecuentes se producen por catarros, causados por virus, que son fáciles de prevenir. Con frecuencia puede conseguirse una mejora de las molestias con remedios sencillos.

● Prevención

No todo el mundo enferma cuando hay una epidemia de gripe o cuando sufre un enfriamiento, dependerá de su estado general y de la resistencia a las infecciones. La norma es: prevenir es mejor que curar. Para fortalecerse es adecuado tomar saunas regularmente, aplicar humectaciones con agua fría, ducharse con agua caliente y fría de forma alterna y realizar mucho ejercicio al aire libre. Procure vivir y trabajar en espacios que se ventilen de forma regular y que estén bien oxigenados. Evite en la medida de lo posible la manipulación de sustancias tóxicas, que irritan las vías respiratorias, y renuncie a la nicotina. La aplicación de remedios y medidas que aumentan las defensas puede tener un efecto profiláctico en las estaciones de transición, en las que el riesgo es mayor, y pueden procurar alivio en caso de enfermedad.

Información

**¿Es la vitamina C
tan efectiva como dicen?**

Con frecuencia se lee que es recomendable tomar elevadas dosis de vitamina C en caso de catarro o gripe incluso tras haberse iniciado la infección, aunque lo cierto es que los expertos no se ponen de acuerdo en que un tratamiento de choque con vitamina C en ese estado avanzado sea eficaz. En general, se puede decir que solamente es posible detener realmente el avance de un resfriado o disminuir la duración de la enfermedad si se toma vitamina C al notar los primeros síntomas. No obstante, lo más adecuado es tomar suficiente vitamina C y micronutrientes generales para evitar la enfermedad. Esta es la condición para gozar de un sistema inmunológico en buen funcionamiento.

Guía de las enfermedades de las vías respiratorias

Si el problema que usted padece no aparece en este listado puede consultar el índice de contenidos (pág. 280 y ss.).

Es especialmente importante para mejorar las defensas llevar una alimentación sana con numerosas sustancias nutritivas, pues estas son, de algún modo, la munición de nuestro sistema inmunológico. Los deportistas de alto rendimiento, por ejemplo, añaden a su alimentación sana y equilibrada complementos alimenticios para poder asumir sus retos, pues sus defensas deben rendir al máximo.

Asegúrese también usted de que su sistema inmunológico reciba todo el apoyo posible. Para ello es de ayuda un complemento alimenticio completo de fuentes naturales (pág. 232 y ss.). La vitamina C administrada en dosis de 1 a 3 gramos puede tener un efecto preventivo cuando aparecen los primeros síntomas de un resfriado o disminuir los síntomas de la enfermedad. Procure tomar vitamina C proveniente de fuentes naturales (por ejemplo, acerola). Los preparados que mejor sientan al estómago son aquellos que liberan de forma lenta la vitamina C (los denominados de liberación lenta o acción retardada).

En particular, para prevenir las enfermedades de las vías respiratorias, las alergias y las debilidades del sistema inmunológico, cuya causa suelen ser los radicales libres, ha dado buen resultado la OPC (pág. 239), pues aumenta el efecto de las

Cuando padezca un catarro procure descansar y tomar mucha vitamina C.

vitaminas E y C, de efecto preventivo, y alcanza a todos los tejidos del cuerpo. Además, sienta bien tanto a adultos como a niños.

A veces no resulta fácil darse cuenta de las medidas adecuadas para nosotros y nuestra forma de vida y aplicarlas consecuentemente. Por ello, pida consejo al médico especialista en medicina preventiva.

CATARRO Y GRIPE

Por principio hay que diferenciar un catarro sin complicaciones de una gripe vírica real (influenza). Ambas enfermedades tienen en común que se producen por agentes patógenos ajenos al organismo y pertenecen, por lo tanto, a las enfermedades infecciosas. El contagio se produce de forma relativamente sencilla a través de platos y cubiertos compartidos, mangos de puertas, el teléfono y por la proximidad de un afectado que tosa o estornude.

Con frecuencia se coge un catarro debido a un enfriamiento que debilita el organismo y lo hace más propenso a verse afectado por un virus. Los síntomas son fiebre ligera, decaimiento, dolores de cabeza y en las extremidades, inflamación de las vías respiratorias superiores, y a veces también afecciones del estómago y los intestinos. Una gripe vírica es más rara y se reconoce perfectamente porque, si bien los síntomas son iguales, son mucho más fuertes. Suele afectar durante periodos de tiempo breves a grupos grandes de personas (epidemia), pero gracias a los avances de la medicina ha perdido gravedad. Existen vacunas para ciertos tipos de gripe.

● Tratamiento

Poco se puede hacer con medicamentos cuando la gripe es vírica (a diferencia de si el agente es bacteriano). Simplemente hay que pasar la gripe. Lo que sí se puede hacer es calmar los síntomas.

Ir al médico

Si empeora su estado general o algún síntoma en concreto consulte a su médico. Si aparecen dolores en el pecho, el tipo de dolor y su localización serán indicios de la causa.
➤ Los dolores relacionados con la respiración junto a tos y fiebre indican que se trata de una pulmonía o pleuritis (*véase* el cuadro en la pág. 43).
➤ Los dolores intensos repentinos acompañados de sensación de ahogo, tos y la expectoración de esputos con sangre son síntomas de una embolia pulmonar.

● Aplicaciones terapéuticas

➤ En cuanto note los primeros síntomas de catarro, es conveniente tomar un baño de pies con temperatura ascendente (pág. 246) o un baño completo antigripal (pág. 248). Esto permite frenar la infección incipiente en algunos casos.
➤ Tomarse uno o más días de descanso encamado y con calor produce milagros, pues ayuda a que el propio organismo actúe contra el catarro. En caso de niños o personas de salud delicada, y sobre todo si aparece fiebre, es obligatorio permanecer en cama.
➤ Aplique acupresura en estos puntos para aliviar los síntomas:
  Di 4 Hegu
  Ma 44 Neiting
  SJ 5 Waiguan

Para encontrar los puntos y realizar correctamente la acupresura consulte las tablas y figuras en la pág. 276 y ss.

● Preparados y remedios

Casi todos los síntomas de los catarros "normales" pueden tratarse con medicinas.

Fitoterapia

➤ Las personas que no tengan problemas de inestabilidad del sistema circulatorio pueden someterse por la tarde a una cura para sudar la gripe. Para ello hay que beber una gran cantidad de infusión sudorífica, por ejemplo de flores de saúco o tilo (para su preparación y dosificación consúltese la pág. 264) o zumo de saúco caliente diluido. Si después se toma además un baño caliente se potencian sus efectos. A continuación hay que meterse bien arropado en la cama.

Al cabo de un rato empezará a sudar. Trascurridas dos horas cámbiese la ropa sudada, y si fuera necesario también la ropa de cama, y séquese el cuerpo con una toalla de rizo. Beba algo más y vuelva a la cama. A la mañana siguiente suele notarse una mejoría considerable.
➤ Los remedios contra el catarro a base de extractos de raíz de equinácea y puntas de tuya tienen sobre todo un efecto estimulante del sistema de defensa del organismo.

Remedios de síntesis química

La fiebre y los dolores fuertes de cabeza y extremidades pueden combatirse con ácido acetilsalicílico o paracetamol.

Si tiene motivos urgentes que le obliguen a ponerse de nuevo en forma con rapidez puede tomar los denominados remedios contra la gripe, que son preparados que combinan varios principios activos. Estos remedios evitan, no obstante, toda implicación del organismo en el combate contra la infección y solo deberían tomarse en caso de emergencia.

Homeopatía

Las indicaciones sobre los efectos y la aplicación de los remedios homeopáticos se pueden consultar en la pág. 265 y ss. Los cuadros clínicos descritos a continuación están organizados por síntoma principal (**S**), estado anímico (**A**) y cambios que se producen (**C**):

➤ *Aconitum* D4, D6 – gotas: **S**: escalofríos, fiebre seca, mucho miedo, gran inquietud, taquicardia, pulso marcado, sed intensa; **A**: miedo, inquietud; **C**: empeoramiento de los síntomas por la tarde, la noche y con calor.

➤ *Bryonia* D3, D4, D6 – pastillas: **S**: dolor de cabeza intenso, tos seca, fuerte necesidad de beber agua fría, sabor amargo en la boca, dolores punzantes al respirar; **A**: gran irritabilidad; **C**: empeoramiento con cualquier tipo de movimiento; la tranquilidad y el calor mejoran los síntomas.

➤ *Eupatorium perfoliatum* D2, D3 – pastillas: **S**: fiebre con gran sensación de fatiga en las extremidades y dolor de huesos, tos seca griposa con dolor tan intenso que hay que apretar el pecho, resfriado con secreción nasal intensa, mucha sed, dolor al sentir necesidad de orinar, dolores en la región occipital de la cabeza y en los ojos, mareos; **C**: mucha sed pero beber provoca ganas de vomitar.

➤ *Gelsemium sempervirens* D3, D4, D6, (D30) – pastillas: **S**: fiebre con escalofríos, sin sensación de sed, sensación de abatimiento general, aturdimiento y somnolencia, debilidad con temblores, congestión con tez enrojecida y dolores en la cabeza (zona occipital); **C**: la micción en gran cantidad alivia el dolor de cabeza; empeora con el calor, el sol, el movimiento y cualquier tipo de acaloramiento.

FIEBRE

La alteración del mecanismo de regulación térmica en el organismo produce una elevación temporal de la temperatura que denominamos

Consejo

Remedios caseros que ayudan en caso de pulmonía

El tratamiento de una pulmonía debe ser controlado siempre por el médico. Consúltele si alguno de los métodos mencionados pueden calmarle algo más y acelerar la curación.

➤ Las humectaciones con agua fría resultan beneficiosas y fortalecen el organismo (pág. 248 y ss.).

➤ En caso de fiebre, puede eliminarse el exceso de temperatura aplicando varias veces al día envolturas frías en las pantorrillas, el pecho o todo el cuerpo (pág. 253 y ss.).

➤ Las envolturas o los paños aplicados con ungüento de mostaza en polvo (pág. 256) ayudan a mejorar la circulación sanguínea en los pulmones y a expectorar las secreciones. Se preparan mezclando la mostaza en polvo con agua tibia y untando la pasta sobre el paño, que a continuación se aplica sobre el pecho. Pero, atención, hay personas que no toleran la mostaza. Si aparece escozor retirar inmediatamente el paño.

Sales de Schüssler

Las indicaciones sobre los efectos y la aplicación de las sales de Schüssler se pueden consultar en la pág. 268 y ss. Se puede aplicar el tratamiento para las inflamaciones así como tomar los preparados n.º 3: *Ferrum phosphoricum* (fosfato de hierro) D12 y n.º 4: *Kalium chloratum* (cloruro de potasio) D6.

fiebre. En la mayoría de los casos se produce debido a una infección por bacterias o virus. El cuerpo intenta combatir a los intrusos autorregulándose, es decir, intensificando el esfuerzo. La fiebre supone por lo tanto una ayuda importante para la curación y solo debería reprimirse si afecta de manera intensa al estado general (dolores fuertes de cabeza) o si aumenta tanto que pueda dañar al organismo.

¿Qué es la fiebre?

Normalmente se considera fiebre una temperatura por encima de los 38 ºC. La fiebre moderada solo resulta peligrosa cuando dura demasiado. Desde el primer al cuarto día de una enfermedad infecciosa, el aumento de temperatura puede acelerar la curación de la enfermedad. Durante esa fase puede resultar beneficioso un baño caliente o una cura de sudor (pág. 41 y ss.).

A veces, la fiebre debe seguir elevada durante algunos días más para que la temperatura descienda por sí sola a los valores normales.

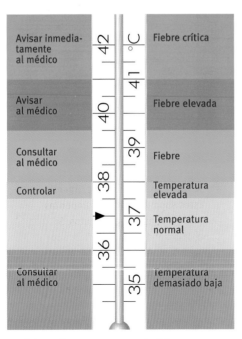

La fiebre es la reacción necesaria del cuerpo humano para combatir las infecciones.

La falta de apetito en caso de fiebre no es preocupante, pero sí hay que procurar un aporte suficiente de líquido.

En el momento en que se inicia una infección está prohibido realizar deporte, pues de lo contrario el organismo se verá sometido a un sobreesfuerzo.

Cuando una enfermedad con fiebre se acerca a su punto álgido o dura bastante tiempo, hay que enfriar el cuerpo desde el exterior. Lo más adecuado para ello son las humectaciones con agua fría y llevar ropa ligera. Si de este modo no se consigue un enfriamiento suficiente y sigue aumentando la fiebre pueden usarse medicamentos antipiréticos.

Tratamiento

Antes de empezar cualquier tratamiento hay que tomar la temperatura. A ser posible se tomará siempre en el ano ya que es más fiable de este modo que si se toma en la axila. Lo ideal es usar termómetros digitales a prueba de rotura adquiridos en la farmacia. Su aplicación es fácil, no pueden astillarse y no suponen por lo tanto un peligro. Mida la temperatura varias veces al día a lo largo de varios días, pues de estas mediciones se podrá deducir la causa de la enfermedad.

⊕ Consultar al médico

Si la temperatura aumenta de forma repentina más allá de los 39 ºC, si una temperatura algo elevada (a partir de 38 ºC) dura más de tres días o si va y viene, o bien aparecen otros síntomas, es necesario que llame al médico.

Aplicaciones terapéuticas

➤ En estos momentos, lo más importante para el organismo es aportarle mucho líquido, pues si no se restituye el líquido perdido a través del sudor seguirá aumentando la temperatura corporal. Los dolores de cabeza son un síntoma de carencia de líquido.

Bebidas recomendadas son las infusiones de hierbas endulzadas con glucosa (preparados listos para usar de la farmacia), el jugo de saúco o bebidas que contengan vitamina C.

➤ Hay que procurar que la habitación del enfermo reciba aire fresco y que sea tranquila, pues el cuerpo está trabajando revolucionado.

➤ Para hacer descender la temperatura del cuerpo son adecuadas las humectaciones con agua fría de medio cuerpo o cuerpo entero. Compruebe antes que la tensión arterial del paciente lo permita.

➤ La fiebre puede reducirse de uno a dos grados aplicando envolturas frías en las pantorrillas (pág. 255), que se volverán a aplicar cada cinco a diez minutos.

➤ También refrescan las envolturas de pecho y cuerpo (pág. 253 y ss.), que deben mantenerse pegadas al cuerpo hasta que hayan alcanzado la temperatura del mismo.

➤ Los baños completos (pág. 248) disminuyendo paulatinamente la temperatura producen alivio: iniciar con una temperatura del agua de 2 ºC por debajo de la temperatura corporal y disminuirla 5º cada 10 minutos.

➤ Aplique acupresura en estos puntos para aliviar los síntomas:

Ma 44 Neiting

Para encontrar los puntos y realizar correctamente la acupresura consulte las tablas y figuras en la pág. 276 y ss.

Preparados y remedios

En caso de fiebre es recomendable aplicar remedios que hagan sudar al paciente como el saúco (a modo de infusión o jugo de sus bayas) y la infusión de tila. También ayudan los zumos ricos en vitamina C de espino cerval de mar, naranja, cereza silvestre (acerola) o grosella negra. Sin embargo, a veces resulta necesario usar medicinas de síntesis química para bajar la fiebre y disminuir el dolor.

Información

Fiebre con convulsiones en niños

La fiebre con convulsiones la padece alrededor del 3% de todos los niños, especialmente cuando son bebés o tienen edades comprendidas entre seis meses y cinco años. Con frecuencia la causa son infecciones de las vías respiratorias superiores.

➤ En caso de convulsiones acompañadas de fiebre, que aparecen habitualmente tras un ascenso repentino de la fiebre, el niño pierde la consciencia durante un breve periodo, gira las pupilas de un lado a otro, sufre convulsiones y aprieta los dientes.

➤ Ante todo, intente no alterarse y tranquilice al niño.

➤ Llame al médico de urgencias para que pueda detener las convulsiones con medicamentos de urgencia.

➤ Si su hijo ya ha padecido fiebre con convulsiones durante una infección existe un 30% de probabilidades de que le vuelva a ocurrir. Por ello, debería pedir de forma preventiva una receta de supositorios con principios activos como el diacepam o el cloroalhidrato y guardarlos a mano en casa (en la nevera) por si se repite esa situación de urgencia. Estos supositorios interrumpen las convulsiones en tres minutos. Si su hijo tiende a padecer fiebre con convulsiones debería intentar bajarle la temperatura en cuanto ascienda más allá de los 38,5 ºC.

Fitoterapia

➤ Los preparados a base de plantas con raíz de equinácea y otros extractos de plantas inmunoestimuladores pueden contribuir a aumentar la reacción de defensa del propio organismo.

> ➤ También alivia la siguiente infusión:
> 30 partes de flores de saúco
> 30 partes de flores de tilo
> 20 partes de flores de colocasia
> 20 partes de cáscara de rosa mosqueta

Consultar las indicaciones para la preparación y dosificación que aparecen en la pág. 264.

TOS

La tos es un acto reflejo importante para protegerse, pues expulsa de las vías respiratorias mucosidades, polvo y cuerpos extraños mediante fuertes golpes. Las causas más frecuentes de la tos son las inflamaciones de los bronquios (bronquitis), que se producen al padecer infecciones por virus o bacterias casi siempre en el marco de un catarro. Normalmente, la tos seca al inicio de un catarro pasa tras uno o dos días a ser una tos que expectora una mucosidad densa y poco tiempo después desaparece.

Una bronquitis recibe el nombre de crónica si se padece durante dos años consecutivos

Remedios de síntesis química

➤ Cuando sea necesario es mejor para bajar la fiebre usar preparados de síntesis química, que además contengan las sustancias analgésicas ácido acetilsalicílico (ASS), ibuprofeno o paracetamol, que la decocción casera de corteza de sauce. De este modo también se reducen los dolores de cabeza y extremidades.

En caso de tener el estómago sensible o una tendencia a sangrar, no debe usarse el ácido acetilsalicílico sino el paracetamol.

tos con expectoración durante tres meses en cada año. En algunos casos, la tos es consecuencia de una alergia y también puede producirse por ciertas sustancias irritantes en el aire inspirado, enfermedades de los pulmones y efectos secundarios de medicamentos.

● Tratamiento

Durante los primeros días de una bronquitis hay que tratar la tos, que con frecuencia resulta muy molesta. Cuando la tos empieza a ser productiva hay que procurar la formación de mucosidad y la expectoración. Es entonces cuando se puede empezar a tomar medicamentos calmantes de la

Problemas respiratorios debidos al asma

Cuando se padece asma se produce un estrechamiento de las vías respiratorias. En esta enfermedad el sistema inmunológico reacciona de forma especialmente sensible a ciertos estímulos, a los que las vías respiratorias sanas no reaccionan. Los causantes pueden ser agentes alérgenos como el polen, los pelos de animales o el polvo de casa, pero también otras sustancias irritantes o simplemente el aire

Información

frío. Cuando se realiza un esfuerzo excesivo físico o cuando se está bajo mucha presión psicológica también puede aparecer asma. Al estrecharse las vías respiratorias el afectado obtiene menor cantidad de aire.

Si hay sospecha de padecer una enfermedad asmática, es imprescindible consultar al médico para conocer sus causas y buscar el remedio adecuado. Para fortalecer el sistema inmunológico de forma preventiva encontrará muy buenos consejos en la pág. 58.

tos antes de acostarse para poder dormir mejor. Sin embargo, durante el día es mejor prescindir de estos medicamentos ya que si no no se expectora para eliminar la mucosidad.

La humectación regular de las mucosas y el tratamiento con calor en el pecho aumentan la expectoración y reducen la inflamación dolorosa de los bronquios. Es muy importante beber mucho.

⊕ **Consultar al médico**

Si la tos persiste más allá de una semana a pesar de haberse autotratado o si es muy intensa y la acompañan fiebre, dolores de pecho y angustia, debería ir a la consulta del médico. En el caso de bebés y niños pequeños, es recomendable –por precaución– consultar siempre al médico para conocer la causa y la magnitud de la tos.

Las mezclas de tés del las farmacias o una tisana de hierbas frescas calman la tos irritativa y favorecen la curación.

● **Aplicaciones terapéuticas**

➤ Para mejorar la expectoración y las convulsiones en caso de tos seca se obtienen buenos resultados si se aplican compresas calientes (pág. 258) sobre la caja torácica así como paños calientes con cataplasma de polvo de mostaza, puré de patata, peloides y flores de heno (pág. 257 y ss.).

➤ Cuando la tos no va acompañada de fiebre, puede aplicarse maniluvios y pediluvios aumentando la temperatura del agua (pág. 244, 246) y a continuación una envoltura de pecho (pág. 253 y ss.). En caso de tos con fiebre, es más conveniente aplicar envolturas frías de garganta, pecho y pantorrillas (pág. 253 y ss.).

➤ Las inhalaciones (pág. 246) de vapor con hierbas (manzanilla, tomillo, salvia) o aceites esenciales (de eucalipto, menta, tomillo), así como también las inhalaciones de soluciones salinas, ayudan a que se eliminen antes las secreciones.

Cuando se aplique baños de vapor compruebe que el vapor no esté todavía demasiado caliente.

➤ El mismo efecto se puede conseguir usando el aceite esencial en lámparas de aceite o vaporizadores en el dormitorio. Para los dormitorios de niños use solo aceites esenciales suaves (albahaca, mejorana).

➤ También son expectorantes los jarabes para la tos de elaboración propia a base de ajo, cebolla y rábanos: hervir 2 dientes de ajo picaditos o 1 cebolla picada con 3 cucharadas de azúcar candi en 1/8 litro de agua durante

Información

¿Es conveniente tomar inhibidores de la tos?

Solo deberían usarse remedios que inhiben la tos si el descanso nocturno se ve muy afectado o si toser produce dolor.

No tome un inhibidor de la tos si tiene las vías respiratorias muy llenas de mucosidad, pues no le permitirá eliminar esta.

10 minutos, dejar enfriar un rato y tomar a cucharadas.

● Preparados y remedios

Es importante elegir el remedio adecuado en cada momento: si la tos es seca, empieza con irritación desagradable y se convierte en un ataque de tos asfixiante y doloroso, puede calmarse usando lo que se denomina un inhibidor de la tos. En la siguiente fase del catarro deberá eliminar mucosidad con preparados expectorantes.

Fitoterapia

➤ Beber mucho disuelve la mucosidad. Para ello son adecuadas las infusiones calientes de hierbas mezcladas que se pueden encontrar ya listas para el consumo en la farmacia, el zumo de bayas de saúco, agua con miel caliente o leche con miel.

➤ Los remedios antiespasmódicos a base de plantas para la tos son preparados listos para usar con tomillo, drosera, hiedra y petasites.

La sustancia principal de la menta es su aceite esencial, que contiene mentol.

También el malvavisco, el tusílago, el musgo islandés, la malva y el llantén forman una capa protectora sobre la mucosa de los bronquios y actúan de forma calmante a nivel local. Se pueden encontrar en forma de sirope, gotas, infusión o caramelos.

➤ Productos de plantas de uso habitual para expectorar son los aceites esenciales de anís, eucalipto, hinojo, alcanfor, pino, menta y sobre todo el tomillo. Son expectorantes y a la vez desinfectantes.

➤ La ipeca, el ásaro, la raíz de prímula, de saponaria, de senega y regaliz aumentan la licuación y eliminación de la mucosidad densificada de los bronquios.

➤ Los aceites esenciales también actúan en friegas, baños o inhalaciones. Sin embargo, recuerde que los bálsamos para el pecho con alcanfor y mentol no son adecuados para niños menores de dos años; para ellos existe otro tipo de preparados.

➤ Esta mezcla de hierbas en infusión alivia la tos en general y es además expectorante:

    10 partes de anís
    10 partes de raíz de regaliz
    20 partes de musgo islandés
    30 partes de alteína
    30 partes de hoja de tusílago

Consultar las indicaciones para la preparación y dosificación en la pág. 264.

Medicamentos de síntesis química

➤ Entre los inhibidores de la tos es posible automedicarse preparados que contengan clobutinol, dextrometorfano o dropropizina.

➤ Entre las sustancias químicas expectorantes se encuentran, por ejemplo, la acetilcisteína, el ambroxol, la bromexina, la guaifenesina y el tiloxapol.

Homeopatía

Las indicaciones sobre los efectos y la aplicación de los remedios homeopáticos se pueden consultar en la pág. 265 y ss. Los cuadros clínicos descritos a continuación están organizados por síntoma principal (**S:**, estado anímico (**A**) y cambios que se producen (**C**).

➤ *Drosera* D4, D6 – pastillas: **S:** ataques de tos, respiración dificultosa, mucosidad con burbujas; **A:** depresivo, abatido; **C:** empeoramiento de los síntomas por la noche; mejora al comer.

➤ *Hyoscyamus niger* D3, D4 – gotas / pastillas: **S:** tos seca espasmódica especialmente al estar acostado; **A:** agresivo, parlanchín, cambios de humor; **C:** empeoramiento por la noche.

➤ *Stannum jodatum* D4, D6, D12 – pastillas: **S:** expectoración abundante amarillo-verdosa dulce, tos al hablar o reír, sensación de vacío en el pecho, afonía, gran debilidad, sudoración nocturna.

➤ *Spongia* (Euspongia officinalis) D4, D6 – gotas / pastillas: **S:** tos seca intensa con irritación, poca expectoración; **A:** irritable, nervioso; **C:** empeora antes de medianoche; mejora al comer o beber.

CONGESTIÓN NASAL

Los catarros típicos causados por el contagio de un virus suelen ir acompañados de síntomas que afectan a la nariz. La mucosa nasal se hincha y obstaculiza la respiración por la nariz. Se forma una secreción nasal, la nariz "gotea" y la mayoría de los afectados experimenta una disminución del sentido del olfato y del sabor. A veces incluso ver bien resulta difícil.

A estas molestias se suman el cansancio y el decaimiento y en casos menos frecuentes aparece también fiebre (pág. 43 y ss). Hacia el final del proceso la secreción nasal se vuelve más densa, verde y pastosa. La salida y el borde de la nariz están lastimados e inflamados de tanto sonarse.

Sales de Schüssler

Las indicaciones sobre los efectos y la aplicación de las sales de Schüssler se pueden consultar en la pág. 268 y ss.

➤ En caso de tos irritante intensa tomar n.º 7: *Magnesium phosphoricum* (fosfato de magnesio) D6 en caliente.

➤ Si se trata de sensibilidad al frío con tos tomar n.º 11: *Silicea* (dióxido de sílice) D12.

➤ En caso de bronquitis crónica purulenta tomar n.º 6: *Kalium sulfuricum* (sulfato de potasio) D6 o D3.

➤ En caso de tos con sequedad en las mucosas tomar n.º 8: *Natrium chloratum* (cloruro de sodio "sal común") D6; si persiste la tos, tomar durante cuatro semanas de dos a cuatro pastillas repartidas a lo largo del día de n.º 3: *Ferrum phosphoricum* (fosfato de hierro) D12, n.º 4: *Kalium chloratum* (cloruro de potasio) D6 y n.º 8: *Natrium chloratum* (cloruro de sodio "sal común") D6.

➤ Tos cuando hay humedad, tomar n.º 10: *Natrium sulfuricum* (sulfato de sodio) D6.

Información

Remedios para el resfriado

Cuando decida tomar un remedio para el resfriado en vez de gotas para la nariz debe saber que el remedio tiene una dosificación bastante elevada y que se distribuye por todo el cuerpo. Esto aumenta la posibilidad de que surjan efectos secundarios relacionados con esa sustancia en comparación con la aplicación directa en la mucosa de gotas o nebulizadores.

Aquellos pacientes que padezcan de tensión alta, hiperfunción de las glándulas o diabetes no deberían tomar este tipo de preparados.

Tratamiento

Ya dice el saber popular que un resfriado dura una semana sin tratamiento y siete con tratamiento. Lo cierto es que esto es así, si bien se puede intentar aliviar los síntomas hasta que se curen.

⊕ Consultar al médico

Normalmente, un resfriado pasa sin mayores consecuencias. Pero su cuerpo le agradecerá que se conceda algo más de descanso de lo común. Si las molestias no remiten en el tiempo habitual (siete días), si además tiene fiebre, si parece que la infección amenaza con extenderse por la garganta y la faringe o si siente una presión molesta en la frente y los ojos (inflamación de los senos paranasales), entonces deberá ir a la consulta del médico.

Consejo

Prevenir el resfriado

Protéjase mediante un aporte suficiente de micronutrientes y fortalézcase para estar preparado contra la siguiente ola de resfriados: tome con regularidad baños de sauna, aplíquese afusiones en las rodillas (pág. 250), camine dentro del agua (pág. 251) y pise la hierba con rocío. Los preparados con equinácea también ayudan a reforzar el sistema inmunológico.

Si padece resfriados de forma crónica debería considerar la idea de disfrutar de una cura en la alta montaña o de una estancia cerca del mar. Quizás también mejore si toma en casa baños con sales, que puede adquirir en la farmacia.

Aplicaciones terapéuticas

➤ La hidroterapia fortalece las propias defensas, de modo que puede tener un efecto profiláctico. En algunos casos, tomar maniluvios y pediluvios aumentando la temperatura del agua (págs. 244, 246) cuando se nota el primer cosquilleo en la nariz puede frenar el resfriado.

➤ El mismo efecto se obtiene mejorando la circulación sanguínea muscular mediante gimnasia (solo si no tiene fiebre) o estimulando la circulación sanguínea de la mucosa nasal masajeando el lomo de la nariz y las aletas nasales. También los cepillados en seco de la piel (pág. 251) mejoran las funciones de esta y el equilibrio de la temperatura corporal.

➤ Si el resfriado ya ha alcanzado su punto álgido, el tratamiento de la mucosa puede aliviar los síntomas: cepíllese la lengua dos o tres veces al día, haga gárgaras con infusión de salvia, enjuáguese las fosas nasales con agua fría, tome baños de vapor faciales (pág. 246) y a continuación aplíquese afusiones con agua fría (pág. 249 y ss.).

➤ Las inhalaciones (pág. 246) con manzanilla, aceites esenciales, sal marina o sal gema de Bad Ems (hay preparados listos para usar; dosificar según el prospecto adjunto) se deben realizar tres veces al día durante diez minutos. Procure que el agua no esté demasiado caliente, pues si inhala el vapor cuando aún hierve el agua puede dañarse la mucosa.

Es muy fácil de aplicar y muy eficaz la mezcla de aceites esenciales de menta, eucalipto, tomillo y pino negro, de la que se mezclan cinco gotas con el agua caliente dispuesta en una fuente. A continuación inhalar el vapor ascendente durante dos minutos cubriéndose con una toalla.

Los inhaladores que se pueden comprar en la farmacia son muy prácticos y están especialmente indicados para los niños.

➤ Sobre los senos paranasales y la nuca se pueden aplicar compresas húmedas calientes

Un baño de vapor con aditivos a base de hierbas reduce las molestias del resfriado y despeja las vías respiratorias.

con arcilla curativa, peloides, puré de patatas, linaza o flores de heno (pág. 257). Las sesiones con infrarrojos también producen alivio.

➤ En la fase del resfriado en que fluye más líquido de la nariz hay que aumentar la salida de la secreción. Ahora ya no hay que usar antiinflamatorios sino aceites esenciales en forma de gotas, friegas, inhalaciones o en vaporizadores para que se fluidifiquen y se desprendan las secreciones. Es importante beber mucho. Las infusiones de hierbas o los zumos de fruta, a ser posible enriquecidos con vitamina C, son ideales y ayudan a que la secreción nasal permanezca fluida.

➤ Si la nariz ha sufrido mucho de tanto limpiarla se aplicará una crema o gel especial para aliviar las mucosas escocidas o resecas y refrescar el contorno de la nariz. También es conveniente estar en un entorno con aire fresco y húmedo. Un paseo bajo la lluvia o por la niebla puede resultar muy beneficioso.

➤ Los enjuagues de nariz con soluciones de sal común (aproximadamente 1 g de sal por 100 ml de agua) o solo con agua fría producen mucho alivio. Se puede inspirar el agua salada desde la palma de la mano o dejar caer una gotas dentro de la nariz usando una pipeta.

ⓘ **A tener en cuenta**

Los niños solo pueden hacer inhalaciones con ciertos preparados de aceites esenciales, pues si se usan los preparados para adultos pueden sufrir problemas respiratorios.

➤ En el caso de bebés y niños pequeños se puede colocar una fuente con infusión de manzanilla humeante para que aumente la humedad en la habitación, aunque hay que procurar que no se quemen dejando la fuente fuera del alcance de los niños o controlándolos.

Si se cuelgan paños mojados con infusión de manzanilla por la habitación se obtiene el mismo efecto.

Preparados y remedios

Los principios activos que se aplican en caso de resfriado con congestión nasal suelen ser de síntesis química; sin embargo, también se dispone de preparados fitoterapéuticos y homeopáticos, así como sales de Schüssler. Para aliviar los síntomas hay preparados antiinflamatorios y expectorantes de aplicación local como las gotas, los nebulizadores y las pomadas nasales, o medicamentos que se ingieren en forma de cápsulas, pastillas o zumo.

Fitoterapia

➤ Los nebulizadores, las gotas y las pomadas para la congestión nasal también contienen con frecuencia aceites esenciales de eucalipto, pino negro, menta y manzanilla. Estos aceites resultan refrescantes, bactericidas y fluidifican las secreciones. Son especialmente adecuados cuando la mucosidad es muy espesa en la segunda fase del resfriado.

➤ Un remedio de siempre para la nariz congestionada (también adecuado para lactantes) es la pomada de mejorana de la farmacia, que se aplica sobre las aletas y el lomo de la nariz.

➤ Si las mucosas están secas, resulta agradable usar pomadas para la nariz a base de sal de Bad Ems pura o mezclada con aceites esenciales. Esta pomada también se puede usar cuando las mucosas nasales se han secado debido a ambientes contaminados, resecos debido a la calefacción o el humo del tabaco, o si se ha abusado de gotas nasales.

Remedios de síntesis química

➤ En caso de resfriado con congestión nasal se pueden aliviar los síntomas con preparados que contengan sustancias vasoconstrictoras (alfa-simpaticomiméticos), como, por ejemplo, la xilometazolina, la oximetazolina, la nafazolina, la tramazolina, la tetrizolina y la indanazolina. Al estrecharse los vasos sanguíneos de la mucosa nasal, disminuye la formación de mucosidad, la mucosa se deshincha, mejora la respiración y los sentidos del olfato y el gusto. Todos estos preparados se aplican localmente en forma de gotas nasales, nebulizadores y pomadas.

ⓘ A tener en cuenta

Estos preparados no deberían tomarse más de tres o cinco días, dos o tres veces al día como máximo. Si se toman más tiempo pierden eficacia y hay que aumentar las dosis progresivamente, produciéndose en algunos casos una tumefacción persistente de la mucosa.

➤ Los medicamentos para el resfriado con congestión nasal suelen contener pseudoefedrina y con frecuencia también llevan antihistamínicos, que son para las alergias. Cuando se toma estos preparados hay que tener en cuenta que pueden producir somnolencia y una disminución de la capacidad de reacción.

➤ La vitamina B dexpantenol y las vitaminas A y E estimulan el metabolismo así como la formación de mucosa nasal. Se encuentran en pomadas para resfriados secos o si la mucosa nasal está muy afectada.

Homeopatía

Las indicaciones sobre los efectos y la aplicación de los remedios homeopáticos se pueden consultar en la pág. 265 y ss. Los cuadros clínicos descritos a continuación están organizados por síntoma principal (**S**), estado anímico (**A**) y cambios que se producen (**C**).

Información

Gotas nasales para niños y bebés

No se debe tratar nunca a los bebés y a los niños pequeños con gotas y nebulizadores nasales para adultos.

La relación del tamaño de la cabeza con el tronco no es la misma en los niños pequeños que en los adultos. Tienen por ello una superficie de resorción en la nariz sobredimensionada. Cuando se aplican gotas o inhaladores nasales para adultos es muy fácil que la dosificación sea demasiado elevada y aparezcan señales de intoxicación.

Además, los bebés y los niños pequeños reaccionan con frecuencia con hipersensibilidad a los aceites esenciales que contienen mentol y menta, por eso no todas las sustancias que deshinchan la mucosa son adecuadas para un niño pequeño. Por lo tanto, solo se deben administrar preparados especiales de la farmacia para el resfriado de nariz con la composición y concentración adecuadas para niños menores de dos años.

➤ *Allium cepa* D4, D6 – gotas: **S:** lagrimeo, estornudos, secreción acuosa acre, resfriado con escozor, estornudos de tipo alérgico; **C:** mejora al aire libre.

➤ *Camphora* D1, D2, D3 – gotas : **S:** en caso de primeros síntomas de gripe y resfriado; **A:**cardiofobia; **C:** empeoramiento en caso de frío, al realizar ejercicio y por la noche.

➤ *Cyclamen europaeum* D6, D12 – gotas: **S:** resfriado de larga duración con secreción y nariz taponada alternativamente, olfato limitado; **A:** sensación de flojera, irritabilidad; **C:** pide calor; mejora al hacer ejercicio.

➤ *Euphrasia officinalis* D3, D4 – gotas: **S:** fotofobia, secreción lagrimal acre, secreción nasal ligera, también en caso de resfriado de tipo alérgico; **A:** irritable, apático, introvertido; **C:** empeoramiento al estar sentado y acostado.

➤ *Galphimia* D4, D6, D12 – pastillas: **S:** resfriado de tipo alérgico (tomar preventivamente durante un periodo prolongado, incluso antes de la temporada).

➤ *Hydrastis canadensis* D4, D6 – gotas: **S:** secreción densa amarilla o blanca, mucosidad en el paladar y los senos paranasales, dolor sordo en la frente, efecto tonificante en especial en pacientes muy consumidos; **A:** agitación.

➤ *Sambucus nigra* D3, D6 – glóbulos / gotas: **S:** resfriado con la nariz obstruida; afonía; respiración dificultosa, en especial en el caso de bebés y niños pequeños; **A:** asustadizo, malhumorado; **C:** mejora al hacer ejercicio, empeoramiento al estar acostado.

➤ *Strychnos nux-vomica* D6, D12 – gotas: **S:** secreción acuosa que se inicia en pequeña cantidad para luego ir en aumento, nariz obstruida, estornudos frecuentes; **A:** vivaz, hipersensible a las sensaciones; **C:** empeoramiento al hacer ejercicio y al comer; mejora con la tranquilidad.

Sales de Schüssler

Las indicaciones sobre los efectos y la aplicación de las sales de Schüssler se pueden consultar en la pág. 268 y ss.

➤ En caso de resfriado con secreción nasal tomar una pastilla de n.º 8: *Natrium chloratum* (cloruro de sodio "sal común") D6 cada pocos minutos.

➤ En caso de catarro pertinaz tomar una pastilla del n.º 4: *Kalium chloratum* (cloruro de potasio) D6 cada media hora y untar con el ungüento correspondiente un bastoncillo de algodón para aplicar el medicamento dentro de la nariz.

DOLOR DE GARGANTA Y AFONÍA

Los dolores de garganta, las molestias al tragar y la afonía son síntomas típicos de los catarros, pero también de las enfermedades alérgicas (pág. 57). Cuando se padece un catarro, las mucosidades de la faringe y la garganta se inflaman y enrojecen, se hinchan y escuecen al tragar. A veces el dolor se expande hasta los oídos. También pueden estar hinchadas las glándulas linfáticas del cuello y se inflaman también con frecuencia las amígdalas en la faringe y el paladar.

Cuando se padece de anginas, sin embargo, se trata de una infección bacteriana con pus que presenta una inflamación de las amígdalas en el paladar, donde se observa una capa de color blanco amarillento y con puntos que cubre las amígdalas hinchadas y enrojecidas. Tras la operación de amígdalas todavía puede producirse una faringitis lateral. La inflamación de anginas comienza normalmente de repente con fiebre alta así como dolores de cabeza y al tragar.

Cuando se inflama la mucosa de la laringe se siente un picor en la garganta o se tiene constantemente carraspera. También se forma más mucosidad. Cuando esto afecta a la función de las cuerdas vocales y estas ya no pueden cerrarse completamente, se produce la afonía al hablar. En el peor de los casos se puede perder del todo la voz y hay que susurrar para hacerse entender.

La afonía suele desaparecer casi siempre sola una vez que se ha curado el catarro. Si persiste pueden formarse unos engrosamientos benignos en las cuerdas vocales (pólipos). El sobreesfuerzo crónico al hablar o cantar conduce a alteraciones en las cuerdas vocales que se denominan "nódulos de los cantantes".

Tratamiento

Es importante evitar otras irritaciones durante una infección de garganta, como las producidas por fumar o tomar alcohol. Es necesario mantener húmedas las mucosas y desinfectarlas. Para ello es recomendable: hacer gárgaras, chupar pastillas para la garganta o usar nebulizadores, así como beber mucho. Es conveniente mantener un elevado grado de humedad en las habitaciones. Puede obtener más información en los apartados "Catarro" (pág. 41 y ss.) y "Fiebre" (pág. 43 y ss.).

⊕ Consultar al médico

Si no mejoran los dolores y los síntomas de la inflamación tras tres o cuatro días o si aparece fiebre elevada y escalofríos hay que acudir al médico.

Aplicaciones terapéuticas

➤ Aplicar calor regular en la garganta y las glándulas refuerza las propias defensas. Mantenga el calor en la garganta envolviendo el cuello con una bufanda o prepare una cataplasma con patata para envolver el cuello (pág. 256).
➤ Para las inflamaciones de garganta resultan a veces más calmantes las envolturas frías (pág. 254) que las calientes: los paños húmedos y fríos o el requesón frío (receta en la pág. 256) reducen el escozor.
➤ Beber líquidos templados, como infusiones o leche caliente con miel.

➤ Hacer gárgaras con agua salada o inhalar soluciones con sal (1 cucharada de sal por 1 litro de agua); esto humecta la mucosa de la faringe.

Preparados y remedios

Para combatir los dolores de garganta y la afonía, muchas personas prefieren los remedios caseros de toda la vida: hacer gárgaras, beber mucho y aplicar calor. Los remedios fitoterapéuticos para la garganta, antiinflamatorios y desinfectantes que se usan para hacer gárgaras o enjuagues contienen árnica, eucalipto, manzanilla, alcanfor, mirra o salvia. También es recomendable el uso de soluciones antiinflamatorias de síntesis química. Al hacer gárgaras se frena la multiplicación de los gérmenes responsables de la infección y se ayuda a desprenderlos. Muchas de las pastillas que se chupan, los nebulizadores y las soluciones contienen además sustancias analgésicas o anestesiantes.

Lo más importante cuando se está afónico es cuidarse la voz. Durante esta fase, no se debe fumar ni tomar alcohol ni picante. También hay que evitar la estancia en espacios llenos de polvo o humo. Si la afonía dura más de una semana, consulte a su médico.

Fitoterapia

➤ Hacer gárgaras e inhalaciones cada hora o dos horas (pág. 246 y ss.) acelera el proceso de curación. Las capas de mucosidad también se fluidifican y las cuerdas vocales pueden reducir la inflamación mediante inhalaciones de sal de Bad Ems o de sal marina. Para hacer gárgaras se pueden utilizar tinturas de ratania, mirra o tomillo (preparados listos para usar).
➤ Las pastillas chupables con sal de Bad Ems, musgo de Islandia, tomillo o prímula y los caramelos de salvia y grosella negra, a ser posible sin azúcar, aumentan la formación de saliva y lubrican las mucosas.

La sustancia activa equinacina obtenida de la equinácea estimula el sistema inmunológico.

➤ Los preparados listos para usar de equinácea fortalecen las defensas y ayudan a la curación. Para obtener más detalles, consulte el capítulo "Trastornos del funcionamiento del sistema inmunológico" en la pág. 56 y ss.).

Remedios de síntesis química
➤ Los preparados de síntesis química contienen en su mayoría principios activos desinfectantes, como el cloruro de cetilpiridino, la clorexidina, las combinaciones de decualio o la hexitidina.
➤ Normalmente, las pastillas para chupar combinan principios activos con aditivos bactericidas como la bacitracina y sustancias que alivian el escozor como la benzocaína, la lidocaína y el mentol.

Homeopatía
Las indicaciones sobre los efectos y la aplicación de los remedios homeopáticos se pueden consultar en la pág. 265 y ss. Los cuadros clínicos descritos a continuación están organizados por síntoma principal (**S**), estado anímico (**A**) y cambios que se producen (**C**).

➤ *Arum triphyllum* D2, D3 – gotas: **S:** afonía hasta perder la voz tras hablar o cantar, tos espasmódica, expectoración mucolítica abundante, dolor de garganta al toser, al intentar hablar fuerte falla la voz.
➤ *Atropa belladonna* D4, D6 – pastillas: S: amigdalitis con dolor al tragar, fiebre, mucosa bucal muy inflamada; **A:** hipersensibilidad en todos los sentidos; **C:** empeoramiento al realizar movimientos; mejora con tranquilidad.
➤ *Guajacum* D2, D3, D4 – pastillas: **S:** garganta seca, amígdalas hinchadas, pinchazos de dolor, vías respiratorias inflamadas, sudor maloliente; **A:** mala memoria; **C:** mejora al beber.
➤ *Mercurius solubilis* D4, D6, D12 – pastillas: **S:** escozor en la garganta, afonía, lengua hinchada saburrosa con marcas de los dientes, secreciones acres y purulentas, sudor pegajoso maloliente; **C:** peor con aire fresco y el calor de la cama.
➤ *Phytolacca* D2, D3 – gotas: **S:** dolor al tragar, amígdalas hinchadas, inflamación del velo faríngeo, garganta seca con escozor, necesidad de carraspear; **A:** cansado, apático, dolor de cabeza en la frente; **C:** empeora al hacer ejercicio.

Sales de Schüssler
Las indicaciones sobre los efectos y la aplicación de las sales de Schüssler se pueden consultar en la pág. 268 y ss.
➤ Si las amígdalas y el paladar están cubiertos de una capa blanca grisácea es conveniente tomar n.º 4: *Kalium chloratum* (cloruro de potasio) D6; si no mejoran las molestias en un día tomar una pastilla cada 15 minutos de n.º 9: *Natrium phosphoricum* (fosfato de sodio) D6.
➤ En caso de inflamación crónica de amígdalas y garganta tomar durante seis semanas n.º 11: *Silicea* (dióxido de sílice) D12.
➤ Los niños pueden tomar durante cuatro a ocho semanas una pastilla diaria de n.º 2: *Calcium phosphoricum* (fosfato de calcio) D6.

Trastornos del funcionamiento del sistema inmunológico

Nuestro sistema inmunológico es nuestro guardián interno: debe proteger el organismo las 24 horas del día durante toda la vida de las agresiones de agentes patógenos y toxinas así como de células propias degeneradas. Al mismo tiempo, debe reconocer qué microorganismos son de provecho y qué sustancias alimenticias y micronutrientes son importantes. Debe decidir además qué tejido forma parte del cuerpo y no debe ser combatido.

Sistemas de protección del organismo

Las fuerzas de protección y defensa del organismo son múltiples. La primera barrera la forman una piel sana y mucosas intactas, que obtienen apoyo de bacterias y enzimas que tienen allí su hábitat. Sin embargo, si algunos agentes patógenos como las bacterias, los virus y los hongos consiguen franquear esa barrera e introducirse en el organismo, entran en acción las células devoradoras y asesinas que hacen guardia por todo el cuerpo (glóbulos blancos). Su misión consiste en anular inmediatamente al intruso que ataca.

Información

Radicales libres

Las células defensivas producen unas moléculas de oxígeno muy activas y agresivas, denominadas radicales libres, que sirven para aniquilar agentes patógenos. Estas células no distinguen entre agentes del propio organismo y agentes extraños. Sin embargo, las células del organismo están provistas de una protección contra estos radicales en forma de antioxidantes: vitaminas, enzimas y otras sustancias.

Además, estos agentes se ponen en lista de "busca y captura" y, si vuelve a producirse un ataque, son anulados por el sistema inmunológico conformado por unidades especiales (linfocitos) para ese fin, que tras haber recibido ataques de estos agentes patógenos poseen información (anticuerpos) acerca de sus principales características. Estos anticuerpos deben diferenciar entre los elementos buenos y los malos, es decir los que son propios del cuerpo

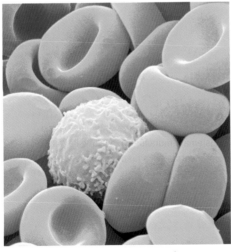

La células de defensa se encuentran en los vasos sanguíneos y en los tejidos, donde prootegen contra agentes patógenos y toxinas. En la imagen se observa un glóbulo blanco entre muchos glóbulos rojos.

y los extraños. Este mecanismo también se aprovecha cuando se aplican vacunas.

La condición para que la "gestión de la crisis" funcione a la perfección es la comunicación de todas las células que participan en la defensa. Esto se garantiza mediante la actuación de sustancias mensajeras que ponen en estado de alerta al sistema defensivo, que piden apoyo allá donde se produzca una infección y que se encargan de que se formen suficientes anticuerpos (inmunoglobulinas). Puestos centrales importantes del sistema inmunológico son la médula ósea, el timo, el bazo y los nódulos linfáticos. El intestino es el lugar donde el sistema inmunológico está más desarrollado, pues es ahí donde con más frecuencia se requiere tomar decisiones sobre lo que asimila o elimina el organismo.

Los trastornos del funcionamiento del sistema inmunológico pueden ser de muchos tipos. Sin embargo, en general se previenen y tratan de la misma forma.

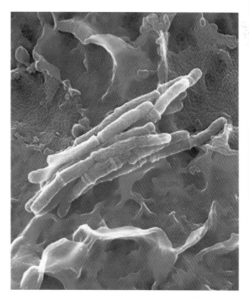

Cuando el sistema inmunológico está debilitado, las bacterias (en azul en la imagen) pueden introducirse fácilmente y producir infecciones.

Información

Infecciones y alergias

Mayor susceptibilidad a padecer infecciones
Cuando existe una mayor susceptibilidad a padecer infecciones el cuerpo ya no es capaz de combatir los agentes patógenos y se producen infecciones por bacterias, hongos y virus.

Alergia
En el caso de las alergias, el sistema inmunológico reacciona ante elementos del mundo exterior que en realidad son inocuos, como alimentos, polen, veneno de insectos, polvo doméstico, pelos de animales, componentes de productos de cuidado corporal y limpieza doméstica, y muchos otros. Se está observando un gran aumento de las alergias: prácticamente uno de cada tres niños y uno de cada tres adultos de los países industrializados padece alguna alergia.

Las investigaciones constatan que, aparte de una disposición genética, son detonantes las sustancias químicas en constante aumento a las que nuestro organismo se ve expuesto a través de la alimentación y el aire que respiramos y el contacto a través de la piel. Esto supone una carga constante para el sistema inmunológico, a la que llega un momento que ya no puede enfrentarse.

Enfermedades autoinmunes
El sistema de defensa reacciona contra los tejidos propios del organismo. Cuando se padece la diabetes de tipo 1, que no necesita insulina, el objeto del ataque es el páncreas; en la artritis reumatoide, el objeto es el tejido conjuntivo y en la enfermedad de Basedow, el objeto es el tejido de la glándula tiroides.

Una alimentación sana es la clave de un sistema inmunológico resistente. Evite por lo tanto una carencia de vitaminas tomando a diario mucha fruta y verdura fresca.

● Causas de los trastornos del funcionamiento del sistema inmunológico

Los posibles detonantes de los trastornos del funcionamiento del sistema inmunológico son de muchos tipos:

➤ La falta de vitaminas causada por una alimentación pobre y poco variada.

➤ Los trastornos de la flora intestinal causados por sustancias químicas presentes en los alimentos de fabricación industrial, así como un exceso de azúcar.

➤ La sobrecarga física y psíquica, el estrés diario.

➤ Los medicamentos, la nicotina y el alcohol.

➤ Las sustancias químicas y las radiaciones del entorno.

➤ Enfermedades generales graves (como, por ejemplo, la diabetes o el cáncer),

➤ la disminución inducida de la actividad del sistema inmunológico provocada por medicamentos tras haber recibido un trasplante o en caso de enfermedades autoinmunes.

● Prevención

Proteja su sistema inmunológico con micronutrientes de calidad. Una alimentación equilibrada con productos naturales frescos es fundamental. Eliminando de la dieta los alimentos de fabricación industrial, con muchas sustancias químicas, se pueden aliviar los intestinos, el sistema inmunológico, el hígado y los riñones.

Más del 90% de las personas no consiguen tomar al día cinco piezas de frutas y verduras (al menos 500 g), tal como recomienda la Sociedad Española de Endocrinología y Nutrición. Sin embargo, tenga en cuenta que su cuerpo necesita los micronutrientes al igual que un vehículo necesita combustible y aceite de motor. Si quiere estar totalmente seguro de que toma suficientes micronutrientes, es recomendable usar complementos alimenticios de fuentes naturales en la dosificación suficiente (los criterios de selección pueden consultarse en la pág. 234 y ss.).

Tome las riendas de su vida, planifique a conciencia fases activas de trabajo y pasivas de descanso en su día a día. El ejercicio regular al aire libre es divertido, fortalece el organismo y no debería prescindirse de él.

Tomar medicamentos de vez en cuando es inevitable. Aporte a su organismo antioxidantes además de una cantidad suficiente de micronutrientes. La nicotina y el alcohol perjudican el sistema inmunológico, por lo que debe consumirlos lo menos posible. Del mismo modo, evite siempre que sea posible cualquier tipo de sustancia química y tóxica del entorno.

El médico especialista en medicina preventiva podrá aconsejarle de forma individualizada sobre todas las medidas que se puede adoptar para mejorar el estado de salud. Estos especialistas dan consejos individualizados, organizan cursillos y ofrecen la posibilidad de conocer a otras personas que comparten las mismas inquietudes sobre la salud.

Tratamiento

Los trastornos del funcionamiento del sistema inmunológico se tratan con frecuencia con sustancias que reprimen la reacción de defensa (antialérgicos) o que combaten ellos mismos los gérmenes (antibióticos).

Sin embargo, prevenir fortalece el sistema inmunológico; la forma más fácil es aportándole al organismo todos los micronutrientes necesarios. De este modo se puede conseguir en muchos casos un claro aumento de las defensas así como una disminución o incluso la total desaparición de muchas afecciones, en especial de las alergias.

⊕ Consultar al médico

Si tiene infecciones recurrentes o padece una infección importante con fiebre o cree que tiene alguna alergia, deberá consultar a su médico.

Preparados y remedios

Debería reservar la ingesta de medicinas para los casos de urgencia o para enfermedades graves. ¡Aproveche las posibilidades que le ofrece cada día para prevenir la enfermedad!

Fitoterapia

En la farmacia encontrará remedios probados a base de plantas para aumentar las defensas, como los preparados de equinácea, umckaloabo, uña de gato, muérdago o petasites. Déjese aconsejar por su farmacéutico.

Tenga en cuenta que solo se debe tomar estos productos un tiempo limitado, ya que activan el sistema inmunológico por encima de lo habitual y este puede agotarse posteriormente.

El deporte de moda "marcha nórdica" (caminar con palos de esquí) es particularmente respetuoso con las articulaciones, de ahí que resulte adecuado casi para cualquiera, incluso para principiantes, personas mayores o personas con sobrepeso.

Remedios de síntesis química

Si a pesar de prevenir la enfermedad de forma intensa y constante padece infecciones y alergias, es adecuado tomar antibióticos y antialérgicos. Consulte a su médico o farmacéutico para que le recomiende el preparado adecuado.

Sales de Schüssler

Las indicaciones sobre los efectos y la aplicación de las sales de Schüssler se pueden consultar en la pág. 268 y ss.

➤ Cura inmunológica: tomar durante tres a seis semanas por las mañanas dos tabletas de n.º 3: *Ferrum phosphoricum* (fosfato de hierro) D12 y por las noches dos tabletas de n.º 11: *Silicea* (dióxido de sílice) D12.

Trastornos del tracto digestivo

El tracto digestivo es una unidad altamente especializada formada por diferentes órganos que sirve para el transporte y la preparación de los alimentos ingeridos así como para la eliminación de restos no aprovechables. En el marco de esta guía de la salud se prescinde de una descripción detallada del funcionamiento del tracto digestivo a favor de una presentación de las molestias más frecuentes y de las posibilidades de prevención y tratamiento.

● Prevención

Numerosas molestias del tracto digestivo se deben a una alimentación incorrecta. Procure alimentarse preferentemente con productos que no sean de elaboración industrial y no lleven por lo tanto, sustancias químicas añadidas, pues con frecuencia se desconoce qué efecto produce en el organismo el consumo regular de muchas sustancias, como colorantes, aromatizantes, emulgentes, conservantes y otros muchos aditivos utilizados en la industria alimentaria.

Lo cierto es que cada vez hay indicios más claros de que su efecto es negativo. En especial, el intestino resulta afectado por las sustancias químicas debido a su gran superficie de contacto. Las sustancias tóxicas se introducen en la circulación sanguínea y afectan al sistema inmunológico así como a los órganos de desintoxicación y eliminación, el hígado y los riñones.

Los micronutrientes que se obtienen de una alimentación natural con abundancia de fruta y verdura protegen y refuerzan el organismo. Si no puede abastecerse de ellas de forma

Guía de los trastornos del tracto digestivo

Si el problema que usted padece no aparece en este listado, puede consultar el índice de contenidos (pág. 280 y ss.).

regular, protéjase con complementos alimenticios de origen natural (pág. 232 y ss.).

Cambiar a una alimentación natural, disponiendo de un aporte suficiente de micronutrientes, puede producir en muchos casos una mejoría y la desaparición total no solo de molestias en el tracto digestivo, tales como náuseas, diarrea o estreñimiento, sino también de desequilibrios del comportamiento (como la hiperactividad, dolores de cabeza, migraña y otros trastornos). En el capítulo "Alimentación sana" (pág. 222 y ss.) se detallan estas cuestiones.

No siempre es posible cambiar la alimentación a productos puramente naturales. Si no está seguro de qué hay que tener en cuenta a la hora de elegir los alimentos adecuados para uno mismo y su familia, consulte a un médico especializado en medicina preventiva.

ÚLCERAS BUCALES E INFLAMACIÓN DE LAS ENCÍAS

Las úlceras bucales y las inflamaciones de las encías se producen por infecciones bacterianas en la cavidad bucal y con frecuencia están causadas y se agravan por una alimentación errónea, una higiene bucal insuficiente o incorrecta, fumar mucho o tener caries. Las causas de una inflamación también pueden ser puntos sobre los que se presiona o heridas causadas por prótesis dentales, aparatos dentales o dientes con cantos afilados así como debido a alergias de contacto a metales. La mucosa de la boca y las encías también puede padecer procesos inflamatorios como consecuencia de una falta de vitaminas o una enfermedad del tracto digestivo.

Suele comenzar con un enrojecimiento e hinchazón de la mucosa bucal y los bordes de

Consejo

Combatir el mal aliento

Quien padece de halitosis con frecuencia no se da cuenta de ello. El mal aliento puede deberse a una falta de higiene bucal, a trastornos digestivos y a otras enfermedades orgánicas. En caso de diabetes o difteria el olor suele ser dulzón y afrutado; si el aliento huele a amoniaco puede indicar una enfermedad grave del hígado o los riñones; un aliento con olor a podredumbre aparece en enfermedades crónicas de los bronquios y enfermedades graves de los pulmones. Consulte con su médico si tiene alguna enfermedad orgánica que requiera tratamiento y que sea la responsable de su halitosis.

Medidas que se pueden adoptar
Mastique entre comidas un grano de café. También resulta eficaz mordisquear de vez en cuando una cuantas semillas mezcladas de anís, hinojo y eneldo; se pueden tragar a continuación. El agua con limón o morder un trozo de limón evitan la sequedad de la boca. Los caramelos o nebulizadores con mentol y los chicles sin azúcar de farmacia pueden encubrir el mal aliento.

Fitoterapia
Los enjuagues con salvia o manzanilla, las infusiones o los extractos listos para usar como la tintura de mirra o ratania mantienen unas encías saludables. Si el olor procede más bien del estómago pueden resultar de ayuda las decocciones de raíz de regaliz, diente de león o absenta (preparación y dosificación en la pág. 264).

Para evitar enfermedades de los dientes y las encías, la higiene bucal debe ser algo habitual. Las inflamaciones en la cavidad bucal también pueden indicar una falta de micronutrientes.

las encías. Resulta doloroso comer, la lengua está saburrosa, a veces se forman pequeñas ampollas que pueden contener pus y además se produce mal aliento.

Información

La carencia de micronutrientes es la causa

En algunos casos, las inflamaciones en la cavidad bucal indican una carencia de micronutrientes. Esta es especialmente frecuente cuando la persona se alimenta principalmente de productos de elaboración industrial pobres en micronutrientes. Los aditivos químicos que contienen aumentan las necesidades de sustancias de protección del organismo, por ejemplo antioxidantes. Consulte a este respecto también el capítulo "Alimentación sana" (pág. 222 y ss.).

● Prevención

La mejor prevención es un cuidado esmerado y regular de la boca tras cada comida. No solo utilice pasta y cepillo dental sino también una ducha bucal para los restos de comida que se han quedado atrapados y para masajear las encías. El hilo dental, los palillos o los denominados cepillos interdentales, que se adquieren en la farmacia para limpiarse los espacios interdentales, deben utilizarse según las instrucciones para que no produzcan heridas. Haga gárgaras con un colutorio (resultan refrescantes los productos con aceites esenciales de plantas como la menta, la melisa, la manzanilla y la salvia). La pasta de dientes con plata coloidal previene las inflamaciones.

Las personas que utilicen prótesis o aparatos dentales deben mantener una higiene minuciosa de la boca. Una flora bucal sana no produce sustancias metabólicas malolientes ni inflamaciones. Cambie su alimentación y tome frutas y verduras crudas y zumos naturales, ricos en vitaminas.

● Tratamiento

En la mayoría de los casos, las enfermedades inflamatorias de la boca y las encías pueden autotratarse.

 ### Consultar al médico

Si las medidas que ha adoptado no hacen remitir la inflamación en un plazo de dos o tres días debería consultar al médico. Este le examinará para averiguar si tiene alguna enfermedad de los órganos digestivos, del metabolismo o una inflamación producida por el virus Herpes o por hongos Candida y le recetará un medicamento específico si se da el caso.

● Aplicaciones terapéuticas

➤ La suciedad de la lengua se puede eliminar con un cepillo y enjuague bucal, lo que resulta a la vez bueno para la circulación.

➤ Los enjuagues bucales con agua salada o solución de sal de Bad Ems (una cucharadita en un vaso de agua) o agua con zumo de limón dan buen resultado cuando sangran las encías; en caso de inflamaciones usar infusiones de manzanilla o salvia.

➤ Vaya regularmente al dentista a eliminarse el sarro. La suciedad de los dientes y el sarro hacen que se retraigan las encías y las hacen más susceptibles de sufrir ataques por parte de bacterias.

● Preparados y remedios

Los pequeños cortes, las heridas, las quemaduras y las inflamaciones por roce, alergia o gérmenes en las mucosas, por lo general, pueden autotratarse.

Es adecuado el uso de principios activos, antiinflamatorios, astringentes, antisépticos, antibióticos y analgésicos locales. Algunos preparados contienen enzimas. A continuación se describen los tipos de medicamentos más importantes:

➤ Los principios activos astringentes entrelazan las proteínas en la superficie de las mucosas, evitando de este modo que siga formándose secreción e impidiendo que los gérmenes patógenos puedan penetrar en la mucosa. Los astringentes se utilizan para el tratamiento de heridas e inflamaciones superficiales en la zona de la mucosa bucal o del tracto digestivo.

➤ Los preparados de efecto antiséptico o antibiótico combaten específicamente los virus, las bacterias y los hongos. Es especialmente recomendable la plata coloidal por ser muy digestiva. Además, no se han desarrollado apenas gérmenes resistentes a la plata coloidal, al contrario de lo que ocurre con los antibióticos tradicionales (consúltese la descripción y las indicaciones de aplicación en la pág. 127).

➤ Si la úlcera bucal se ha producido por la presión ejercida por una prótesis mal colocada, es recomendable tomar preparados antiinflamatorios, en especial con manzanilla pura. Si tiene inflamación en la mucosa bucal, en la zona de las encías o en la lengua, se pueden aplicar de forma local preparados combinados con principios activos antiinflamatorios y analgésicos. Estos preparados también alivian el dolor durante la dentición de los niños y el crecimiento de las muelas del juicio.

Fitoterapia

➤ El remedio antiinflamatorio más usado es el extracto de flores de manzanilla. Prepare una infusión con flores de manzanilla o una solución de enjuague para tratar la zona afectada. Para ello, cubrir de 1 a 2 g de flores secas con 150 ml de agua hirviendo y colar tras 10 minutos de reposo con el recipiente tapado. Aplicar el extracto mientras todavía esté caliente sobre la zona afectada en la boca o usarlo para hacer enjuagues.

Resulta más sencillo usar preparados listos para usar, en particular los extractos acuoso-alcohólicos típicos que se pueden obtener en las farmacias, que contienen una cantidad suficiente de principios activos eficaces.

➤ También son adecuados para el tratamiento de las inflamaciones en la cavidad bucal las infusiones o los preparados de tomillo, hojas de salvia y mirra que se pueden adquirir ya listos para usar.

➤ Enjuagarse la boca varias veces al día con tintura de equinácea (en preparados listos para usar, dosificar según el prospecto adjunto).

Información

Enjuagues, geles o caramelos

Por principio, es importante que en caso de inflamaciones en la cavidad bucal o la faringe, los preparados actúen el máximo tiempo posible en la zona afectada.

➤ Las soluciones o suspensiones para los enjuagues o las gárgaras deberían mantenerse el máximo tiempo posible en la boca. Aunque algunas de ellas sepan muy mal hay que procurar no enjuagarse después la boca con agua.

➤ Para aplicar el producto a niños pequeños o bebés se puede empapar un algodón y colocarlo sobre la zona afectada.

➤ Compruebe si hay que diluir el preparado para el tratamiento de las inflamaciones bucales antes de su aplicación.

➤ Los geles son especialmente adecuados, pues se quedan más tiempo adheridos a la mucosa.

➤ También los caramelos deben mantenerse el máximo tiempo posible en la boca. No deben masticarse ni tragarse; indíqueselo en especial a los niños.

➤ Como astringentes antiinflamatorios se usan con frecuencia los taninos de plantas. Entre este tipo de medicinas, los más comunes son los preparados listos para usar de raíz de ratania y rizoma de tormentila.

Remedios de síntesis química

➤ Los fármacos antiinflamatorios de síntesis química así como los remedios contra las infecciones producidas por bacterias y virus se describen con mayor detalle en el apartado "Dolores de garganta " (pág. 53 y ss). También pueden aplicarse en la cavidad bucal.

➤ Como astringentes antiinflamatorios químicos se utilizan con frecuencia las combinaciones con aluminio.

➤ También tiene un efecto antibacteriano y antiséptico la clorhexidina. Se pueden hacer gárgaras o enjuagues con soluciones que contienen esta sustancia. El principio activo benzalconio es adecuado para las inflamaciones producidas por bacterias y virus; el cloruro de decualinio es adecuado para las inflamaciones víricas y las producidas por hongos; y la nistatina solo se aplica en caso de infección por hongos.

➤ Si los focos de la inflamación o las zonas de la boca sobre las que se ha ejercido presión duelen mucho, es conveniente que los preparados también contengan aditivos analgésicos. Entre las sustancias analgésicas más utilizadas se encuentra el polidocanol, la benzocaína y la lidocaína. Evitan que los nervios, que son los encargados de transmitir el dolor al cerebro, sigan transmitiendo su mensaje. Estas sustancias calmantes del dolor se encuentran en las pastillas para el dolor de garganta y en los remedios para calmar los dolores de dentición.

Homeopatía

Las indicaciones sobre los efectos y la aplicación de los remedios homeopáticos se pueden

*La salvia usada como colutorio procura
una mucosa bucal sana.*

consultar en la pág. 265 y ss. Los cuadros clínicos descritos a continuación están organizados por síntoma principal (**S**), estado anímico (**A**) y cambios que se producen (**C**).

➤ *Acidum nitricum* D4, D6 – gotas: **S:** tendencia a ulceraciones y sangrado, especialmente entre la piel y la mucosa; dolor punzante, boca seca, lengua saburrosa, mucha sed; **A:** insatisfecho, enfadado, depresivo; **C:** empeora al hacer ejercicio.

➤ *Borax* D3, D4, D6 – pastillas: **S:** herpes, fisuras en las comisuras de la boca, mucha salivación, pequeñas heridas con sangre, pérdida del sentido del gusto o sabor amargo; **A:** mal humor, sensibilidad a los ruidos; **C:** empeoramiento con tiempo frío y húmedo.

➤ *Silicea* D4, D6, D12 – pastillas: **S:** encías hinchadas, inflamadas, comisuras de la boca cuarteadas, herpes, sensación de tener un pelo en la boca, nódulos linfáticos inflamados con dolor, supuración crónica, escalofríos intensos; **A:** depresivo, poca capacidad de rendimiento; **C:** empeora con el frío.

➤ *Sulfur* D4, D6, D12 – pastillas: **S:** escozor en las encías, sangrado leve en las encías, lengua saburrosa, mal sabor de boca, mucha sed; **A:** irritable, malhumorado, depresivo; **C:** empeoramiento por la noche, con los cambios meteorológicos, al estar de pie y en reposo; mejora con el calor.

Sales de Schüssler

Las indicaciones sobre los efectos y la aplicación de las sales de Schüssler se pueden consultar en la pág. 268 y ss.

➤ Cuando comiencen las molestias, aplíquese el tratamiento para procesos inflamatorios (pág. 268 y ss.).

➤ En caso de inflamación de las encías y caries tomar n.º 5: *Kalium phosphoricum* (fosfato de potasio) D6; en caso de encía pálida n.º 2: *Calcium phosphoricum* (fosfato de calcio) D6.

➤ En caso de paradontitis tomar alternativamente durante seis meses seis tabletas a lo largo del día de n.º 1: *Calcium fluoratum* (fluoruro cálcico) D12 y n.º 11: *Silicea* (dióxido de sílice) D12.

➤ En caso de halitosis tomar n.º 5: *Kalium phosphoricum* (fosfato de potasio) D6.

Información

¡Atención a las alergias!

La benzocaína es una sustancia analgésica que se aplica con frecuencia. Actualmente, se sabe que algunas personas reaccionan de forma alérgica a este producto. Si tras ingerir un preparado con analgésicos locales siente un prurito intenso, hinchazón en la zona tratada u otra reacción anormal no siga tomando el medicamento y acuda al médico. Esto mismo es aplicable a cualquier otro medicamento.

DOLORES DE DIENTES Y MUELAS

La inflamación y la hinchazón en la zona de los dientes acompañadas de dolores muy intensos son señales de alarma que emiten nuestros dientes. Pero los dolores de dientes y muelas también indican con frecuencia que algo pasa con nuestros órganos internos. Hay trastornos hormonales (por ejemplo, durante la menopausia), enfermedades del metabolismo (como la diabetes *mellitus*), la hipofunción de la glándula tiroides o enfermedades de la piel y los nervios que pueden producir dolores de dientes y muelas.

También duele cuando salen los primeros dientes: primero se tiene una sensación desagradable de tensión, y cuando los dientes empiezan a asomar por las encías se producen también heridas pequeñas, que pueden resultar muy dolorosas para los niños.

● Prevención

Procure llevar una alimentación sana con mucha fruta y verdura y una cantidad mínima de azúcar refinado. En particular las bebidas y los tés prefabricados llevan grandes cantidades de este seductor provocador de la caries. Una higiene dental regular también previene la aparición de dolores de dientes y muelas.

● Tratamiento

Los controles regulares por parte del dentista a partir de la infancia sirven para reconocer a tiempo las enfermedades de dientes, muelas y encías. Un tratamiento iniciado a tiempo suele ser mucho menos complicado y doloroso.

Consultar al médico

En caso de padecer dolores de dientes y muelas debería ir al dentista lo antes posible. Mientras tanto, puede intentar aliviar usted mismo los dolores.

● Aplicaciones terapéuticas

➤ En caso de abscesos (acumulación de pus con enrojecimiento y dolores punzantes) debajo o al lado de un diente resulta eficaz aplicar bolsas con hielo sobre la mejilla y chupar hielo.

➤ El clavo es un condimento que alivia el dolor. Mastique un clavo de especia cerca de la zona dolorida.

➤ Si su hijo padece de dolores de dentición puede darle un objeto duro para que lo muerda, como por ejemplo un anillo especial para la dentición, corteza de pan duro o también tiras de zanahoria o apio. En la farmacia se puede obtener raíz de violeta o de calmus, que contienen sustancias naturales calmantes del dolor que actúan al morderlas.

➤ Aplicar acupresura en los siguientes puntos también produce alivio:

Ma 44 Neiting
Du 26 Renzhong
Di 4 Hegu

Para encontrar los puntos y realizar correctamente la acupresura consulte las tablas y figuras en la pág. 276 y ss.

● Preparados y remedios

Para autotratarse existen remedios de síntesis química y homeopáticos, así como sales de Schüssler.

Remedios de síntesis química

➤ Los dolores de dientes y muelas pueden tratarse con ácido acetilsalicílico, ibuprofeno o paracetamol. El ácido acetilsalicílico (AAS) es uno de los analgésicos más conocidos. Además tiene efecto antiinflamatorio, aunque algunos estómagos sensibles no lo toleran tan bien. Antes o después de la extracción de un diente o muela no es recomendable automedicarse con ácido acetilsalicílico ya que no inhibe el sangrado sino que lo aumenta.

➤ El ibuprofeno es una sustancia de mayor eficacia y es adecuado para los dolores de mediana intensidad. También actúa como antiinflamatorio, pero no es recomendable autotratarse con este medicamento más de siete días.

➤ El paracetamol alivia el dolor pero no actúa sobre las inflamaciones. Sienta mejor al estómago que el ácido acetilsalicílico y es el más adecuado para niños y personas mayores.

Homeopatía

Las indicaciones sobre los efectos y la aplicación de los remedios homeopáticos se pueden consultar en la pág. 265 y ss. Los cuadros clínicos descritos a continuación están organizados por síntoma principal (**S**), estado anímico (**A**) y cambios que se producen (**C**):

➤ *Atropa belladonna* D3, D4, D6 – gotas : **S:** dolor de dientes repentino, encías hinchadas, sequedad en la boca, mucha sed, cabeza enrojecida, pupilas dilatadas; **A:** agitación; **C:** empeoramiento al aire libre y por ingestión de bebidas frías.

➤ *Calcium carbonicum*, D30 – gotas: **S:** dolores de dentición, sudor ácido abundante (almohada mojada), heces ácidas; **A:** cuadro típico de niños tristones, poco activos, con cierto retraso en el desarrollo; **C:** empeora con el frío; mejora al aire libre.

➤ *Chamomilla* D6, D12 (suministrar con frecuencia), D30 – gotas: **S:** dolores de dientes o de dentición, el niño quiere que le cojan en brazos, tez caliente, rubor en una mejilla; **A:** gran irritabilidad, ira, impaciencia, hipersensibilidad a los estímulos externos; **C:** empeoramiento con calor, por la tarde y noche; se pueden suministrar las gotas varias veces al día realizando un ligero masaje en la lámina dental (de 5 a 10 gotas por aplicación).

➤ *Colocynthis* D12, D30 – gotas: **S:** oleadas de dolor con sensación de escozor de una hilada de dientes, que empiezan con intensidad y se repiten periódicamente, sensación de aprisionamiento por una garra metálica; **A:** malhumorado, impaciente, inquieto; **C:** empeora por las tardes y noches, al ejercer presión, al acostarse sobre el lado enfermo; mejora con reposo y calor.

➤ *Mercurius solubilis* D4, D6, D12 – gotas: **S:** dolor de dientes, lengua hinchada con marcas de los dientes, mal aliento, salivación abundante; **C:** empeora al tomar comidas caliente o frías así como con el calor de la cama.

➤ *Silicea* D3, D4, D6 – gotas: **S:** dolor de dientes debido a purulencias; **A:** depresivo, sin iniciativa; **C:** empeora con las comidas frías y el viento frío; mejora con calor.

Sales de Schüssler

Las indicaciones sobre los efectos y la aplicación de las sales de Schüssler se pueden consultar en la pág. 268 y ss.

➤ En caso de dolor de dientes debido a algún tipo de inflamación de la mucosa bucal n.º 3: *Ferrum phophosricum* (fosfato de hierro) D12.

➤ Para prevenir la caries dental mediante la estabilización de la dentina n.º 1: *Calcium fluoratum* (fluoruro cálcico) D12. Los niños 1 pastilla al día, los jóvenes y adultos dos pastillas al día.

➤ En caso de dolor reincidente que mejora con el calor, tomar el preparado n.º 7: *Magnesium phosphoricum* (fosfato de magnesio) D6, también en caliente (pág. 269).

➤ En caso de salivación intensa no habitual n.º 8: *Natrium chloratum* (cloruro de sodio "sal común") D6.

➤ Para dificultades en la dentición n.º 2: *Calcium phosphoricum* (fosfato de calcio) D6. Hacer una pasta con la pastilla para embadurnar el chupete dos o tres veces al día. Si no mejora, cambiar a n.º 7: *Magnesium phosphoricum* (fosfato de magnesio) D6. Si hay fiebre ligera durante la dentición, usar n.º 3: *Ferrum phosphoricum* (fosfato de hierro) D12. En caso de diarrea, alternar n.º 2: *Calcium phosphoricum* (fosfato de calcio) D6 y n.º 3: *Ferrum phosphoricum* (fosfato de hierro) D12. Si la dentición es más lenta de lo habitual n.º 1: *Calcium fluoratum* (fluoruro cálcico) D12.

HIPO

Cuando padecemos hipo, se contrae de forma espasmódica el diafragma y la musculatura auxiliar de la respiración, lo que obliga a que inspiremos hasta que se cierre la epiglotis, lo que produce el sonido típico del hipo. El hipo lo describen los científicos como una especie de acto reflejo cuya función se desconoce, incluso los bebés en el vientre materno pueden padecerlo.

El hipo aparece en caso de estrés, al beber alcohol o comer copiosamente. En estos casos no resulta molesto y suele durar poco. Sin embargo, se convierte en un incordio y una enfermedad cuando dura más tiempo. En este caso también hay causas orgánicas, como por ejemplo una intoxicación, haber tomado alcohol en exceso o la ingestión de ciertos medicamentos (nicetamida, barbitúricos, prednisona). Haber sufrido operaciones y enfermedades del cerebro también pueden producir un hipo duradero.

• Prevención
Evite las alteraciones, el alcohol y las comidas copiosas. Averigüe si existen causas orgánicas.

• Tratamiento
Hay una serie de recomendaciones para tratar el hipo. Como, por desgracia, la musculatura del diafragma no puede controlarse de forma consciente, escapa a la posibilidad de que pueda influirse directamente sobre ella. Puesto que la causa se encontrará seguramente en una irritación mórbida de los nervios del diafragma, resultará difícil encontrar una solución, puestos estos son inaccesibles.

✚ Consultar al médico
Si padece hipo persistente durante un largo periodo y no remite aplicando sencillos remedios caseros, consulte a su médico para que pueda recetarle un medicamento adecuado.

• Aplicaciones terapéuticas
➤ Beber rápido un vaso grande de agua helada.

➤ Colocar una bolsa con hielo envuelta en un paño sobre la parte alta del estómago o aplicar una envoltura sobre el tronco (pág. 254 y ss.).

➤ Intente dejar de respirar durante 30 segundos y presione con los brazos el estómago aguantándose la respiración.

➤ Distraer la mente. Al parecer, pensar en otra cosa suele ser efectivo.

➤ Tomar infusión de hinojo a cucharadas, comerse una rodaja de limón con 20 gotas de angostura o vinagre de fruta sobre un cubito de azúcar (no si se es diabético) son trucos que pueden dar resultado.

• Preparados y remedios
No hay remedios fitoterapéuticos o de síntesis química para automedicarse en caso de hipo. Puede intentar eliminar el desagradable ruido con remedios homeopáticos o sales de Schüssler.

Homeopatía
Las indicaciones sobre los efectos y la aplicación de los remedios homeopáticos se pueden consultar en la pág. 265 y ss. Los cuadros clínicos descritos a continuación están organizados por síntoma principal (**S**), estado anímico (**A**) y cambios que se producen (**C**):

➤ *Atropa belladonna* D3, D4, D6 – pastillas: **S:** el hipo aparece y desaparece de improviso, mucosa seca con dificultades para tragar; **C:** empeoramiento con el calor, el frío, al realizar movimientos y con el roce; mejora con tranquilidad.

➤ *Hyoscyamus niger* D3, D4 – pastillas: **S:** el hipo aparece de improviso y produce ganas incontenibles de defecar; **A:** miedo al agua; **C:** empeoramiento por la noche y al estar acostado; mejora con el calor y el movimiento.

FALTA DE APETITO

La falta de apetito puede tener muchas causas. El sobreesfuerzo físico y anímico debido a la forma de vida actual, que con frecuencia es muy agitada, y un exceso de estímulos son la causa número uno, pues el cuerpo ya no es capaz de asimilar nada. También nos quitan el apetito con frecuencia problemas sin resolver, la soledad, las preocupaciones o los miedos. Los niños y las personas mayores con frecuencia no son capaces de hablar de lo que les aflige y la falta de ganas de comer es en esos casos un frecuente indicio de la existencia de problemas.

Pero también ocurre con frecuencia que la causa de la falta de apetito se deba a un problema orgánico, como una carencia de ácido en el estómago, inflamaciones de la mucosa estomacal, la vesícula biliar y el páncreas, así como enfermedades infecciosas con fiebre y diarrea. A veces se pierde el apetito debido a ciertos medicamentos y malos hábitos de alimentación así como a un consumo excesivo de tabaco y alcohol. Estos casos pueden conducir a la larga a un insuficiente aporte de micronutrientes, vitaminas y minerales.

● Prevención

También se come con los ojos. Un plato preparado con cariño sabe el doble de bien. Diseñe un plan de alimentación variado.

Las comidas preparadas con hierbas frescas y una elevada cantidad de alimentos crudos estimulan el apetito. Los rabanillos, el rábano picante, las semillas de mostaza

Sales de Schüssler

Las indicaciones sobre los efectos y la aplicación de las sales de Schüssler se pueden consultar en la pág. 268 y ss.

➤ n.º 7: *Magnesium phosphoricum* (fosfato de magnesio) D6 tomado en caliente.

en la salsa, las cebollas o el jugo de cebolla estimulan los ácidos del estómago y aumentan el apetito. El mismo efecto se obtiene usando albahaca, hierba de San Juan, mejorana y ajedrea, así como muchas de las especias exóticas como el curry, el jengibre o la cúrcuma.

También los niños pueden padecer falta de apetito. Con frecuencia, la causa está en problemas anímicos. En esos casos, hace falta mucha mano izquierda para averiguar los motivos y solucionarlos lo más rápido posible.

Evite los dulces entre comidas, en especial las bebidas edulcoradas, como las limonadas, los refrescos de cola y los zumos con azúcar. Quitan el apetito sin suministrar sustancias nutritivas.

Esto ocurre especialmente en el caso de los niños: una receta infalible es hacer mucho ejercicio al aire libre para abrir el apetito.

● Tratamiento

Intente averiguar cuál es la causa de la falta de apetito, pues no volverá hasta que se hayan solucionado los problemas psicológicos. Reconsidere su forma de vida, pues se puede evitar ciertas situaciones de sobretensión.

 ### Consultar al médico

Consulte a su médico si su estado se prolonga más de tres días, si se observa una clara pérdida de peso, sobre todo en el caso de niños y adolescentes (si existe la sospecha de anorexia), o si hay un rechazo claro hacia cierto tipo de alimentos.

● Preparados y remedios

Si no existen causas orgánicas y si no puede planificar a corto plazo su actividad cotidiana con horarios fijos para las comidas o si tiene problemas anímicos pasajeros que le quitan el apetito puede seguir las siguientes recomendaciones para volver a disfrutar de la comida. En caso de duda, pregunte a su médico.

Fitoterapia

Los remedios para abrir el apetito contienen principios amargos y aceites esenciales, los cuales acentúan el efecto de dichos principios. Los principios amargos estimulan las papilas gustativas en la lengua y estas trasladan un mensaje al cerebro, el cual a continuación da la orden de segregar saliva y jugos gástricos. Cuando las sustancias amargas llegan al estómago junto con los alimentos provocan allí una segregación mayor de jugos gástricos.

➤ Las sustancias amargas más aplicadas, tanto solas como combinadas entre sí, son: la raíz de angélica, la raíz de genciana, el té verde, el diente de león, la cáscara de naranja amarga, la absenta, el cardo benedictino, la milenrama, la cáscara de cordurango y la cáscara de China. Lo más adecuado son las hierbas frescas. Consulte a su farmacéutico para que le recomiende preparados listos para usar de confianza.

➤ La falta de apetito en los niños puede resolverse con un truco: dele al niño un terrón de azúcar antes de una comida principal, al que haya añadido una gota de aceite de árbol del té, e indíquele al niño que deje disolver el terrón lentamente en la lengua.

➤ Intente aumentar el apetito tomando una infusión amarga con los siguientes ingredientes:
20 partes de absenta
20 partes de centaura menor

Información

Los complementos alimenticios no son solo importantes en la edad avanzada

Las personas mayores comen con frecuencia menos simplemente porque les falta apetito o por una limitación de movilidad. Sin embargo, a medida que se hacen mayores aumenta la necesidad de micronutrientes esenciales. Como consecuencia de ello, pueden aparecer carencias de minerales y vitaminas.

Por este motivo es conveniente que se informe de sus necesidades personales de complejos vitamínicos y minerales y que procure tomar la cantidad suficiente de complementos alimenticios de origen natural. Para obtener información más detallada consulte la pág. 232 y ss.

20 partes de cáscara de naranja silvestre

10 partes de hojas de trébol de agua

10 partes de rizoma de cálamo aromático

10 partes de raíz de genciana

10 partes de corteza de canela (canela de Sri Lanka).

Consultar las indicaciones para la preparación y dosificación en la pág. 264.

Homeopatía

Las indicaciones sobre los efectos y la aplicación de los remedios homeopáticos se pueden consultar en la pág. 265 y ss. Los cuadros clínicos descritos a continuación están organizados por síntoma principal (**S**), estado anímico (**A**) y cambios que se producen (**C**):

Suele decirse que "la vista también hace mucho". Un plato preparado con gracia y que incluya una gran cantidad de alimentos crudos no solo es saludable sino que también despierta el apetito.

➤ *Abrotanum*, tintura madre D2, D3 – gotas/pastillas: **S:** debilidad general, problemas de crecimiento en los niños; pérdida de peso a pesar de tener hambre voraz, diarrea y estreñimiento de forma alterna, tendencia a las hemorroides, dolores en las articulaciones.

➤ *Arsenicum album* D3, D4, D6 – glóbulos: **S:** inquietud a pesar del agotamiento, debilidad, pérdida de peso, sudores fríos; **A:** miedo, tristeza, irritabilidad, pedantería; **C:** empeoramiento a media noche o cuando está en calma; mejora con el calor.

➤ *Calcium phosphoricum* D4, D6 – pastillas: **S:** dolor de frente, dolor en los huesos, sudores nocturnos, aerofagia; **A:** miedoso, olvidadizo, asustadizo, impaciente; **C:** empeoramiento con la humedad, el frío y el esfuerzo; mejora con el calor.

➤ *Cinchona succirubra* (China) D4, D6 – pastillas/gotas: **S:** molestias durante la digestión no específicas, sensación de debilidad; tras enfermedades y operaciones; aerofagia, zumbido de oídos, mareos, taquicardia; **A:** depresiones, desaliento, irritabilidad; **C:** empeoramiento con frío, corrientes de aire, humedad, comida, al contacto y por la noche; mejora con el calor.

➤ *Colchicum autumnale* D4, D6 – gotas: **S:** dolor en las extremidades, falta de fuerzas, agotamiento, sequedad en la boca; **A:** mala memoria; **C:** empeoramiento al contacto y con el tiempo húmedo y frío; mejora con el calor y la calma.

Sales de Schüssler

Las indicaciones sobre los efectos y la aplicación de las sales de Schüssler se pueden consultar en la pág. 268 y ss.

➤ n.º 2: *Calcium phosphoricum* (fosfato de calcio) D6, en particular para niños.

➤ n.º 8: *Natrium chloratum* (cloruro de sodio "sal común") D6.

➤ En caso de falta de apetito tras una enfermedad es de ayuda tomar n.º 3: *Ferrum phosphoricum* (fosfato de hierro) D12.

VORACIDAD Y SOBREPESO

El problema de salud más frecuente y el que realmente más consecuencias acarrea en la sociedad actual es el sobrepeso (obesidad). Muchas enfermedades crónicas, como la diabetes mellitus (también denominada diabetes de tipo II), que no depende de la insulina y que cada vez aqueja a más niños, ciertas enfermedades del corazón y de las vías respiratorias, la tensión alta, las enfermedades debidas al desgaste del aparato locomotor así como algunos tipos de cáncer y la muerte prematura relacionada con estos están directamente relacionados con el exceso de grasa corporal. Lea cuáles son los factores que conducen a este trastorno y cómo puede evitarse de forma permanente.

Ciertos factores biológicos (hormonas, genes), el estrés, algunos medicamentos y el envejecimiento pueden ser responsables del apetito desmesurado y el sobrepeso. Pero las causas más frecuentes son fundamentalmente una alimentación errónea y una forma de vida sedentaria. No se tiene en cuenta el equilibrio energético, se consumen demasiadas calorías y una cantidad insuficiente de micronutrientes. Además, se aplican sustancias aditivas industriales a los alimentos prefabricados, como aromas y edulcorantes. Los aromatizantes dan la sensación de que el producto contiene micronutrientes que en realidad no tiene. La consecuencia de ello es que el cuerpo vuelve a pedir una y otra vez esos micronutrientes. Los edulcorantes simulan la ingesta de azúcar y en una acción refleja se segrega insulina, descendiendo el nivel de azúcar en la sangre por debajo del nivel normal (hipoglucemia), puesto que no había subido. La consecuencia es un apetito desmesurado y una ingesta en exceso de alimentos. Esto explica también por qué tienen tanto éxito las sustancias aromatizantes y edulcorantes en la alimentación animal para conseguir aumentos de peso considerables.

Consulte también los capítulos sobre la alimentación sana (pág. 222 y ss.) y los complementos alimenticios (pág. 232 y ss.).

• Prevención

La fórmula es alimentarse de forma sana y equilibrada. Ya hace tiempo que muchos productos del supermercado no merecen llamarse "alimentos". Son fáciles de comprar y preparar pero no tienen suficientes micronutrientes y sí muchos aditivos químicos innecesarios. El mayor grado de micronutrientes y sustancias nutritivas lo tienen los productos de la región que, en el caso ideal, provienen de cultivo ecológico y se compran directamente al productor. Si desea comenzar a cambiar su alimentación de forma adecuada lo mejor es ir paso a paso ya que el organismo también tendrá que adaptarse.

Si no puede permitirse un cambio total de la alimentación por cuestiones de organización o económicas y quiere ir a lo seguro, puede tomar complementos dietéticos de origen natural adecuados. De este modo

---

Información

**Trastornos
de la alimentación**

En el marco de esta guía de la salud no pueden tratarse en detalle trastornos de la alimentación como la anorexia, la bulimia y el trastorno por atracón. Para tratar estos problemas diríjase a las asociaciones de afectados de su localidad.

tendrá cubiertas sus necesidades alimenticias y podrá prevenir de forma eficaz la enfermedad.

Un cambio de alimentación y un aporte óptimo de micronutrientes harán que olvide pronto los ataques de hambre incontenible y el sobrepeso mórbido. Aparte de eso, también debería procurar realizar suficiente ejercicio. Practique semanalmente alguna actividad deportiva de forma regular. Si no tiene ningún impedimento de salud, los deportes de fondo,

Practicar regularmente deporte al aire libre mantiene en forma, relaja y combate la obesidad.

como caminar con bastones de esquí (marcha nórdica), nadar y pasear en bicicleta son adecuados para personas de todos los pesos.

Tratamiento

Si tiene sobrepeso y quiere adelgazar, la única forma de conseguirlo es cambiar de hábitos alimenticios. Si bien resulta difícil de partida, es, sin embargo, a largo plazo la única forma de conseguir de forma permanente un peso saludable. Hay numerosas dietas que prometen resultados a corto plazo, pero la mayoría tienen como consecuencia el temido "efecto yo-yo". Esto significa que tras finalizar la dieta, el peso vuelve a su valor anterior o incluso lo supera, en cuanto la persona recupera sus antiguas y apreciadas costumbres alimenticias. Aunque resulte difícil, hay que superarse y cambiar la forma de alimentarse.

La pérdida de peso debe tener lugar de forma lenta. Sobre todo, el sistema cardiovascular tiene que adaptarse a las nuevas circunstancias. Para que el organismo pueda tolerar bien la pérdida de peso, esta no debe superar normalmente de 500 a 1000 g semanales. Además, hay que tener en cuenta que las toxinas ambientales acumuladas en las células adiposas se liberan al organismo al reducirse estas y deberán ser eliminadas a través del hígado y los riñones.

Esto supone un esfuerzo adicional para los órganos que deberá ser siempre contrarrestado mediante complementos alimenticios adecuados. Además de un aporte general de complementos alimenticios de origen natural, se puede evitar la flacidez de la piel y los efectos nocivos de las toxinas liberadas tomando OPC (pág. 239).

⊕ **Consultar al médico de cabecera o al médico especializado en la prevención de enfermedades**

Si tiene sobrepeso y padece enfermedades relacionadas, y no está seguro de cómo regular su hambre desmedida o de cómo diseñar su plan de adelgazamiento, déjese aconsejar por su médico de cabecera o un médico especializado en la prevención de enfermedades.

● Aplicaciones terapéuticas

En grupo es más fácil. Por eso, júntese con amigos y conocidos para intercambiar experiencias y apoyarse mutuamente en los momentos en que se sucumbe a la tentación. Pueden organizar compras en común, cocinar y, por supuesto, también hacer deporte juntos. Un grupo recomendable son los seguidores del método Weight Watchers, que han recibido buenas críticas (OCU). Tienen una experiencia de más de 35 años y están al corriente de los últimos conocimientos científicos sobre alimentación. Desde 1970 llevan obteniendo éxitos demostrables. Los participantes en sus

Información

Determinar el sobrepeso

Durante mucho tiempo se ha utilizado la determinación del denominado índice de masa corporal (IMC) como baremo para diferenciar el peso normal del sobrepeso. Pero con esta medida no se tiene en cuenta la grasa total del cuerpo. Para ello hay un método práctico que es medirse el contorno de la cintura: si en el caso de un hombre es mayor de 94 a 102 cm y en el caso de una mujer es mayor de 80 a 88 cm, significa que esas personas tienen un exceso de grasa en la barriga y están expuestas a un mayor riesgo para su salud, a pesar incluso de que su IMC sea más o menos normal.

programas de adelgazamiento han perdido 25 millones de kilos de grasa, sin llevar un recuento de las calorías y sin privaciones.

Si se ha asegurado de que su aporte de micronutrientes es suficiente y le sobreviene el hambre incontenible o si quiere prevenirla:

➤ tome, a ser posible, mucha fruta y verdura fresca,

➤ beba antes y después de cada comida mucha agua. Puede tomar café y té de vez en cuando, pero debería prescindir de zumos y refrescos con azúcar y por tanto fuente de calorías,

➤ existen muchos productos alimenticios para dietas que sustituyen a las comidas. No se deje engañar y sea consciente de que solo un cambio consecuente de la alimentación le permitirá obtener y mantener a largo plazo su figura ideal.

● Preparados y remedios

Sea muy prudente a la hora de utilizar medicamentos que reducen el hambre incontenible (inhibidores del apetito) o estimuladores del metabolismo. En particular, los inhibidores del apetito tienen numerosos efectos secundarios graves a pesar de que se puedan adquirir sin receta. Las sales de Schüssler se toleran muy bien.

Sales de Schüssler

Las indicaciones sobre los efectos y la aplicación de las sales de Schüssler se pueden consultar en la pág. 268 y ss.

➤ Para evitar la flacidez de la piel tomar de 2 a 4 pastillas diarias de n.º 1: *Calcium fluoratum* (fluoruro cálcico) D12 y n.º 11: *Silicea* (dióxido de sílice) D12, unas por la mañana y otra por la tarde, además de las correspondientes pomadas.

➤ Plan contra la obesidad - Tomar 5 pastillas de cada uno de los siguientes preparados disueltas en agua muy caliente: antes del desayuno n.º 10: *Natrium sulfuricum* (sulfato de sodio) D6, antes de la comida n.º 5: *Kalium phosphoricum* (fosfato de potasio) D6 y antes de la cena n.º 9: *Natrium phosphoricum* (fosfato de sodio) D6.

DOLORES DE ESTÓMAGO

Los dolores de barriga van con frecuencia acompañados de gases y sensación de presión, y a veces también de eructos, acidez estomacal, vómitos y sensación de pesadez. Las causas pueden ser de diferente índole, lo que no es de extrañar si se tiene en cuenta la cantidad de órganos que se encuentran en el abdomen. La causa más frecuente de los denominados dolores funcionales del epigastrio es en la mayoría de ocasiones simplemente un estómago o un intestino sometido a sobreesfuerzo, pero también pueden ocultar cuadros clínicos severos. Para poder aplicar medidas eficaces hay que intentar, en primer lugar, describir con mayor precisión el tipo de dolor y su ubicación. La tabla de información de la pág. 76 le será de ayuda.

● Prevención

Intente, en primer lugar, averiguar las causas del dolor de estómago. Es importante determinar cuánto tiempo duran las molestias, con qué frecuencia y a qué hora del día aparecen los síntomas, con qué intensidad, qué hábitos alimenticios pueden ser la causa o si esta puede estar ligada al consumo de alcohol, tabaco o determinados medicamentos. Llevar la ropa demasiado apretada o tener problemas anímicos también puede afectar al estómago.

● Tratamiento

Si se conoce el detonante, se pueden solucionar muchos problemas. Encontrará más información al respecto en la descripción de la molestia específica.

⊕ Consultar al médico

Si se presentan dolores muy fuertes de repente o si se prolongan a lo largo de varias horas deberá acudir inmediatamente al médico.

Los dolores de estómago pueden tener muchas causas. Por eso, intente primero indicar con mayor precisión el lugar donde le duele y a continuación podrá adoptar medidas eficaces.

Cuando el abdomen se nota duro y se siente dolores al tocarlo puede tratarse de una inflamación de apéndice, que requiere tratamiento inmediato. Si además de sentir dolores el enfermo vomita de forma intensa es posible que se trate de un íleo, que también debe tratarse inmediatamente en el hospital. En el caso de que los dolores de estómago sean más leves también hay que aclarar la causa consultando al médico cuando los dolores no mejoren en un plazo de tres días.

Información

Causas de los diferentes tipos de dolor de estómago

Las siguientes descripciones detallan la causa probable del dolor dependiendo de su ubicación precisa así como de su duración e intensidad, e indican la página correspondiente que describe el autotratamiento adecuado tras haber consultado con el médico.

Epigastrio mediano e izquierdo
➤ Dolores moderados que aumentan unas dos horas tras la ingesta de alimentos: sospecha de úlcera gástrica. Ir al médico.
➤ Dolor persistente: sospecha de gastritis. Véase la pág. 85 y ss.

Epigastrio izquierdo
➤ Dolores intensos que se irradian hasta la espalda: sospecha de pancreatitis. Ir al médico.
➤ Dolor con sensación de agobio que se irradia hasta el pecho o por el brazo: sospecha de problema cardiaco agudo. Ir al médico.

Epigastrio derecho
➤ Dolores permanentes: sospechas de colecistitis, véase la pág. 88 y ss. Ir al médico.
➤ Dolores persistentes que mejoran al ingerir alimentos: sospecha de úlcera duodenal. Ir al médico.

➤ Dolores con diarrea: sospecha de enteritis. Ir al médico.
➤ Cólico con dolores en forma de onda que aumentan y disminuyen: sospecha de cálculos biliares. Ir al médico. Medidas de ayuda en la pág. 88 y ss.

Hipogastrio derecho
➤ Dolores intensos repentinos: sospecha de apendicitis. Ir al médico.

Hipogastrio izquierdo
➤ Dolores que con frecuencia vienen a oleadas, a veces acompañados de diarrea: sospecha de colitis. Ir al médico.

Hipogastrio derecho y/o izquierdo
➤ Dolores difusos: sospecha de inflamaciones u otras enfermedades en los ovarios, las trompas uterinas o el uréter. Ir al médico.
➤ Dolores repentinos que se irradian especialmente por la ingle y la espalda: sospecha de nefritis. Ir al médico.

Hipogastrio inferior
➤ Dolores difusos: aparecen en caso de inflamación u otras enfermedades de la vejiga, la próstata, los riñones o el útero. Ir al médico.

Aplicaciones terapéuticas

➤ La aplicación de calor suele aliviar casi siempre los dolores de estómago no específicos que aparecen por primera vez. El calor relaja y calma. Para ello, colocar una bolsa de agua caliente sobre la zona con dolor o preparar una envoltura húmeda caliente (pág. 254 y ss.).

➤ Aplicar acupresura en los siguientes puntos produce alivio:

Ma 36 Zusanli

Pe 6 Neiguan

Ren 12 Zhongwan

Para encontrar los puntos y realizar correctamente la acupresura consulte las tablas y figuras en la pág. 276 y ss.

Preparados y remedios

Si le duele el estómago y sabe que se trata de una causa pasajera (por ejemplo, haber disfrutado de una comida demasiado pesada, haber abusado del alcohol y el tabaco) puede conseguir alivio aplicando los remedios probados que se indican a continuación.

Fitoterapia

➤ Para los dolores de epigastrio denominados funcionales como los espasmos, los cólicos o las aerofagias (pág. 90 y ss.) o una sensación de saciedad anticipada son especialmente recomendables los preparados a base de plantas antiespasmódicas o que contengan sustancias amargas como el anís, la alcachofa, el boldo, la cúrcuma, la manzanilla, el comino, el diente de león, el cardo mariano, la melisa, la menta, la salvia, la milenrama y la celidonia. Estos preparados también están disponibles en forma líquida.

Esta infusión también se recomienda para el estómago y la tripa:

25 partes de raíz de valeriana

25 partes de comino

25 partes de hojas de menta

25 partes de flores de manzanilla

Consultar las indicaciones para la preparación y dosificación en la pág. 264.

➤ Si además de tener dolores de vientre padece gases que pueden haberse formado por una indigestión incompleta son de alivio los preparados carminativos de plantas que contienen aceites esenciales, que se pueden tomar en gotas ya preparadas. Estos preparados suelen incluir varias sustancias combinadas. Para ayudar en la digestión se dispone de preparados a base de las siguientes plantas medicinales: anís, albahaca, hinojo, hoja de manzanilla, coriandro, comino, hoja de melisa, hoja de menta, cáscara de naranja amarga y absenta.

Remedios de síntesis química

➤ Los preparados de síntesis química consiguen efectos muy diferentes: pueden aliviar los espasmos, como el butil bromuro escopolamina, estimular la función de la vesícula

El comino es un remedio curativo para los problemas de digestión y los dolores espasmódicos en el tracto digestivo.

biliar, como la himecromona, pueden ser analgésicos, como el paracetamol, o estimulantes de la digestión, como el mentol y la pancreatina.

➤ Para tratar la aerofagia (pág. 90 y ss.) también hay preparados con la sustancia dimeticona, que generalmente está combinada con dióxido de silicio. Se supone que estos preparados deshacen las burbujas de gas que se encuentran en los intestinos facilitando la expulsión del aire.

Homeopatía

Las indicaciones sobre los efectos y la aplicación de los remedios homeopáticos se pueden consultar en la pág. 265 y ss. Los cuadros clínicos descritos a continuación están organizados por síntoma principal (**S**), estado anímico (**A**) y cambios que se producen (**C**):

Información

**Novedades
de la investigación**

Las investigaciones más recientes han obtenido como resultado que la mayoría de las úlceras del aparato digestivo se producen a raíz de una infección por la bacteria denominada *Helicobacter pylori*. Esto explica por qué el tratamiento que se venía aplicando solo a base de sustancias que ligan y neutralizan los ácidos no obtenía un resultado positivo duradero.

Por ello, la terapia actual para las úlceras del aparato digestivo consta de un tratamiento de diez días con antibióticos (casi siempre dos medicamentos combinados para combatir con efectividad las bacterias); además, el paciente debe tomar un bloqueador de ácidos para neutralizar el ácido gástrico y permitir una mejor actuación de los antibióticos.

➤ *Argentum nitricum* D4, D6 – gotas: **S:** dolor de estómago con presión y ardor, pérdida de peso, dolor punzante, gases, eructos, bostezos, envejecimiento prematuro, ansia de comer dulces que sin embargo no se toleran; **A:** miedo, excitabilidad; **C:** efectos positivos al sentir tensión (en un examen); mejora al comer.

➤ *Chamomilla* D12, D 30 – gotas: **S:** dolores de vientre tras una alteración nerviosa o un disgusto; eructos, vómitos; **A:** impaciencia, cambios de humor; **C:** empeoramiento por la tarde y noche; mejora con el calor.

➤ *Nux vomica* D4, D6, D12 – gotas: **S:** lengua saburrosa, sensación de pesadez una hora después de las comidas, presión en el estómago (como si se tuviera una piedra); **A:** agresividad, irritabilidad; **C:** deseo de estimulantes (tabaco, alcohol, café) que, sin embargo, empeoran el estado; empeora al aire libre; mejora en una habitación caliente y haciendo breves siestas; dormir muchas horas empeora el estado.

➤ *Robinia pseudacacia* D4, D6 – gotas: **S:** ardor de estómago, dolor de estómago y cabeza; **A:** sensación de mareo; **C:** mejora al comer.

Sales de Schüssler

Las indicaciones sobre los efectos y la aplicación de las sales de Schüssler se pueden consultar en la pág. 268 y ss.

➤ Si las molestias del aparato digestivo son difíciles de eliminar, tomar durante dos-cuatro semanas de dos a cuatro pastillas n.º 4: *Kalium chloratum* (cloruro de potasio) D6 por la mañana, n.º 10: *Natrium sulfuricum* (sulfato de sodio) D6 al mediodía y n.º 9: *Natrium phosphoricum* (fosfato de sodio) D6 por la noche.

➤ Consulte también las indicaciones sobre la aplicación de sales de Schüssler en cada uno de los cuadros de síntomas específicos.

VÓMITOS

Vomitar es un síntoma de muchas enfermedades y puede tener causas muy diversas. En la mayoría de los casos se trata de un aviso del estómago, que se queja de una comida indigesta, de un exceso de alcohol o al verse agredido por gérmenes patógenos. Los vómitos también aparecen con frecuencia durante la gestación, en caso de malestar al viajar (pág. 81) o de migraña (pág. 162 y ss.). Los niños pueden sufrir vómitos al inicio de un catarro con fiebre. Antes de vomitar, la persona afectada siente grandes náuseas, incrementa la segregación de saliva y tiene sudores, además de palidecer y sentir mareo y debilidad.

● Tratamiento

Vomitar es una medida de autodefensa del estómago y suele producir alivio tras las náuseas previas.

 Consultar al médico

Si no mejoran las náuseas y los dolores de estómago tras vomitar o si tiene vómitos a lo largo de más de 24 horas debe consultar al médico. Si vomita sangre debe ir inmediatamente al médico.

● Aplicaciones terapéuticas

➤ Si tiene el estómago delicado normalmente, es suficiente pasar un día de ayuno o alimentarse solo de tostadas, o de papilla de cebada, arroz o avena. A continuación, reanudar poco a poco una alimentación normal.

➤ Beber infusiones de manzanilla o menta sin azúcar o con glucosa y jengibre. También ayuda el agua mineral sin gas. Del mismo modo que en el caso de la diarrea, hay que reponer los electrolitos y minerales perdidos mediante bebidas isotónicas.

➤ En el caso de incompatibilidad alimentaria hay que averiguar cuál es el componente que produce las molestias para evitarlas.

Si existe la sospecha de que se trata de una intolerancia alimentaria hay que consultar siempre con el médico.

➤ Aplicar acupresura en los siguientes puntos produce alivio:

Ren 12 Zhongwan

Ma 36 Zusanli

Pe 6 Neiguan

Para encontrar los puntos y realizar correctamente la acupresura, consulte las tablas y figuras en la pág. 276 y ss.

● Preparados y remedios

Cualquiera puede padecer náuseas de forma pasajera con o sin vómitos. Se puede obtener un resultado rápido en especial con preparados homeopáticos o fitoterapéuticos. No está de más tener siempre a mano en nuestra farmacia un buen remedio para un caso de urgencia.

Consejo

Náuseas del embarazo

Las mujeres embarazadas padecen náuseas por las mañanas sobre todo durante los tres primeros meses de gestación. Con frecuencia, es suficiente una pequeña modificación de los hábitos alimenticios para obtener alivio. Tome el desayuno tranquilamente en la cama. También ayuda tomar pequeñas comidas distribuidas a lo largo del día. Las infusiones y las tostadas, el requesón y el arroz sientan muy bien al estómago. Además, es conveniente alimentarse con muchas proteínas y poca grasa. Con frecuencia también alivia el jengibre en infusión, en caramelos o escarchado.

El malestar por las mañanas es una de las molestias típicas de las mujeres embarazadas durnate los tres primeros meses. Con frecuencia un simple cambio de los hábitos alimenticios, como tomar el desayuno tranquilamente en la cama, ya procura alivio.

Fitoterapia

➤ Los medicamentos fitoterapéuticos contienen sustancias que actúan sobre el estómago provenientes de plantas medicinales como la manzanilla, la menta y la naranja amarga (consúltese su preparación y dosificación en la pág. 264).

Remedios de síntesis química

➤ Entre los medicamentos que disminuyen las náuseas se encuentran sustancias que inicialmente se desarrollaron para el tratamiento de alergias (los denominados antihistamínicos). Relajan el centro cerebral que regula los impulsos de vomitar en un espacio de tiempo relativamente breve, de 15 a 30 minutos. Hay preparados con efecto normal y otros cuyo efecto es más prolongado (pág. 22). Para automedicarse son adecuados los preparados que contienen dimehidrinato y difenhidramina.

➤ La piroxidina (vitamina B6) puede administrarse a dosis elevadas para tratar las náuseas y el vómito y se encuentra en numerosos preparados combinados.

ⓘ A tener en cuenta

Por su efecto relajante, tomar antihistamínicos produce sueño y disminuye la capacidad de reacción. Por ello, no se debe conducir maquinaria peligrosa ni llevar el coche tras tomar estos preparados.

En algunos preparados se combina el antihistamínico con cafeína para contrarrestar este efecto tranquilizante, que no siempre es deseado.

Homeopatía

Las indicaciones sobre los efectos y la aplicación de los remedios homeopáticos se pueden

consultar en la pág. 265 y ss. Los cuadros clínicos descritos a continuación están organizados por síntoma principal (**S**), estado anímico (**A**) y cambios que se producen (**C**):

➤ *Anamirta cocculus* D4, D6 – pastillas: **S:** agotamiento, mareo en caso de movimiento, sudores fríos al realizar el mínimo esfuerzo; **A:** irritable, iracundo en caso de contradecirle; **C:** empeora al hacer ejercicio o al viajar en coche.

➤ *Nicotiana tabacum* D4, D6 – pastillas: **S:** gran malestar, mareos, sudores fríos, taquicardia nerviosa, sensación de opresión en el corazón, zumbido en los oídos; **A:** primero animado, luego se siente fatal y desesperado; **C:** empeoramiento al hacer ejercicio y en espacios calientes; mejora al aire libre tras haber vomitado.

➤ *Natrium tetraboracium* D3, D4, D6 – pastillas: **S:** molestias en los movimientos descendentes, debilidad con temblores, náuseas, inflamación de las mucosas alrededor del ojo, en la nariz y en el estómago; **A:** atemorizado, sensible a los ruidos; **C:** empeora con el tiempo húmedo y frío.

Sales de Schüssler

Las indicaciones sobre los efectos y la aplicación de las sales de Schüssler se pueden consultar en la pág. 268 y ss.

➤ Cuando el vómito es muy líquido y transparente, tomar una pastilla cada cuarto de hora del n.º 8: *Natrium chloratum* (cloruro de sodio "sal común") D6.

➤ Si se vomita bilis, tomar cada pocos minutos una tableta de n.º 10: *Natrium sulfuricum* (sulfato de sodio) D6.

➤ Para los vómitos durante el embarazo tomar tres veces al día dos tabletas del n.º 2: *Calcium phosphoricum* (fosfato de calcio) D6.

➤ En caso de náuseas, tomar n.º 7: *Magnesium phosphoricum* (fosfato de magnesio) D6; en caso de vómito tomar n.º 9: *Natrium phosphoricum* (fosfato de sodio) D6.

Consejo

Malestar al viajar

Algunas personas son especialmente susceptibles a los estímulos constantes del órgano del equilibrio, que se encuentra en el oído interno. La aceleración en un coche y el vaivén de un autocar, un barco o un avión les provocan sudores, mareos y vómitos. Este malestar durante los viajes suele afectar aún más a los niños que a los adultos.

Prevención

Aplicando unas medidas preventivas se puede conseguir viajar sin padecer estas molestias: antes de empezar el viaje, es conveniente comer poco y solo alimentos ligeros. Para el trayecto resultan más digestivas las galletas y las tostadas. Procure conseguir asientos buenos: los asientos delanteros en un coche o autobús, los asientos del centro en un avión o un barco.

Tratamiento

A veces resulta de ayuda fijar la vista en un punto lejano, mientras que intentar leer un libro aumenta normalmente el malestar.

➤ Se puede obtener alivio presionando los siguientes puntos de acupresura: PE 6 Neiguan, REN 12 Zhongwan, MA 36 Zusanli. Para encontrar los puntos y realizar correctamente la acupresura, consulte las tablas y figuras en la pág. 276 y ss.

➤ Entre los remedios fitoterapéuticos son de alivio los preparados a base de jengibre; al contrario que los correspondientes preparados de síntesis química, no producen somnolencia. También se pueden tomar palitos o caramelos de jengibre. Consúltese los remedios de síntesis química y homeopáticos en el apartado que trata sobre vómitos (pág. 79 y ss.).

ARDOR DE ESTÓMAGO

Para la digestión de los alimentos se forma en el estómago ácido clorhídrico. La mucosa del estómago tiene una gruesa capa de protección contra los daños que podría producir este ácido. Pero si el ácido clorhídrico alcanza el esófago por las causas que se describen a continuación aparece un desagradable ardor detrás del esternón en la fosa epigástrica.

Esto puede ocurrir cuando el músculo que se encuentra entre la entrada del estómago y el esófago ya no cierra completamente o cuando se debilita debido al consumo de ciertos alimentos y estimulantes (tabaco, alcohol, café, té y cola). Estas molestias también aparecen cuando el músculo está sometido a un sobreesfuerzo tras una comida copiosa, si doblamos el cuerpo después de comer, cuando se lleva ropa estrecha o al estar embarazada, o cuando se segrega ácido gástrico de forma excesiva y demasiado rápido debido al consumo de alimentos muy grasientos o golosinas. También se pueden padecer ardores cuando se está sometido a demasiada tensión psicológica o cuando está limitada la movilidad del estómago.

Los dulces son responsables con frecuencia de que se produzca demasiado ácido en el estómago y que esto ocurra demasiado rápido. La consecuencia de ello suele ser el ardor de estómago.

• Prevención

La mayoría de las causas de los ardores de estómago pueden evitarse, ya que están relacionadas con nuestros hábitos alimenticios. Es mejor no comer demasiado en una comida, sino pequeñas cantidades distribuidas a lo largo del día. Los alimentos y las bebidas que pueden provocar los ardores deben evitarse, igual que las sustancias irritantes como el alcohol y la nicotina. Coma preferentemente alimentos alcalinos no ácidos como fruta, verdura y patatas. Después de una comida es mejor pasear que acostarse pues, al estar acostado, el bolo alimenticio puede refluir fácilmente por el esófago. Es mejor tomar la última comida del día tres o cuatro horas antes de acostarse. Si se tiene ardores por la noche puede usarse una almohada en forma de cuña para elevar el tronco o colocar una cuña bajo el somier para obtener el mismo resultado.

Por otro lado, está la cuestión del peso: si su balanza le indica que tiene sobrepeso debería intentar adelgazar, pues en la mayoría de los casos desaparecerán los ardores al mismo tiempo que vaya perdiendo esos kilos que le sobran. Sobre esta cuestión consulte también el apartado "Voracidad y sobrepeso" (pág. 72 y ss.). Procure llevar ropa cómoda no ceñida.

• Tratamiento

➤ He aquí unas medidas para aliviar los ardores de forma rápida: beba un vaso de leche caliente rebajada. También puede tomar un pedazo de pan blanco. De este modo se neutraliza el ácido gástrico, disminuye la cantidad de ácido en el bolo alimenticio y disminuyen los ardores. También la mayoría de los medicamentos contra los ardores funcionan con el mismo principio.

➤ Aplique acupresura en estos puntos para aliviar los síntomas:

Rem 12 Zhongwan

Ma 36 Zusanli

Pe 6 Neiguan

Para encontrar los puntos y realizar correctamente la acupresura, consulte las tablas y figuras en la pág. 276 y ss.

Consultar al médico

Si las molestias duran más de tres días a pesar de haber evitado todas las posibles causas, debería consultar al médico.

• Preparados y remedios

Intente en primer lugar calmar la mucosa con remedios fitoterapéuticos. Si no obtiene resultados, debería recurrir a productos antiácido de síntesis química. Estos neutralizan el exceso de ácido clorhídrico producido y evitan el reflujo desagradable de ácido desde el estómago.

Fitoterapia

➤ Realizar una cura con jugo de col (se puede adquirir listo para usar en la farmacia o la herboristería) puede dar buenos resultados: deberá tomar durante una o dos semanas medio litro al día de esta bebida.

➤ Las infusiones de manzanilla o de una mezcla de manzanilla y melisa a partes iguales (consúltese en la pág. 264 la preparación y dosificación) calman las mucosas gástricas y disminuyen la producción de ácido.

➤ Los preparados fitoterapéuticos listos para usar con manzanilla, linaza, menta, aquilea o regaliz calman la irritación y son tranquilizantes; son especialmente eficaces en caso de ardores de estómago de origen nervioso.

Remedios de síntesis química

➤ Son recomendables, sobre todo, los antiácidos que contienen ácido algínico.

➤ También hay preparados antiácido (pastillas, geles, emulsiones) que contienen composiciones sencillas de aluminio, calcio y magnesio o la mezcla aún más eficaz de hidrotalcita y magaldrato. Forman en el entorno ácido del estómago un gel que protege adicionalmente la mucosa.

⃠ A tener en cuenta

Si toma estos medicamentos en forma de pastillas hay que masticarlas bien para que puedan actuar sobre un área amplia. Tómelas después de las comidas o antes de ir a dormir. Puesto que estos medicamentos pueden interferir en la acción de otros, hay que leer con detenimiento el prospecto adjunto: si toma a la vez diferentes preparados deberá ser a diferentes horas del día.

En caso de ardores, la manzanilla actúa como calmante y disminuye además la producción de ácido.

ESTÓMAGO IRRITADO

Las irritaciones o los disgustos y el miedo pueden afectar al estómago, especialmente en el caso de personas con una vida muy ajetreada y hábitos de comida y de sueño poco regulares. Aparte de dolores en el epigastrio, también padecen muchos otros síntomas, como sensación de estar lleno, sensación de saciedad prematura, presión en el estómago, eructos, aerofagia, así como náuseas y vómitos. Estos síntomas pueden aparecer aislados o juntos a lo largo de un periodo prolongado. Pero en la mayoría de los casos no se observan modificaciones orgánicas cuando se padece lo que se denomina un estómago irritado. Aparte de unos malos hábitos de alimentación, también pueden ser causa de estos síntomas o aumentarlos la ingesta de ciertos medicamentos, tales como los antibióticos, los preparados de hierro, los analgésicos y los preparados contra el reuma.

● Prevención

Aquellas personas que tengan un estómago irritado deberían cambiar sus hábitos. Acudir a un médico especializado en medicina preventiva puede resultar de ayuda.

Es muy importante reducir el estrés con ayuda de técnicas de relajación como el entrenamiento autógeno, el yoga o la relajación muscular según Jacobson.

Aunque le parezcan muy apetecibles y le encanten las comidas grasientas y especialmente ricas en calorías, absténgase de ellas. Es mejor tomar varias comidas ligeras al día.

Limite al máximo posible su consumo de café, alcohol y tabaco, pues estos estimulantes son verdaderos venenos para un estómago irritado.

● Tratamiento

Tenga en cuenta que los medicamentos no eliminan las causas de un estómago irritado sino simplemente calman los síntomas.

● Aplicaciones

➤ Aplicar acupresura en los siguientes puntos produce alivio: Ma 36 Zusanli, Ren 12 Zhonguang. Para encontrar los puntos y realizar correctamente la acupresura, consulte las tablas y figuras en la pág. 276 y ss.

● Preparados y remedios

Si padece con frecuencia dolores por una irritación en el estómago, es suficiente, en la mayoría de los casos, usar medicamentos fitoterapéuticos de efecto suave. Solo será necesario recurrir a medicamentos de síntesis química cuando los dolores sean más intensos y los remedios a base de plantas ya no puedan calmarlos.

Fitoterapia

➤ Los preparados a base de melisa, manzanilla, hinojo o comino, plantas que actúan de forma calmante y relajante sobre los nervios del estómago, son muy eficaces. Los preparados combinados de estas plantas en forma líquida son especialmente fáciles de dosificar, aunque también se puede tomar pastillas.

➤ Pruebe esta mezcla de hierbas en infusión para calmar sus molestias:

20 partes de raíz de genciana
20 partes de cáscara de naranja amarga
25 partes de centáurea menor
25 partes de absenta
10 partes de corteza de canela

Consultar las indicaciones para la preparación y dosificación en la pág. 264.

Remedios de síntesis química

➤ Sus principios activos son relajantes, como la butil bromuro escopolamina, o estimulan la función biliar, como la himecromona. Otros son analgésicos, como el paracetamol, o estimulantes de la digestión, como la pancreatina.

Homeopatía

Las indicaciones sobre los efectos y la aplicación de los remedios homeopáticos se pueden consultar en la pág. 265 y ss. Los cuadros clínicos descritos a continuación están organizados por síntoma principal (**S**), estado anímico (**A**) y cambios que se producen (**C**):

➤ *Asa foetida* D3, D4 – pastillas: **S**: presión en el estómago, eructos rancios, sensación de que la garganta está comprimida. **A**: irritable, miedoso, desanimado. **C**: empeoramiento del estado por las noches.

➤ *Carbo vegetabilis* D3, D4, D6 – pastillas: **S**: debilitado, con tendencia al colapso, circulación débil, sudores fríos; **A**: irritable, pensamiento retardado; **C**: empeoramiento con ambiente húmedo y caliente así como por la tarde-noche; mejora con aire fresco.

➤ *Myristica fragrans* (nux moscata) D3, D4 – pastillas: **S**: mucosas secas, vientre hinchado, siente asco hacia ciertos platos, padece de forma alterna estreñimiento y diarrea; **A**: obnubilamiento, alucinaciones, desorientado; **C**: empeora con la humedad y el frío; mejora con el calor.

GASTRITIS

Una irritación de la mucosa del estómago (gastritis), que en ciertas circunstancias puede convertirse en una úlcera de estómago o duodeno, está causada por un exceso de ácido gástrico. Cuando esto ocurre, la capa protectora de la mucosa gástrica se ve afectada y se inflama. En muchos casos el detonante son bacterias pero también es frecuente que se deba al estrés emocional debido a disgustos, problemas o a llevar una vida muy ajetreada. También es conocido el hecho de que ciertos medicamentos, como los analgésicos y los preparados que contienen corticoides, influyen en la formación de la capa de mucosidad del estómago. Comer con ansiedad así como tomar grandes cantidades de café, té y alcohol también pueden conducir a una gastritis, ya que estimulan la producción de ácido gástrico de forma intensa.

• Prevención

Intente que su vida sea más relajada y equilibrada. Coma preferentemente alimentos que no sean ácidos, como ciertos tipos de fruta y verdura, y patatas. Es preferible tomar varias comidas ligeras al día. Todo lo que calme los nervios sobreestimulados es adecuado.

Está demostrado que resulta calmante para el sistema nervioso y regulador de la secreción de ácido gástrico tomar duchas con agua caliente, baños de cuerpo entero y hacerse friegas en el cuerpo (págs. 248, 250) o tomar pediluvios o baños de asiento con temperatura ascendente (pág. 246 y ss.). Los paños calientes sobre el vientre con una bolsa de agua caliente envuelta en un paño húmedo o un saco de flores de heno (pág. 258) y terminar con humectaciones con agua fría (pág. 248 y ss.) calman el estómago y la circulación sanguínea.

• Tratamiento

Si se aplica medidas preventivas una vez que ya han empezado los síntomas se requiere un tiempo para obtener resultados. Entre tanto, se pueden utilizar antiácidos para neutralizar el ácido sobrante.

⊕ Consultar al médico

El tratamiento de una úlcera de estómago o duodeno tiene que tener control médico. Por otro lado, puede acordar con el médico que le esté tratando cuáles de los siguientes consejos son recomendables para aliviar sus molestias.

● Aplicaciones terapéuticas

➤ Para calmar el estómago lo mejor es relajarse, realizar respiraciones tranquilas y ejercicio al aire libre. Existen técnicas de relajación (yoga, entrenamiento autógeno) que puede aprender mediante la lectura de libros especializados o acudiendo a cursillos.

➤ Un remedio casero de toda la vida es el jugo de col, que se puede comprar en la farmacia o la herboristería. Tomar un vaso antes de cada comida.

➤ El barro curativo o la linaza molidas deben dejarse macerar en agua antes de su aplicación (dosificar según el prospecto adjunto). Puede aplicarse varias veces al día. También es suficiente si se mezcla con saliva en la boca y se traga a continuación.

➤ En caso de dolores espasmódicos puede ser de alivio la aplicación de calor húmedo mediante paños con emplasto de flores de heno, fango o linaza (pág. 258 y ss.), maniluvios y pediluvios con temperatura ascendente (pág. 244 y ss., y 246), así como envolturas alrededor del tronco (pág. 254 y ss.).

● Preparados y remedios

La mucosa del estómago puede calmarse de forma rápida tomando preparados con extracto de manzanilla (véase el cuadro más adelante). Pero la naturaleza también nos brinda otras plantas medicinales que calman las molestias al igual que los medicamentos antiácido de síntesis química.

Fitoterapia

➤ En la fitoterapia se aplican la manzanilla, la menta, la melisa y la milenrama. Con las flores de la manzanilla y los preparados elaborados a partir de esta planta puede realizarse una cura para aliviar los problemas de estómago (véase el cuadro adjunto).

➤ El extracto de regaliz es antiespasmódico y disminuye los síntomas de la inflamación.

Consejo

Cura con manzanilla para problemas de estómago

La manzanilla tiene efectos antiespasmódicos, antiinflamatorios y estimula la curación. Pero hay que tener en cuenta, especialmente en las enfermedades del estómago, que es necesario aplicar una cantidad suficiente que debe permanecer en contacto con la mucosa del estómago un tiempo lo suficientemente prolongado para producir el efecto curativo. Por eso, se obtienen resultados especialmente buenos aplicando esta cura.

Procedimiento:

➤ Resulta más práctico usar extracto de manzanilla: añada 30 gotas en un vaso de agua caliente. También se puede preparar una infusión de manzanilla más concentrada de lo habitual para realizar esta cura: ponga dos o tres cucharaditas de manzanilla seca en una taza o un vaso y luego añada el agua.

➤ Tomar la infusión en ayunas por la mañana mientras todavía esté en la cama.

➤ Quedarse de 5 a 10 minutos boca arriba, y luego durante el mismo tiempo sobre el costado izquierdo, a continuación sobre el abdomen y, finalmente, otros 5 a 10 minutos sobre el costado derecho. Aparte de esto, tomar infusión de manzanilla a lo largo de todo el día.

Puede aplicarse la sustancia picada o extractos deshidratados para infusión, o tomar el polvo o el jarabe líquido o espesado (*succus liquiritiae*).

La raíz de regaliz también se toma en pastillas y barritas. La forma más sencilla de administrarla es mediante preparados listos para usar que se adquieren en la farmacia.

Remedios de síntesis química

➤ Para tratar la gastritis se utilizan medicamentos antiácido: el magaldrato, la hidrotalcita y los hidróxidos de aluminio y magnesio. Automedicarse con estos preparados solo debe realizarse de forma limitada en el tiempo. Si las molestias no remiten en tres días hay que consultar al médico.

Los antiácidos se toman alrededor de una hora antes de las comidas o tres horas después, así como antes de irse a dormir.

➤ Si padece de una gastritis muy intensa y repentina, entonces es adecuado el tratamiento de los dolores espasmódicos mediante preparados que contengan el principio activo butil escopolamina.

Homeopatía

Las indicaciones sobre los efectos y la aplicación de los remedios homeopáticos se pueden consultar en la pág. 265 y ss. Los cuadros clínicos descritos a continuación están organizados por síntoma principal (**S**), estado anímico (**A**) y cambios que se producen (**C**):

➤ *Antimonium crudum* D3, D4, D6 – pastillas: **S:** lengua saburrosa con una gruesa capa blanca, estómago como sobrecargado, no mejora al vomitar, sensación de vacío en las tripas; **A:** disgustado sin motivo; **C:** mejora con la tranquilidad, estando acostado o al aire libre.

➤ *Argentum nitricum* D4, D6 – gotas: **S:** dolor de estómago intenso con ardores, dolor punzante, hinchazón, eructos, bostezos, pérdida de peso, envejecimiento prematuro, deseo de tomar cosas dulces que, sin embargo, no se toleran; **A:** miedo, irritabilidad; **C:** excitarse tiene efectos positivos (realizar un examen); mejora al comer.

➤ *China* D2, D3, D4 – pastillas: **S:** sensación de presión y de saciedad, muchos gases, no mejora al eructar, no digiere bien la col ni la fruta; **A:** agotamiento, depresión; **C:** empeora con el frío, la comida, con el contacto y por las noches.

➤ *Lycopodium* D2, D3, D4 – pastillas: **S:** apetito desmesurado con sensación de saciedad tras unos pocos bocados, aerofagia, frecuentes eructos y vómitos; **A:** timidez, desconfianza, no soporta ser contradicho; **C:** empeora con la tranquilidad y el calor, así como por las tardes; mejora al hacer ejercicio y al aire libre.

➤ *Nux vomica* D4, D6, D12 – gotas: **S:** lengua saburrosa, sensación de saciedad una hora después de comer, presión en el estómago (se siente como si se tuviera una piedra); **A:** agresividad, irritabilidad; **C:** deseo de tomar estimulantes (tabaco, alcohol, café) que, sin embargo, hacen empeorar el estado; empeora al aire libre y durmiendo mucho; mejora en espacios calientes y con periodos cortos de sueño.

➤ *Phosphorus* D4, D6, D12 – gotas: **S:** estómago ardiente, sensible a la presión, deseo de tomar bebidas frías que después se vomitan, dolor al sentir hambre que mejora al comer; **A:** nerviosismo e inquietud; **C:** empeora por las noches y cuando hace frío; mejora con el descanso.

Sales de Schüssler

Las indicaciones sobre los efectos y la aplicación de las sales de Schüssler se pueden consultar en la pág. 268 y ss.

➤ En caso de gastritis tomar cada pocos minutos una pastilla de n.º 3: *Ferrum phosphoricum* (fosfato de hierro) D12 alternándola con otra pastilla de n.º 4: *Kalium chloratum* (cloruro de potasio) D6.

➤ En caso de espasmos y dolores tomar n.º 7.

➤ En caso de exceso de ácido crónico tomar de forma alterna n.º 8: *Natrium chloratum* (cloruro de sodio "sal común") D6 y n.º 9: *Natrium phosphoricum* (fosfato de sodio) D6.

➤ Si el dolor es en ayunas tomar n.º 8: *Natrium chloratum* (cloruro de sodio "sal común") D6.

DOLORES DE ESTÓMAGO POR TRASTORNOS BILIARES

Los cálculos biliares son la causa más frecuente de las molestias de la vesícula biliar. Se producen al alterarse la composición del líquido biliar a favor de uno de los componentes, que posteriormente se liga formando una piedra. En la mayoría de los casos, los cálculos biliares están compuestos de colesterol, pigmentos y cal. Son bastante frecuentes (más en las mujeres que en los hombres), aunque por lo general no suelen crear problemas. Con frecuencia no se notan hasta que obstaculizan el conducto cístico y producen fuertes espasmos en la vesícula biliar, con dolores a modo de cólico, o cuando producen una inflamación.

● Prevención

Debido a los avances en la investigación sobre nutrición, en la actualidad ya no se destierra totalmente el consumo de grasa en las dietas. Se recomienda en particular el consumo de grasas de fácil digestión con un punto de fusión bajo y todo tipo de productos elaborados no químicos, como la mantequilla, la nata, los aceites prensados en frío y ciertas margarinas. En general, la dieta debería estar compuesta de muchas verduras, fruta y hier-

Un pediluvio con temperatura ascendente hace maravillas cuando se padece de la vesícula biliar.

bas. Evite tomar sustancias irritantes como el café y el alcohol.

● Tratamiento

Los problemas agudos de la vesícula biliar deben ser siempre tratados por un médico. Con la aprobación del médico, también se puede combatir los dolores y evitar la aparición de futuros cálculos biliares aplicando las medidas aquí recomendadas. La prevención comienza con la alimentación. Los dolores pueden calmarse con la aplicación de agua y calor y con masajes gracias a sus efectos relajantes y antiespasmódicos.

● Aplicaciones terapéuticas

➤ En caso de cólico biliar alivian bastante los pediluvios con temperatura ascendente (pág. 246 y ss.), tomar baños de asiento (pág. 247) y la aplicación de compresas con agua muy caliente (pág. 258 y ss.). Para ello se extiende el paño muy caliente y se coloca sobre la zona denominada segmento biliar, que va desde la columna hasta el arco costal derecho.

También se pueden aplicar emplastos con patatas hervidas con piel machacadas o puré de linaza (pág. 247). Este tipo de compresa caliente aporta calor durante un periodo más prolongado y debería terminarse el tratamiento mediante la aplicación de una compresa fría.

➤ Si su médico está de acuerdo, aplique en caso de inflamación aguda de la vesícula biliar envolturas frías (pág. 253 y ss.) sobre el cuerpo, que deberán cambiarse con frecuencia en caso de fiebre. También son eficaces las envolturas de pantorrilla (pág. 255) y los pediluvios con temperatura ascendente (pág. 246 y ss.).

ⓘ A tener en cuenta

Las compresas con vapor y las cataplasmas calientes solo pueden aplicarse si su médico ha determinado el grado de gravedad de la inflamación de la vesícula biliar, pues si la inflamación es muy aguda puede darse el caso de que las molestias empeoren de forma notable.

● Preparados y remedios

Las personas que padezcan de una irritación de la vesícula biliar pueden usar de forma regular preparados a base de plantas. La siguiente mezcla de hierbas para infusiones es particularmente adecuada para su uso diario en caso de molestias crónicas. En la farmacia puede adquirir además preparados listos para usar muy eficaces, normalmente en forma de tinturas con alcohol. Si se siguen exactamente las indicaciones sobre dosificación, la cantidad de alcohol ingerida al día puede considerarse irrelevante. No obstante, tenga en cuenta la información ofrecida por el fabricante.

Fitoterapia

➤ Los preparados listos para usar de plantas con sustancias amargas, como la alcachofa, la fumaria, la cúrcuma, el diente de león, el cardo mariano, la menta, la milenrama, la celidonia y la absenta, estimulan el flujo de bilis y pueden evitar que se acumule, evitando de este modo las correspondientes molestias.
➤ La hierba fumaria y la celidonia son además antiespasmódicas y alivian en caso de cólico.
➤ Puede probar la siguiente mezcla:
    10 partes de comino
    20 partes de cúrcuma de Java
    30 partes de diente de león
    20 partes de frutos de cardo mariano
    20 partes de hojas de menta
Consultar las indicaciones para la preparación y dosificación en la pág. 264.

Remedios de síntesis química

➤ La himecromona es un componente de síntesis química de muchos medicamentos para los conductos biliares y se aplica en caso de inflamación de los mismos cuando aparecen dolores y espasmos.

Homeopatía

Las indicaciones sobre los efectos y la aplicación de los remedios homeopáticos se pueden consultar en la pág. 265 y ss. Los cuadros clínicos descritos a continuación están organizados por síntoma principal (**S**), estado anímico (**A**) y cambios que se producen (**C**):
➤ *Atropa belladonna* D4 – gotas: **S:** dolor espasmódico, sensibilidad al contacto en la zona del estómago, las molestias aparecen y desaparecen repentinamente; **A:** hipersensibilidad, agitación; **C:** mejora al inclinarse hacia atrás.
➤ *Citrullus colocynthis,* D6 – gotas: **S:** dolores de barriga espasmódicos, diarrea verde; **A:** ira, malhumor; **C:** empeora al estar acostado, con calor y al disgustarse.
➤ *Veronica virginica (leptandra)* D4 – gotas: **S:** ardor, heces malolientes. Este remedio ha dado buenos resultados tras la extirpación de la vesícula biliar.
➤ *Mandragora e radice* D6 – gotas: sensible a la presión en la zona del estómago, aerofagia, estreñimiento, heces de color claro; **A:** sensible al ruido; **C:** mejora al recostarse, con tiempo cálido y húmedo; empeora al tomar sustancias estimulantes.

Sales de Schüssler

Las indicaciones sobre los efectos y la aplicación de las sales de Schüssler se pueden consultar en la pág. 268 y ss.
➤ Son adecuadas las sales n.º 2: *Calcium phosphoricum* (fosfato de calcio) D6, n.º 5: *Kalium phosphoricum* (fosfato de potasio) D6, n.º 6: *Kalium sulfuricum* (sulfato de potasio) D6, n.º 7: *Magnesium phosphoricum* (fosfato de magnesio) D6, n.º 9: *Natrium phosphoricum* (fosfato de sodio) D6 y n.º 11: *Silicea* (dióxido de sílice) D12.

AEROFAGIA

Durante la digestión se forman gases de diferentes tipos en grandes cantidades en el intestino. La formación excesiva de gas se nota porque produce sensación de presión en el vientre, sensación de saciedad, ruidos en las tripas e incluso dolores de tipo cólico. Una expulsión incrementada de gases puede resultar muy desagradable.

A veces, llevar una alimentación desequilibrada o tomar de forma irregular alimentos que pueden producir flatulencia (las coles, las legumbres, las cebollas), alimentos ricos en fibra (pan integral, muesli, verduras, fruta cruda o higos) así como bebidas con gas frías pueden ser la causa de los gases. Pero con frecuencia también son una expresión de un desequilibrio emocional y de nerviosismo o la consecuencia de un problema de digestión genético.

En algunas ocasiones los gases se forman ya en el estómago y en el epigastrio apretando contra el diafragma, lo que conlleva una sensación de opresión desagradable o de congestión dolorosa del corazón.

• Prevención

Si bien las fibras (véase recuadro en la pág. 97) ayudan a conseguir una digestión adecuada, también son muy apetecibles para las bacterias intestinales, productoras por su parte de gases. Si decide cambiar su alimentación y tomar productos integrales, debería hacerlo poco a poco para que las bacterias intestinales puedan acostumbrarse paulatinamente a esta nueva situación.

Tómese el tiempo suficiente para las comidas y mastíquelas a conciencia, pues los alimentos que no han sido suficientemente masticados pueden producir gases. También puede causar gases hablar mucho durante la comida ya que así se traga demasiado aire.

Utilice en la cocina especias que estimulen la digestión de forma regular, como el comino, el anís, el cilantro, la mejorana o el jengibre.

Entre las frutas que estimulan la digestión se encuentran la piña y la papaya.

Prescinda de llevar ropa ceñida.

• Tratamiento

Normalmente, la aerofagia desaparece rápido una vez que se han anulado las causas o se han tratado las molestias.

Consultar al médico

Si tiene gases muy fuertes y dolorosos y no encuentra una solución deberá consultar al médico. Puede que la causa sea una población inadecuada de hongos en el intestino.

• Aplicaciones terapéuticas

➤ Para proporcionar alivio y disminuir los dolores de vientre, puede aplicarse una bolsa de agua caliente sobre el vientre, envolturas húmedas y calientes alrededor del cuerpo (pág. 254 y ss.) o paños con peloides (pág. 257 y ss.) y pediluvios con agua caliente y fría alternante (pág. 246 y ss.).

➤ Para volver a equilibrar las bacterias que normalmente se encuentran en el intestino, ha dado buenos resultados la terapia microbiológica, que controla la simbiosis y permite volver a poblar el intestino con las bacterias ausentes. Esta terapia se realiza con control médico.

• Preparados y remedios

En la mayoría de los casos, las ventosidades son pasajeras y suelen desaparecer por sí mismas. Una alimentación equilibrada (pág. 222 y ss.) evita normalmente que se produzcan. A corto plazo se recomiendan, sobre todo, los remedios fitoterapéuticos si las ventosidades se deben a un cambio de alimentación.

Fitoterapia

➤ Las infusiones de anís, hinojo o comino (también combinados) tienen efecto carminativo. Se deben machacar o moler estos frutos antes de verter el agua hirviendo para la infusión.

➤ También es conocido el efecto carminativo de las infusiones con absenta, genciana amarilla o centáurea menor. En el caso de ventosidades con retortijones, surte efecto la infusión de menta (consúltese la preparación y dosificación en la pág. 264).

➤ Pruebe la siguiente receta:

25 partes de hojas de menta

25 partes de flores de manzanilla

25 partes de rizoma de ácoro

25 partes de cominos machacados

➤ En las farmacias se puede adquirir medicamentos eficaces que combinan los principios activos carminativos del hinojo y el comino con sustancias estimulantes de la digestión extraídos de la genciana, la naranja amarga, la milenrama o la absenta, y con frecuencia también llevan extractos antiespasmódicos de manzanilla y menta.

Remedios de síntesis química

➤ La sustancia de aplicación médica de síntesis química, la dimeticona, tiene efecto antiespumante en el estómago y el intestino, es decir, disuelve las burbujas de gas que producen dolor y hace más fácil su expulsión.

Homeopatía

Las indicaciones sobre los efectos y la aplicación de los remedios homeopáticos se pueden consultar en la pág. 265 y ss. Los cuadros clínicos descritos a continuación están organizados por síntoma principal (**S**), estado anímico (**A**) y cambios que se producen (**C**):

➤ *Asa foetida* D3, D4, D6 – pastillas: **S:** sensación como si el movimiento intestinal estuviera invertido, retortijones por los gases; tragar aire, eructos explosivos; **A:** irritable, miedoso, desanimado, apocado; **C:** mejora al hacer ejercicio y defecando.

➤ *Carbo vegetabilis*, D4, D6, D12 – pastillas: **S:** formación de gases con dolores de vientre, aerofagia debido a alimentos grasos, deseo de ir al aire libre a pesar de tener frío, pies helados, gran debilidad; **A:** apatía, pensamiento lento; **C:** mejora con la expulsión de ventosidades y al eructar.

➤ *Lycopodium* D3, D4, D6 – pastillas: **S:** vientre muy hinchado, no se soporta la ropa ceñida, expulsar ventosidades solo mejora el estado temporalmente, insensible al contacto, cólicos al atardecer; **A:** timidez, desconfianza, irritabilidad; **C:** mejora al encogerse y empeora al comer.

➤ *Mandragora e radice* D3, D6, D12 – pastillas: **S:** sensación de saciedad y ventosidades, eructos, cólicos por la noche; **A:** falta de concentración; **C:** mejora con calor, al estar acostado y con tranquilidad.

➤ *Sulphur* D4, D6, D12 – pastillas: **S:** ventosidades con dolor punzante y considerable expulsión de gases (olor a huevos podridos); **A:** malhumorado, pesimista, depresivo, mala memoria; **C:** empeora por la tarde, por la noche, con el calor de la cama y cuando cambia el tiempo; mejora con el calor (tiempo seco).

Sales de Schüssler

Las indicaciones sobre los efectos y la aplicación de las sales de Schüssler se pueden consultar en la pág. 268 y ss.

➤ Tomar una pastilla cada cuarto de hora de forma alterna de n.º 10: *Natrium sulfuricum* (sulfato de sodio) D6 y n.º 11: *Silicea* (dióxido de sílice) D12.

➤ En caso de dolores, tomar una pastilla cada cuarto de hora de n.º 7: *Magnesium phosphoricum* (fosfato de magnesio) D6 o tomarla en caliente (pág. 269).

DIARREA

La diarrea es una disfunción del intestino que produce que varias veces al día se tenga necesidad de defecar, expulsando heces en forma de papilla o líquidas, a veces de forma repentina y acompañada de dolores espasmódicos. El cuerpo pierde por ello mucho líquido y minerales vitales. Las causas pueden ser infecciones producidas por bacterias que penetran en el intestino a través de comidas en mal estado o aguas contaminadas (durante viajes). Pero también produce diarrea la intolerancia a conservantes, potenciadores del sabor, colorantes, edulcorantes artificiales y medicamentos.

Otros posibles factores causantes son los desarreglos anímicos y emocionales (miedo, estrés, agitación), problemas funcionales del estómago, el intestino, el hígado y la vesícula biliar, así como enfermedades orgánicas del intestino (como la colitis ulcerosa o la enfermedad de Crohn).

Tratamiento

La diarrea es, con frecuencia, una reacción natural de defensa del organismo contra sustancias tóxicas de las que quiere desprenderse rápidamente. Apoye a su organismo no comiendo o comiendo muy poco y cuidándose a ser posible. Normalmente no suele ser necesario llevar una dieta especial para la diarrea. La diarrea reincidente en bebés y niños pequeños puede ser un problema, pues supone una importante pérdida de líquido. Pregunte por ello a su médico cuál es la mejor forma de tratar a su hijo.

En estos casos es muy importante beber mucho para contrarrestar la pérdida de líquido y sustancias minerales. Son adecuadas las infusiones endulzadas con glucosa y particularmente el té o el agua mineral con poco gas o sin gas. También pueden sustituir a las sales perdidas (véase el recuadro de la pág. 92) las bebidas minerales de elaboración industrial y las deno-

---

Información

Sustitución de líquidos y electrolitos

En caso de diarrea es especialmente importante aportar a bebés y niños pequeños las cantidades de líquido y electrolitos perdidos de la forma más rápida. También hay que tratar de forma rápida a los pacientes mayores de 60 años para que recuperen el líquido perdido.

➤ Si la diarrea es ligera, es suficiente tomar muchas infusiones o zumos de frutas.

➤ En caso de diarreas más fuertes habrá que dar al paciente soluciones equilibrantes que a ser posible también contengan glucosa, es decir, azúcar. De este modo no solo gustan más a

los niños por ser dulces, sino que ello también facilita la asimilación de sales en el tracto gastrointestinal.

➤ Los remedios correspondientes se suministran en forma sólida para prepararlos en solución. Tome los electrolitos con mucho líquido. Es conveniente tener a mano en casa preparados de electrolitos para poder preparar en caso de necesidad la solución correspondiente según las indicaciones del prospecto adjunto y siempre con agua previamente hervida. Esta presentación también es adecuada para el botiquín de viaje.

minadas mezclas de glucosa con electrolitos, que pueden adquirirse en forma de polvo o en pastillas efervescentes en la farmacia.

Tras una primera mejoría es conveniente retomar la alimentación habitual paso a paso:

➤ zumo de zanahoria fresco, puré de manzana y plátano

➤ patatas, verdura de fácil digestión, pan

➤ añadir poco a poco grasa y proteínas de fácil digestión (productos de leche fermentada, queso) y pasar paulatinamente a una alimentación completa.

⊕ **Consultar al médico**

Para el tratamiento de la diarrea en bebés y niños pequeños hay que consultar al médico. En el caso de los adultos, si no mejora la diarrea en el plazo de dos días a pesar de haber tomado medicamentos o si aparece fiebre, escalofríos, dolores y agotamiento, hay que pedir consejo médico.

Lo mismo es aplicable cuando la diarrea contiene mucosidades y sangre o si acaba de volver de un viaje al Trópico.

• Aplicaciones terapéuticas

➤ Los remedios caseros usados toda la vida en caso de diarrea son por ejemplo manzanas crudas finamente ralladas, plátanos aplastados, agua de cocción de arroz o avena (bien condimentada con sal o especias, de ese modo se aporta minerales al cuerpo). Los arándanos secos (de la farmacia) tomados a cucharadas sirven para cortar la diarrea.

➤ En caso de diarrea acompañada de un trastorno estomacal, puede producir milagros la leche de ajo caliente: hervir durante un tiempo 2 ó 3 dientes de ajo partidos en un cuarto de litro de leche, filtrar y beber la leche lo más caliente posible.

➤ Si se tienen dolores, pueden aliviarse mediante baños en posición sentada con agua caliente (pág. 247) y paños o envolturas de cuerpo muy caliente (pág. 264 y ss.). También

El zumo fresco de zanahoria es uno de los remedios caseros de toda la vida contra la diarrea.

resulta calmante un saco de flores de heno (pág. 258) colocado sobre el vientre.

➤ Aplicar acupresura en los siguientes puntos produce alivio:

Ren 4 Guanyuang

Ma 36 Zusanli

Para encontrar los puntos y realizar correctamente la acupresura consulte las tablas y figuras en la pág. 276 y ss.

• Preparados y remedios

Los remedios para la diarrea suelen ser mucilaginosos o adsorbentes. Estos últimos son medicamentos que son capaces de ligar a su superficie las bacterias y los productos de su metabolismo que irritan el intestino así como otras sustancias tóxicas y virus, de modo que pueden ser expulsados junto con ellos. Esto produce una disminución de la irritación del intestino.

Fitoterapia

➤ Las infusiones de hierbas medicinales como hinojo, manzanilla, raíz de tormentila o arándanos secos (consultar la preparación y dosificación en la pág. 264) puedan aliviar.

Las semillas de zaragatona son eficaces en caso de estreñimiento y deben tomarse con mucho líquido.

➤ Las plantas medicinales que se aplican normalmente para tratar el estreñimiento, que tienen sustancias mucilaginosas (pág. 97), también sirven para tratar la diarrea. Esto es especialmente válido para las semillas de la zaragatona, que contienen mucho mucílago. Los preparados indicados se hinchan en el intestino endureciendo las heces, de modo que estas requieren un espacio de tiempo más largo para atravesar los intestinos. Durante este tránsito arrastran y expulsan agentes patógenos y sustancias tóxicas antes de que puedan hacer más daño.

➤ Los adsorbentes vegetales, como la pectina de las manzanas y los cítricos, así como la corteza de roble, también son eficaces. Los preparados con corteza de roble no solo ligan las sustancias que irritan el intestino, sino que además protegen la mucosa, de modo que resulta más difícil que se asimilen sustancias tóxicas.

➤ La corteza de haya y otros preparados medicinales con taninos, como el rizoma de tormentila, deben administrarse en cantidades suficientemente elevadas para ser eficaces. Si desea estar seguro de que el tratamiento es eficaz, deberá adquirir un preparado listo para usar.

ⓘ A tener en cuenta

Es indispensable que tome mucho líquido cuando ingiera sustancias mucilaginosas ya que si no se puede formar un tapón o una oclusión intestinal. Hay diferentes preparados con sustancias mucilaginosas y sus recomendaciones de dosificación también varían. Por ello lea con detenimiento las instrucciones de los prospectos adjuntos.

Remedios de síntesis química

➤ Entre los remedios de síntesis química que ligan sustancias tóxicas (adsorbentes) se encuentra el carbón medicinal, el óxido de silicio y el caolín.

➤ Algunos principios activos de los preparados de síntesis química tienen efectos desinfectantes en el intestino y protegen la mucosa intestinal, como las combinaciones de aluminio, el albuminato de tanino o la etacridina.

➤ La loperamida es una sustancia muy adecuada para las enfermedades diarreicas. Los preparados correspondientes pueden automedicarse y tomarse hasta dos días. Si la diarrea continúa transcurrido este plazo hay que consultar al médico

ⓘ A tener en cuenta

Los niños menores de 2 años no deben tomar loperamida y los menores de 12 años solo si lo indica el médico. Si se padece diarrea con fiebre y heces con sangre o si se sufre una colitis ulcerosa no se debe tomar loperamida.

Homeopatía

Las indicaciones sobre los efectos y la aplicación de los remedios homeopáticos se pueden consultar en la pág. 265 y ss. Los cuadros clínicos descritos a continuación están organizados por síntoma principal (**S**), estado anímico (**A**) y cambios que se producen (**C**):

➤ *Arsenicum album* D12, D30 – gotas: **S**: repulsión a la comida (a veces incluso al olor a la comida), vómitos incesantes mientras queda algo en el estómago (incluso agua), escozor en el estómago, defecación frecuente en pequeñas cantidades malolientes; después de esto totalmente agotado; sed insaciable de pequeñas cantidades de agua, con frecuencia personas consumidas y agotadas; **A:** no cree que pueda curarse, miedo a morirse, aun así pensamientos de suicidio, terrores nocturnos; **C:** empeora con palabras amistosas y de consuelo, y por la noche; mejora con bebidas calientes y calor general.

➤ *Mercurius solubilis*, D4, D6, D12 – pastillas: **S:** la lengua lleva la marca de los dientes, salivación intensa, halitosis, sed, malestar, deseos de comidas frías, defecación constante con muchas heces pequeñas verdosas, expulsión de mucha mucosidad, sensación de que todavía queda algo por expulsar, defecación irritante, escalofríos tras la defecación; **C:** empeora con el frío y el calor en la cama.

Información

Reforzar la flora intestinal

Nuestra flora intestinal no solamente es imprescindible para realizar las funciones intestinales normales, sino que también tiene un papel importante en la defensa contra las infecciones. Cuando se estropea la flora intestinal, a veces a causa de padecer diarrea, requiere un cierto tiempo para volver a ejecutar correctamente su función.

Se puede abreviar este plazo de tiempo una vez que ha pasado la diarrea aguda reforzando el intestino mediante el aporte de preparados adecuados con bacterias intestinales vivas (*Escherichia coli*, *Lactobacillus acidophilus*), recomponiendo así la flora intestinal. Consulte a su farmacéutico los preparados adecuados

➤ *Okoubaka* D2 – gotas: **S:** eficaz medida contra todo tipo de diarrea.

➤ *Podophyllum* D3, D4, D6 – pastillas: **S:** lengua saburrosa, sensación de debilidad y vacío en el estómago, dolores de tripa espasmódicos, calor y encogimiento, diarrea con frecuencia poco después de comer y beber, gran agotamiento y vacío después de la defecación, heces malolientes con restos de comida sin digerir; **C:** empeora por las mañanas y tras comer.

➤ *Pulsatilla* D3, D4, D6 – gotas: **S:** eructos, malestar, vómitos tras ingerir comidas grasas (carne, pastel, helado), retortijones, todo es irregular, mucho frío y pies fríos; **A:** depresión, ganas de llorar; **C:** mejora con consuelo y movimiento al aire libre; empeora con calor a pesar de tener frío.

Sales de Schüssler

Las indicaciones sobre los efectos y la aplicación de las sales de Schüssler se pueden consultar en la pág. 268 y ss.

➤ Es aconsejable tomar cada cuarto de hora a media hora una pastilla de forma alterna de n.º 3: *Ferrum phosphoricum* (fosfato de hierro) D12 y n.º 8: *Natrium chloratum* (cloruro de sodio "sal común") D6; o en vez de n.º 8: *Natrium chloratum* (cloruro de sodio "sal común") D6 tomar n.º 10: *Natrium sulfuricum* (sulfato de sodio) D6; en caso de diarrea incipiente durante viajes, tomar n.º 3: *Ferrum phosphoricum* (fosfato de hierro) D12.

➤ En caso de heces malolientes así como diarrea causada por agitación, tomar n.º 5: *Kalium phosphoricum* (fosfato de potasio) D6.

➤ En caso de diarrea matutina tomar n.º 10: Natrium sulfuricum (sulfato de sodio) D6.

➤ En caso de diarrea con retortijones tomar n.º 7: *Magnesium phosphoricum* (fosfato de magnesio) D6.

➤ En caso de diarrea con olor ácido lo mejor es tomar n.º 9: *Natrium phosphoricum* (fosfato de sodio) D6.

ESTREÑIMIENTO

Uno de cada cuatro adultos, y las mujeres con mayor frecuencia que los hombres, pero últimamente también muchos niños, sufren de vez en cuando estreñimiento. Esto no se refiere a ligeros problemas de digestión, pues los médicos establecen este diagnóstico cuando el intestino solo se ha vaciado cada 3 a 5 días durante 2 ó 3 semanas seguidas. En la mayoría de los casos el paciente se siente mal, tiene dolores de vientre, retortijones, agotamiento, falta de apetito y mal aliento.

El estreñimiento puede aparecer de forma aguda o crónica. La causa son alimentos con poca fibra, una ingesta insuficiente de líquido, la falta de ejercicio, el abuso de laxantes, así como el estrés o problemas anímicos. También al estar en un lugar extraño o al tomar comida no habitual puede aparecer con frecuencia estreñimiento. En algunos casos, la causa son ciertos medicamentos (antidepresivos) o cambios hormonales.

Prevención

Casi siempre se puede solucionar el estreñimiento de forma duradera simplemente mediante una alimentación adecuada, pues una defecación regular y normal depende fundamentalmente de la alimentación: la carne, el azúcar y las harinas blancas dan poco trabajo al intestino y lo hacen vago. Un primer paso en el tratamiento del estreñimiento consiste en tener una alimentación lo más rica posible en fibras o tomar remedios medicinales con sustancias mucilaginosas (véase el cuadro en la pág. 97) ya que el estreñimiento suele deberse en la mayoría de los casos a una alimentación pobre en fibra.

Además, si usted no se mueve, su intestino tampoco lo hará, por lo tanto haga ejercicio a diario, como pasear, ir en bicicleta o correr regularmente.

Tratamiento

Seguramente necesitará al principio algo de ayuda en forma de infusiones laxantes o frutos deshidratados. Hay que evitar los laxantes, ya que sustraen al cuerpo muchos líquidos y minerales. Solo tiene sentido usarlos a corto plazo si existe una necesidad imperiosa de evitar hacer fuerza debido a una enfermedad, por ejemplo, si se ha padecido un infarto o problemas agudos de hemorroides. Estas cuestiones se las indicará el médico.

⊕ Consultar al médico

Será necesario consultar al médico si además del estreñimiento se tienen fuertes dolores de vientre y cólicos.

Aplicaciones terapéuticas

➤ En primer lugar hay que intentar que el intestino vuelva a trabajar de forma correcta mediante alimentos adecuados ricos en fibras, como la fruta, la verdura, el pan y el arroz integrales. Para los casos agudos, se pueden tomar ciruelas o higos secos rehidratados dejándolos a remojo por la noche.

➤ Entre los remedios laxantes naturales que también se pueden tomar durante periodos más largos y en el embarazo se encuentran las sustancias mucilaginosas (ver cuadro en la pág. 97), por ejemplo la linaza, las semillas de zaragatona o el salvado. Es recomendable tomarlas con mucho líquido; no se les conocen efectos secundarios.

➤ Para estimular la digestión, es eficaz tomar un vaso de zumo de fruta o un vaso de suero de leche, o bien un vaso de vinagre de fruta diluido (una cucharada en un vaso de agua), o simplemente un vaso de agua caliente por las mañanas en ayunas. Beba al menos dos litros de líquido al día, preferentemente agua mineral o infusión de frutas.

Información

Qué es la fibra y qué son las sustancias mucilaginosas

La fibra

Se llama fibra a las sustancias como la celulosa, la hemicelulosa, la lignina, la pectina y otros mucílagos de plantas que tienen la propiedad de hincharse y que se encuentran en la alimentación natural. Al llegar al intestino grueso, las enzimas de las bacterias intestinales las descomponen en parte y no se asimilan como micronutrientes sino que se eliminan como un lastre.

El salvado de trigo, que resulta del proceso de molienda y que está compuesto por las capas exteriores del grano de trigo que se eliminan en este proceso, es por ejemplo una de estas fibras, que resultan muy adecuadas para el tratamiento del estreñimiento. La dosis diaria está entre 13 y 40 g, lo que se corresponde con entre 3 y 9 cucharadas rasas.

Cada persona reacciona de forma diferente, por lo que será necesario que cada uno encuentre la dosis que más le convenga.

Las sustancias mucilaginosas

Las fibras con sustancias mucilaginosas todavía estimulan más la digestión. Al ligarse con el agua, producen un aumento del volumen contenido. Esto hace que se expanda la pared del intestino, lo que intensifica el movimiento intestinal y se acelera el paso por el intestino del volumen contenido: de este modo, se cumplen todas las condiciones para una evacuación normal.

➤ Hay que tener en cuenta que todas las sustancias mucilaginosas deben tomarse con mucho líquido. De otro modo, pueden producir una obstrucción del intestino.

➤ Si se siguen a conciencia las indicaciones descritas en los prospectos adjuntos, las sustancias mucilaginosas sientan bien. Algunas personas pueden padecer en ocasiones ventosidades.

Aunque no sea el momento adecuado, intente no aplazar la visita al inodoro, ni reprimir las ganas de evacuar.

➤ Estar sentado constantemente aumenta el estreñimiento. Intente hacer mucho ejercicio.

➤ Estimule además el funcionamiento de su intestino masajeando por las mañanas el vientre cuando aún esté acostado o a lo largo del día mediante un movimiento semicircular empezando desde abajo a la derecha en el sentido de las agujas del reloj (siguiendo la disposición del intestino grueso) mientras inspira y espira profundamente.

➤ En caso de retortijones, el calor le proporcionará alivio: apoyar paños calientes (la bolsa de agua caliente envuelta en un paño húmedo) o envolturas húmedas y calientes alrededor del cuerpo (pág. 254 y ss.). También alivia darse baños de asiento con temperatura ascendente (pág. 248) durante 20 a 30 minutos.

➤ La aplicación de agua estimula el intestino: afusiones en las rodillas (pág. 250 y ss.), baños de pies y de medio cuerpo (pág. 245), duchas con alternancia de temperaturas (pág. 247), baños de medio cuerpo o de cuerpo entero (pags. 245 y 248) con afusiones de agua fría a continuación (pág. 249 y ss.), por las noches envolturas (pág. 254 y ss.).

➤ Otra forma de estimular la evacuación que suele dar resultados rápidos es la siguiente:

frotar tres veces al día durante tres minutos
lel vientre haciendo círculos con un paño
mojado con agua fría, secarse y vestirse.

● Preparados y remedios

Si un cambio en la alimentación y los consejos
útiles mencionados no han solucionado su
problema o si necesita de forma excepcional
solucionar el problema de forma rápida, lo mejor es una infusión reguladora suave. Pregunte
en su farmacia cuáles son las mezclas para
infusión apropiadas, que también pueden prepararse expresamente para usted. Los remedios
de síntesis química solo deberían tomarse por
periodos breves y en casos de urgencia.

Fitoterapia

➤ Pruebe la siguiente infusión laxante:
50 partes de frutos de sen (Tinebelli)
15 partes de anís (machacado)
15 partes de hinojo (machacado)
10 partes de saúco
➤ Esta mezcla también alivia:
50 partes de frutos de sen
20 partes de flores de saúco
5 partes de flores de manzanilla
15 partes de hinojo (machacado)
6 partes de tartrato de sodio potasio
4 partes de vinagre de vino
Consultar las indicaciones para la preparación y dosificación en la pág. 264.
➤ Los remedios laxantes con el principio activo vegetal glucósido de antraquinona influyen en el metabolismo celular de la mucosa
intestinal, aportando más agua al intestino.
Entre las plantas medicinales que contienen
glucósidos de antraquinona están el aloe, la
corteza de cáscara sagrada, la corteza de arraclán, el ruibarbo y las hojas de sen. Los preparados de estas plantas medicinales así como el
aceite de ricino se utilizan como laxantes en
caso de estreñimiento. Pero también se aplican
en enfermedades en las que es beneficioso que

las heces sean más blandas, como fisuras anales, hemorroides y enfermedades del corazón.
➤ Preste mucha atención a las indicaciones
de dosificación que incluye el fabricante de
cada laxante y lea con detenimiento la información relativa a sus efectos secundarios e
interacciones. Al igual que sucede con todos
los laxantes, también los preparados fitoterapéuticos pueden producir pérdida de sales y,
si la dosificación es excesiva, náuseas, vómitos y retortijones. Quien padezca dolores de
vientre, náuseas y vómitos no debería bajo
ningún concepto tomar laxantes. Durante el
embarazo también hay que usar lo mínimo
posible remedios laxantes a base de plantas.

Remedios de síntesis química

➤ Los laxantes osmóticos son sustancias que
no pueden ser absorbidas por las paredes del

intestino y que ligan agua en el intestino. El contenido del intestino se hace más líquido y obtiene un mayor volumen, por lo que se expande la pared del intestino y se acelera el tránsito intestinal. A este tipo de laxantes pertenecen las sales de sulfatos, como por ejemplo el sulfato de sodio, el fosfato o citrato así como azúcares y compuestos no asimilables por el cuerpo, como la lactulosa, la lactosa, el sorbitol, el manitol y el glicerol.

ⓘ A tener en cuenta

Puesto que todas las sustancias osmóticas sustraen agua del organismo para llevarla al intestino, es más fácil que aparezcan trombosis al tomar este tipo de laxantes porque la sangre se densifica.

➤ La lactosa (el azúcar de la leche) es un laxante suave que también pueden usar los niños. Puede administrarse por las mañanas antes del desayuno de 15 a 40 g de lactosa en 200 a 250 ml de agua.

Hay que tener en cuenta que 12 g de lactosa se corresponden con una unidad de medida de carbohidratos asimilables. Si no tolera la leche o los productos lácteos y por ejemplo tiene diarrea después de tomar leche es muy posible que tenga una intolerancia a la lactosa. En este caso es evidente que no debe tomar lactosa.

➤ Entre los laxantes de síntesis química hay además preparados para tomar que contienen los principios activos bisacodil y picosulfato sódico. Muchos laxantes combinados están formulados con lubricantes, como la parafina, el docusato sódico y el lauril sulfoacetato de sodio. Estos preparados tienen el inconveniente de que interactúan con numerosos medicamentos. La parafina evita la asimilación de vitaminas liposolubles o la absorción de los principios activos de los anticonceptivos, que también son liposolubles.

➤ El docusato sódico y el lauril sulfoacetato de sodio son tensioactivos y aceleran la asimilación de diferentes medicamentos de gran efecto tomados al mismo tiempo, como por ejemplo los glucósidos del corazón, los drenantes o también los relajantes musculares. Esto supone el riesgo de una sobredosis.

Homeopatía

Las indicaciones sobre los efectos y la aplicación de los remedios homeopáticos se pueden consultar en la pág. 265 y ss. Los cuadros clínicos descritos a continuación están organizados por síntoma principal (**S**), estado anímico (**A**) y cambios que se producen (**C**):

➤ *Alumina* D3, D4, D6 (D30) – pastillas: **S:** estreñimiento por atonía; heces secas, duras y nudosas, dolor punzante en el ano, sensación como si este fuera demasiado estrecho, casi siempre personas débiles, delgadas y con escalofríos, con la piel reseca y descolgada; **A:** miedosos y malhumorados; **C:** mejora al hacer ejercicio.

➤ *Nux vomica*, D4, D6, D12 (D30) – pastillas: **S:** intestino contraído, sensación de no haber evacuado todo, defecación estruendosa, hemorroides sangrantes; **A:** personas vivaces, irritables, con actividades sedentarias y deseo de tomar estimulantes; **C:** empeora al hacer ejercicio y al comer.

➤ *Opium* D6 – gotas: **S:** estreñimiento por atonía, por ejemplo tras operaciones o en caso de guardar cama; **A:** primero animado, no concilia el sueño, y luego deprimido; **C:** mejora al hacer ejercicio y empeora al comer.

Sales de Schüssler

Las indicaciones sobre los efectos y la aplicación de las sales de Schüssler se pueden consultar en la pág. 268 y ss.

➤ Es adecuado el n.º 8: *Natrium chloratum* (cloruro de sodio "sal común") D6 y el n.º 10: *Natrium sulfuricum* (sulfato de sodio, sal de Glauber) D6.

PRURITO ANAL Y HEMORROIDES

Muchas personas padecen de prurito anal, pero no a todo el mundo le gusta hablar de ello, y lo cierto es que realmente hay soluciones para sus causas, que son poco graves. Con frecuencia se trata simplemente de leves irritaciones de la piel que producen picor al sudar en esa zona. En caso de eccema, la piel del ano está enrojecida e hinchada, se forman ampollitas supurantes, nódulos y descamaciones. La causa más común del prurito y el escozor en el ano son las hemorroides. Entre el 50 y el 70% de todos los adultos tienen este problema.

Las hemorroides se forman por un aumento del tamaño y una deformación en forma de saco o nudo de las venas del final del recto. Se encuentran en la parte interior del intestino. Puede favorecer su aparición una debilidad genética del tejido conjuntivo, pero también el estreñimiento, el embarazo, una vida sedentaria, una forma de vida irregular o el sobrepeso. Generalmente son benignas. En muchos casos, aparte del picor en el ano también se presenta sangrados, dolores al defecar o al estar sentado, o dolores constantes.

Información

Cuadro sinóptico sobre prurito anal

Causas	Tratamiento
Actividades deportivas no habituales, como ir en bicicleta, hacer caminatas, etc.	Evitar la causa, no pretender hacer demasiadas cosas a la vez
Pantalones demasiado estrechos	Evitar la causa
Higiene insuficiente	Higiene en profundidad diaria
Higiene exagerada	Evitar resecamiento, cosméticos que irriten la piel
Tomar ciertos medicamentos o aplicarlos localmente	Consultar al médico
Hemorroides con frecuencia relacionadas con un eccema en el ano	Preguntar al médico; si vuelven a aparecer y usted ya está familiarizado con el problema, puede tratarse usted mismo
Infección de la piel por hongos	Preguntar al médico; si vuelve a aparecer y usted ya está familiarizado con el problema, puede tratarse usted mismo
Alergia por contacto	Debe tratarla el médico
Síntoma acompañante de psoriasis, diabetes mellitus, enfermedades del hígado o trastornos hormonales	Debe tratarlo el médico
En caso de niños, con frecuencia debido a gusanos que ponen sus huevos en los pliegues del ano	Debe tratarlo el médico

● Prevención

Algunas de las causas del prurito anal pueden evitarse fácilmente. Por ejemplo, llevando ropa holgada de tejidos agradables para la piel y transpirables.

Si la causa son las hemorroides, lo mejor es cambiar de alimentación. Una dieta rica en fibra estimula la digestión de una forma natural y hace que las heces sean blandas.

Además, se recomienda eliminar el sobrepeso si existe, procurar un aporte suficiente de líquido y hacer suficiente ejercicio.

● Tratamiento

➤ Evite los alimentos y estimulantes que irritan las mucosas, como el café, el té negro, la cola, las especias picantes, el alcohol, el tabaco y los frutos cítricos.
➤ Utilice papel higiénico suave sin dibujo. Aunque resulte muy ecológico, sin embargo el papel reciclado no es adecuado para ciertas personas, ya que contiene componentes a los que se puede reaccionar. Tienen un efecto antiinflamatorio las toallitas húmedas, sobre todo las que llevan manzanilla.
➤ Las personas que sudan de forma intensa pueden mantener seca la zona del ano tras haberse curado la inflamación mediante polvo de talco, evitando así nuevas inflamaciones.
➤ Los baños en posición sentada (pág. 247) con extractos de manzanilla, hamamelis, salvado, cola de caballo o cáscara de roble calman el prurito y las inflamaciones. Lo más sencillo y seguro es comprar en la farmacia extractos de plantas listos para usar.

 Consultar al médico

Si se tiene con frecuencia heces con sangre hay que averiguar la causa acudiendo al médico.

● Aplicaciones terapéuticas

Si las hemorroides aparecen a pesar de tomar medidas preventivas, puede relajarse el esfínter mediante un dilatador anal. Al efectuar esto la sangre vuelve a fluir con mayor facilidad y se elimina la acumulación de sangre en las hemorroides. Podrá obtener consejo de su farmacéutico. Las hemorroides más desarrolladas deben cauterizarse, ligarse u operarse.

● Preparados y remedios

Para el tratamiento de las hemorroides hay cremas y supositorios de aplicación local que calman el dolor y el picor así como la sensación de tener un cuerpo extraño, la hinchazón del tejido de la hemorroide y la inflamación. Las pomadas contra las hemorroides pueden introducirse fácilmente en el ano mediante los aplicadores que llevan los tubos. Los tampones anales que actualmente se aplican en vez de los supositorios tienen la ventaja de que se ubican en el sitio preciso en el que deben hacer efecto.

Los remedios contra las hemorroides suelen estar compuestos de sustancias con efecto analgésico local, antiinflamatorio, astringente y también desinfectante.

Según el tipo de molestias principales se elegirá la composición del preparado. La lista de la pág. 103 puede servirle de ayuda.

Otra advertencia: aunque es frecuente tomar laxantes para evitar heces demasiado duras en caso de molestias hemorroidales, hay que evitarlo a toda costa. Si bien las heces se hacen más blandas, el agua pierde también más líquido y sustancias minerales. Esto implica que, por ejemplo, se acabe con una carencia de potasio, que de nuevo produce atonía y de este modo el cuadro empeora aún más.

Fitoterapia

➤ Los remedios analgésicos fitoterapéuticos contienen mentol o alcanfor, que disminuyen además la sensación de picor. Son muy raros los efectos secundarios de estos preparados de aplicación local.

➤ El bálsamo de Perú tiene efecto desinfectante y cicatrizante para las heridas así como para las mucosas constantemente irritadas y las úlceras de las mucosas.

➤ El azuleno es un aceite esencial que se obtiene mediante la destilación de la madera del palosanto. Como el hamamelis y la tormentila, es antiinflamatorio. Los preparados correspondientes se ofrecen en forma de crema o pomada.

➤ Los preparados de castaño de Indias tienen un efecto positivo sobre la irrigación de los vasos sanguíneos más pequeños. En la farmacia obtendrá productos de calidad.

Remedios de síntesis química

➤ La benzocaína, la lidocaína y la quinisocaína son analgésicos locales. Si los pacientes son muy sensibles, la benzocaína puede aumentar un eccema existente. Por eso no debe aplicarse de forma reiterada.

➤ La heparina y los compuestos que contienen esta sustancia mejoran la circulación en los capilares de la mucosa anal, ya que inhiben la coagulación de la sangre. Esto produce efectos positivos sobre las inflamaciones duraderas, las pequeñas obstrucciones de los vasos sanguíneos y la acumulación de líquidos, y de este modo disminuyen las molestias.

➤ Las sales de cinc cubren las mucosas, ligan las secreciones y resecan las mucosas.

➤ Las sales de aluminio tienen efecto astringente y por ello ligeramente solidificante sobre las mucosas, pero no forman un recubrimiento superficial como las sales de cinc.

➤ Los fenoles y otras sustancias bactericidas como la hexilresorcina, el cloruro de decualinio y la urea evitan que se puedan formar infecciones con bacterias u hongos. Los fenoles aceleran el crecimiento de mucosa sana.

➤ El pantenol, un principio activo que se encuentra en muchas pomadas para la piel, tiene efecto antiinflamatorio y estimula la formación de nuevas células de piel.

➤ La alantoína elimina tejido muerto y estimula la formación de nuevo tejido.

Homeopatía

Las indicaciones sobre los efectos y la aplicación de los remedios homeopáticos se pueden consultar en la pág. 265 y ss. Los cuadros clínicos descritos a continuación están organizados por síntoma principal (**S**), estado anímico (**A**) y cambios que se producen (**C**):

➤ *Acidum nitricum* D4, D6 – gotas: **S:** hemorroides sangrantes, picor en el ano, ardor en el ano, dolor punzante; **A:** típico de personas insatisfechas, con preocupación por la propia salud, con propensión a enfadarse por nimiedades; **C:** empeora al hacer ejercicio y al comer; mejora al estar sentado y acostado.

➤ *Aloe vera* D3, D4 – pastillas: **S:** hemorroides sangrantes, prurito y escozor anal, sensación de mucho calor en el intestino, ventosidades, incontinencia fecal; diarreas; **A:** miedoso, se cansa rápido tras realizar trabajo intelectual; **C:** mejora al moverse; empeora de pie, sentado y acostado.

➤ *Collinsonia canadensis,* D1, D2 – pastillas, gotas: **S:** hemorroides por estreñimiento, ventosidades, heces duras y nudosas (durante el embarazo), prurito anal; sabor amargo en la boca, retortijones.

➤ *Nux vomica* D4, D6, D12 – gotas, pastillas: **S:** hemorroides sangrantes, dolorosas; sensación de estrangulamiento en el intestino; ardores de estómago; **A:** con frecuencia personas vivaces, irritables, con actividad sedentaria y deseo de tomar estimulantes; **C:** empeora al dormir mucho y al realizar ejercicio; mejora al estar sentado o acostado y al hacer siestas.

➤ *Sulfur* D4, D6, D12 – gotas: **S:** hemorroides con ardor, picor y escozor anal intenso, importante acumulación de sangre, despertar nocturno con los pies ardiendo; pelo crespo, eccemas, oleadas de calor; **A:** irritabilidad, malhumor, olvidadizo y depresivo; **C:** empeora al estar de pie, sentado y al comer.

Sales de Schüssler

Las indicaciones sobre los efectos y la aplicación de las sales de Schüssler se pueden consultar en la pág. 268 y ss.

➤ Tomar dos veces al día una pastilla de n.º 1: *Calcium fluoratum* (fluoruro cálcico) D12. Otra opción puede ser también aplicar la pomada correspondiente varias veces al día.

➤ Tomar dos veces al día una pastilla de n.º 11: *Silicea* (dióxido de sílice) D12.

Información

Cuadro sinóptico de los remedios contra las hemorroides

Molestia principal	Remedios adecuados
Escozor y picor	Pomadas con principios activos, analgésicos locales (también con mentol). Los pacientes sensibles usarán preferentemente polidocanol, lidocaína o quinisocaína. También son especialmente adecuadas las pomadas blandas con cinc.
Irritaciones en la zona del ano y el pliegue interglúteo debido a secreciones	Supositorios ricos en sólidos y ligantes de líquidos, y pomadas con base de óxido de cinc combinado con sustancias astringentes. Si ya se ha formado un eccema es recomendable el tratamiento con preparados que contengan corticoides, que tendrá que recetarle su médico.
Dolores al defecar debido a fisuras y grietas en el ano	Son especialmente adecuados los preparados con bálsamo de Perú, pantenol, azuleno y sustancias astringentes, como el hamamelis y otros taninos. Las fisuras y grietas se curarán así más rápidamente. Además se pueden aplicar sustancias desinfectantes de la piel y la mucosa para proteger contra infecciones.
Sangrado de poca importancia durante la defecación (los sangrados importantes son siempre un motivo para acudir al médico)	En el caso de sangrado, no se puede utilizar bajo ningún concepto los preparados con heparina. Son adecuados los preparados con taninos, cuyo efecto es muy astringente, por lo que disminuye el grosor de los vasos sanguíneos y es antihemorrágico.

Molestias en el aparato locomotor

Los huesos, las articulaciones y los músculos, y sus conexiones a los huesos, constituyen el aparato locomotor. Los problemas típicos que se padecen en el aparato locomotor son dolores en diferentes zonas del mismo, lo que en principio supone un aviso de que existen trastornos de funcionamiento puntuales, por ejemplo debidos a contusiones o torceduras, o problemas de desgaste. Estos últimos son con frecuencia la consecuencia de haber realizado deportes que ejercitan más una parte del cuerpo o consecuencia de sobrecargas profesionales. Y, en más casos todavía, son la consecuencia de nuestra forma de vida actual, pues la falta de ejercicio y una alimentación inadecuada impiden cada vez más a las personas mantener una movilidad sin dolor en edad avanzada.

● Prevención

Realizar ejercicio de forma equilibrada es la clave para una vida sin dolor. No planifique su ejercicio solo por fases sino incorpórelo de forma duradera en su vida. Hacer deporte con la pareja o con amigos es más divertido. La oferta y las posibilidades son múltiples. Sin embargo, si no está seguro de cuál es el deporte que más le conviene, pida consejo al médico, a un dietista cualificado o a un entrenador certificado. Evite, a ser posible, mantener

---

Información

Tomar analgésicos solo en caso de urgencia –y aplicarlos adecuadamente

Los dolores no se sienten con la misma intensidad durante todo el día, sino que oscilan de acuerdo con la hora del día. A mediodía la sensación de dolor es la más baja, mientras que el cuerpo es más susceptible al dolor temprano por la mañana.

Los analgésicos tienen su máxima eficacia a primeras horas de la tarde. Si toma analgésicos de síntesis química debería saber que son eliminados por el cuerpo de forma relativamente rápida, por lo que su efecto solo dura unas horas. Como norma general, puede tomarse los preparados correspondientes cada cuatro horas aproximadamente. Puede obtener información más precisa leyendo los prospectos adjuntos.

Si quiere tomar un medicamento con menor frecuencia puede optar por los preparados de acción retardada (pág. 22), cuyo principio activo se libera más lentamente.

Guía de las molestias en el aparato locomotor

➤ Dolor de piernas, pág. 109

➤ Dolor de espalda, pág. 108

➤ Dolores musculares y espasmos musculares, pág. 112

➤ Dolores en las articulaciones, pág. 114

Si el problema que usted padece no aparece en este listado, puede consultar el índice de contenidos (pág. 280 y ss.).

Nadar es un bálsamo para el cuerpo, pues el ejercicio realizado en el agua salvaguarda la columna, los tendones, los ligamentos y las articulaciones. Además, estimula con intensidad el metabolismo y la circulación sanguínea.

una postura fija durante mucho tiempo. Si esto es inevitable por su trabajo, aún será más importante para usted hacer ejercicio compensatorio.

Otra clave para el funcionamiento armónico y no solo del aparato locomotor es una alimentación saludable, pues los huesos, los ligamentos, las articulaciones y los músculos solo pueden funcionar correctamente si su estabilidad está garantizada por el aporte de los micronutrientes necesarios.

La osteoporosis, la artrosis y la artritis, así como los dolores y los espasmos en los músculos pueden prevenirse con frecuencia mediante una alimentación adecuada. Aparte de una alimentación básica con micronutrientes a través de las comidas, hay preparados con

principios activos que resultan especialmente beneficiosos para el aparato locomotor. Procure utilizar siempre productos de origen natural (pág. 234).

La aparición de reuma y artrosis solo puede evitarse en parte. Sin embargo, pueden aliviarse de forma notable las molestias y se puede evitar un avance de la enfermedad siguiendo las indicaciones que se detallan más adelante, así como en el apartado "Dolores en las articulaciones". De este modo podrá mantener o mejorar su calidad de vida, disminuir la dosis de analgésicos de síntesis química (y padecer de este modo en menor grado sus efectos secundarios) y evitar quizá una intervención quirúrgica.

DOLOR DE PIERNAS

Los dolores de pierna solo son un síntoma que aparece en una serie de cuadros clínicos, cada uno de los cuales debe tratarse por separado. Pueden provenir de los músculos, los ligamentos y las articulaciones o del aporte de sangre en venas y arterias. Las causas de los dolores pueden reconocerse con claridad por los síntomas típicos que los acompañan.

● Tratamiento

Hemos reunido los síntomas más importantes en un cuadro (pág. 107). Los consejos indicados en cada uno de los apartados pueden aliviar y prevenir los dolores.

 Consultar al médico

Si las molestias aparecen de forma repentina y son muy fuertes o continúan más allá de tres días a pesar de aplicar remedios, será necesario consultar al médico para aclarar las causas y proceder a un tratamiento específico.

● Dolores de pierna en los niños

Muchos niños se quejan durante la fase de crecimiento de dolores con frecuencia muy intensos en las piernas. En la mayoría de los casos los dolores aparecen en ambas piernas y sobre todo y con mayor intensidad por las tardes y noches. Sin embargo, no existe motivo de preocupación: los dolores de creci-

Mime sus piernas por la noche. Tras un largo día de trabajo con muchas horas de estar de pie o caminando, un buen masaje con alcohol de pino hace milagros.

miento suelen ser inocuos, no hace falta una terapia específica. Los siguientes consejos procurarán un alivio rápido. Solo si su hijo se queja durante periodos largos de dolores persistentes o si los dolores son solo en una pierna, debería consultar con el médico.

➤ Masajee las piernas doloridas de abajo a arriba con alcohol de pino negro. Esto refuerza el efecto del masaje.

➤ Las envolturas frías de pantorrilla (pág. 255) o los paños con agua y zumo de limón estimulan la circulación y alivian el dolor. Es recomendable aplicar la envoltura un tiempo largo (hasta dos horas), cambiándola con frecuencia.

➤ Las infusiones de valeriana, lúpulo, hierba de San Juan, lavanda y melisa (consultar la preparación y dosificación en la pág. 264) son calmantes.

Información

Los dolores de piernas resultan relativamente fáciles de clasificar por los síntomas que los acompañan, como la hinchazón, el enrojecimiento, el sobrecalentamiento y los dolores típicos.

Las siguientes descripciones indican la causa probable de sus molestias y ayudan a autotratarse siempre que ello sea posible o aconsejable como terapia adicional.

Color y temperatura de la piel

➤ Piernas pálidas y frías: en caso de estrechamiento de las arterias, véase dolores de piernas por estrechamiento de las arterias (pág. 29 y ss.).

➤ Piernas con tonos rojos y azules y más calientes de lo normal: posibilidad de trombosis, acudir al médico.

➤ Venas enrojecidas en una o en ambas piernas: sospecha de inflamación venosa (tromboflebitis), acudir al médico.

➤ Articulación del dedo gordo del pie muy caliente: sospecha de ataque de gota, acudir al médico

Entorno de la pierna

➤ Piernas hinchadas con dolor al presionar, el dolor aumenta al caminar: problemas de recirculación de la sangre (suele ser en las venas), véase lo referente al dolor de piernas en el apartado "Enfermedades de las venas" (pág. 34 y ss.).

Hipersensibilidad al contacto

➤ Hipersensibilidad al contacto o pérdida de la sensibilidad al contacto (deterioro de los nervios) a causa de largas enfermedades del metabolismo (sobre todo diabetes): acudir al médico.

Dolores

➤ Sobre todo dolores por la noche en una o ambas piernas en niños: dolores de crecimiento (pág.106).

➤ Dolores que aparecen sobre todo al moverse: posible enfermedad de las articulaciones, los músculos o los ligamentos, véase "Enfermedades de las articulaciones" (pág. 114) o "Enfermedades de los músculos" (pág. 112).

➤ Dolores que mejoran al hacer ejercicio: posiblemente un indicio de un desgaste en la articulación de la rodilla o la cadera, véase "Dolores en las articulaciones" (pág. 114).

➤ Claudicación intermitente: solo se puede caminar sin dolor distancias cortas y realizando pequeñas pausas: falta de aporte de sangre a los músculos de las piernas en el marco de un endurecimiento de las arterias de las piernas (pág. 29 y ss.).

DOLOR DE ESPALDA

El punto de partida de los dolores de espalda es la columna. Vista desde atrás, tiene forma de línea recta; vista lateralmente sin embargo tiene varias curvaturas. Estas curvaturas hacen que la columna vertebral sea elástica y evitan que los golpes y los movimientos abruptos alcancen con demasiada intensidad la cabeza y el sensible cerebro. Cada persona tiene, aparte de las particularidades anatómicas de su esqueleto, una postura corporal particular que también se ve influida por el estado anímico: la alegría y el éxito nos levantan el ánimo; las rachas de mala suerte, las penas y los problemas nos los aplastan.

Casi todas las personas padecen a lo largo de su vida dolores y problemas de motilidad en la zona de la columna vertebral. Su tipología y sus causas pueden ser de diversa índole: daños en los discos intervertebrales, inflamaciones en las vértebras, tumores, enfermedades del metabolismo, deformaciones congénitas, desgaste de las articulaciones de

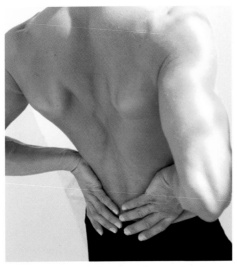

Realizar ejercicio de forma regular y enfocado a la musculatura de la espalda previene el dolor.

las vértebras, endurecimiento de los músculos, encorvamiento de la columna vertebral, osteoporosis o accidentes. Otras causas pueden ser problemas ginecológicos, enfermedades del estómago, el intestino, el páncreas, los conductos biliares, los riñones, los conductos urinarios o los vasos sanguíneos principales de la pelvis y la barriga. A veces también producen dolor las piernas de diferente longitud.

● Prevención

Los dolores de espalda son normalmente dolencias de la civilización y están tan extendidos en la actualidad que suponen un factor de coste considerable para la sanidad pública. De hecho, últimamente, muchas grandes empresas ofrecen cursos internos para sus trabajadores de educación postural de la espalda.

Lo mejor es intentar no llegar a tener síntomas graves de enfermedad de la espalda. Con un poco de voluntad se puede evitar la mayoría de molestias de la espalda. Los factores más importantes para preservar la salud de la espalda son reducir el sobrepeso, reforzar la musculatura de la espalda con suficiente ejercicio y un entrenamiento adecuado de todos los músculos implicados, así como una postura corporal erguida.

Reflexione también sobre su forma de vida cuando empiece a sentir dolor de espalda: quizá cargue demasiado peso a diario, quizá le pese algún problema como una carga, quizá pueda eliminar estrés innecesario. Vivir de forma más relajada también le permite al cuerpo respirar mejor y erguirse.

Y a las mujeres hay que decirles que es mejor llevar zapatos sin tacones altos. Aunque unos tacones de aguja puedan parecer muy estilosos, lo cierto es que la persona que los lleve se pasará el día andando cuesta abajo; eso supone un desplazamiento del centro de gravedad del cuerpo y del eje en las articulaciones que no es

Información

Dolores de espalda – encontrar las causas

Si tiene que ir a la consulta del médico porque padece dolores de espalda, cuanto más detallada sea la información que aporte al médico, tanto más fácil resultará la valoración del estado de salud y la elaboración de una estrategia para el tratamiento. Para ello sírvase de este catálogo de preguntas importantes a la hora de realizar un diagnóstico.

Inicio del dolor
➤ ¿Desde cuándo siente el dolor de espalda?
➤ ¿Ha aparecido de repente o paulatinamente?
➤ ¿Ha aumentado el dolor rápidamente o se ha mantenido igual?
➤ ¿Tiene una explicación posible para las molestias (una caída, un golpe, un movimiento abrupto)?

Ubicación del dolor
➤ ¿Puede describir la ubicación del dolor o se trata de dolores difusos?
➤ ¿Se hallan los dolores en un punto concreto o se desplazan (por ejemplo entre los homóplatos o hacia los glúteos y el muslo)?

Momento en que aparece el dolor
➤ ¿Los dolores aparecen por las noches y le quitan el sueño? (posiblemente un exceso de carga en la musculatura de la espalda)
➤ ¿Le despiertan los dolores en la segunda mitad de la noche y nota mejoría cuando hace ejercicio? (sospecha de daños en el disco intervertebral)
➤ ¿Aparece el dolor poco después de levantarse y mejora rápidamente al hacer ejercicio? (posibilidad de un desgaste de las articulaciones vertebrales)
➤ ¿Aparecen los dolores más bien durante el día cuando se adoptan posturas fijas (estar sentado o de pie durante mucho tiempo, agacharse en posición no habitual)?

Descripción del dolor
➤ Dolor sordo, reumático: sobrecarga o laxitud de los ligamentos de la columna vertebral.
➤ Dolor con sensación de ardor y punzante que se irradia a las nalgas y la pierna: indicio de implicación de los nervios.
➤ Dolor palpitante: inflamación.
➤ Dolores a oleadas o en forma de cólico: el foco de la enfermedad puede encontrarse posiblemente en un órgano interno, como el riñón, la vesícula biliar, el páncreas, el conducto urinario u otro.

Empeoramiento
Observe sus dolores: ¿limitan sus movimientos?; ¿aumentan al toser, estornudar, reír, hacer presión?; ¿aparecen al hacer un movimiento en cuclillas?; ¿empeoran claramente al realizar deporte o gimnasia? Los dolores de espalda aparecen fundamentalmente en la zona lumbar, con menor frecuencia en la zona cervical y en la minoría de los casos en la zona dorsal.

muy beneficioso, pues las rodillas están dobladas y la pelvis está curvada hacia delante. Esto aumenta la lordosis y las articulaciones de las vértebras y los discos intervertebrales se cargan de forma inadecuada en sentido oblicuo.

Tome la decisión de encontrar tiempo para realizar más ejercicio y actividades físicas, aunque eso sí, antes de empezar, hágase un chequeo médico preventivo y obtenga consejo cualificado. De este modo sabrá qué deporte es el adecuado para usted. Como ejercicio preventivo, son adecuados los siguientes deportes:

➤ Senderismo: si se lleva una mochila para el camino, asegúrese de que tiene un cincho acolchado en la cintura para descargar el peso de la zona de los hombros. El límite de peso para una mochila no debería superar los 10 kilos.

➤ La marcha es más pesada que pasear pero menos que hacer carrera de fondo. Por otro lado, la marcha nórdica o *nordic walking* es menos pesada que pasear.

➤ Para la carrera ligera es necesario llevar calzado con una amortiguación eficaz y buena adherencia al suelo; es recomendable que sea medio número mayor del habitual ya que los pies suelen hincharse al hacer este deporte. Busque a ser posible suelos blandos sobre los que correr (hierba, musgo, suelo del bosque, arena), pues son más benignos para las articulaciones que los suelos duros.

➤ Montar a caballo estabiliza la musculatura y mejora la postura de la columna vertebral. La ventaja con respecto a otros tipos de deporte está en que se realiza una carga alternante y rítmica. Sin embargo, la columna y los discos intervertebrales tienen que realizar un importante trabajo de amortiguación.

➤ La condición para realizar deportes de pelota como el baloncesto o el balonvolea es estar en forma, ya que durante los partidos hay pocas posibilidades de realizar breves fases de recuperación. Los movimientos de estiramiento intenso que se realizan al saltar hacia arriba

pueden resultar positivos para la columna vertebral así como para la espalda y los hombros.

➤ Nadar resulta siempre lo mejor para la columna. Por la presión que el agua ejerce sobre el cuerpo se descargan los músculos, los ligamentos y las articulaciones. El peso del cuerpo se reduce al 10% de su peso real. Además, la temperatura del agua estimula su fortalecimiento.

➤ Estos deportes están prohibidos en caso de dolores de espalda: el tenis, el squash, el aerobic, el remo, la lucha, el judo y el esquí alpino.

● Tratamiento

El médico le recetará los ejercicios fisioterapéuticos adecuados; por otra parte, muchas mutuas, centros cívicos, gimnasios y asociaciones deportivas ofrecen lo que se llama cursos de educación postural.

También resultan de alivio la hidroterapia, los masajes y ciertos medicamentos. Si el acortamiento de una pierna es la causa del dolor de espalda habrá que usar cuñas adecuadas o calzado ortopédico para compensar.

Consejo

Cargar peso correctamente

Si debe cargar objetos pesados y no tiene a nadie que le ayude, no debería inclinarse para levantar la carga sino ponerse en cuclillas manteniendo la espalda recta. Levante en esta postura el objeto e incorpórese. Es importante que mantenga la carga lo más cerca posible del cuerpo y que la apoye en el trayecto sobre las rodillas. Evite giros bruscos con el cuerpo.

Si lleva una maleta pesada con solo un brazo, procure mantener la columna lo más recta posible para que la carga se distribuya adecuadamente sobre los discos intervertebrales.

⊕ Consultar al médico

Si los dolores de espalda aparecen de repente, son muy agudos y van acompañados de pérdida de sensibilidad en las piernas o si las molestias son menores pero duran ya mucho tiempo, debería ir a que le explorara el médico.

● Aplicaciones terapéuticas

➤ Cuando se padecen dolores de espalda se puede aplicar todos los tipos de terapia con agua: las humectaciones y las friegas con agua fría (pág. 248 y ss.) o las envolturas con agua fría (pág. 253 y ss.) no solo mejoran la circulación sanguínea sino que son también preventivas. Hay que tener en cuenta que el cuerpo debe calentarse previamente.

➤ Las aplicaciones de humedad y calor son las adecuadas en caso de dolores intensos en la zona lumbar, tensiones en la espalda y lumbago. Entre ellas se encuentra la envoltura caliente (pág. 253 y ss.), los paños aplicados con flores de heno (pág. 258) o las compresas humedecidas con infusión de árnica, romero o tomillo (pág. 259).

➤ También alivian las tensiones musculares y los dolores las aplicaciones de fango y lodo (pág. 257 y ss.) y los baños de cuerpo entero con agua caliente (pág. 248) con aditivos relajantes y estimulantes de la circulación (por ejemplo, preparados listos para usar para el reuma, baños de azufre o de lodo).

➤ Los masajes fisioterapéuticos pueden aliviar las tensiones musculares, pero debe recetarlos su médico.

● Preparados y remedios

Puede elegir entre preparados fitoterapéuticos y de síntesis química, que se obtienen en forma de tabletas o pastillas o para aplicar en forma de masaje, lo que estimula sobre todo la circulación, relaja y aporta calor.

Fitoterapia

➤ Para el dolor de espalda, el remedio tradicional ha sido el aceite de hierba de San Juan, que es muy adecuado para aplicar en fricciones o para hacer masaje. Se puede adquirir como aceite de masaje en herboristerías y farmacias.

➤ Los principios activos de la pimienta o los que contienen veneno de abejas (véase el apartado "Dolores en las articulaciones", pág. 114 y ss.) tienen efecto analgésico y relajante, estimulan la circulación y aportan calor cuando se aplican. Cuando se padecen dolores de espalda, y en particular de lumbago, mejor que las fricciones resulta la aplicación de compresas impregnadas con dichos principios; estas compresas cubren una gran área y consiguen un calentamiento de la musculatura de larga duración.

➤ Los remedios fitoterapéuticos para tomar con propiedades analgésicas contienen principios activos de consuelda mayor, dulcamara, acónito, chopo, corteza de sauce y raponchigo.

Remedios de síntesis química

➤ Los preparados analgésicos de síntesis química más utilizados contienen ácido acetilsalicílico e ibuprofeno. El ácido acetilsalicílico es uno de los analgésicos más conocidos. Además es antiinflamatorio, aunque en caso de tener el estómago sensible no es muy recomendable. El ibuprofeno es una sustancia de efecto más intenso y también es más adecuada para los dolores de intensidad media. No es recomendable autotratarse con ibuprofeno durante más de siete días.

➤ Dan buen resultado otros medicamentos de eficacia probada que contienen los principios activos paracetamol, fenazona y propifenazona. El paracetamol calma el dolor pero no la inflamación, y por tanto no es adecuado para las molestias de espalda de tipo reumático, aunque sí es más digestivo.

Homeopatía

Las indicaciones sobre los efectos y la aplicación de los remedios homeopáticos se pueden consultar en la pág. 265 y ss. Los cuadros clínicos descritos a continuación están organizados por síntoma principal (**S**), estado anímico (**A**) y cambios que se producen (**C**):

➤ *Bryonia cretica* D1, D2 – gotas: **S**: debilidad hasta el punto de que las extremidades no son capaces de soportar peso, rigidez en todas las articulaciones, articulaciones hinchadas de color rojo claro, muchas ganas de beber grandes cantidades de líquido; **A**: se trata del cuadro típico en el que los dolores limitan los movimientos; irritabilidad; **C**: empeora con los esfuerzos y el movimiento; mejora con el calor.

➤ *Rhus toxicodendron*, D3, D4, D6 (D30) – gotas: **S**: sensación de cansancio en los músculos y en las articulaciones; se siente como paralizado, sin embargo siente necesidad constante de movimiento; es consecuencia de haber realizado sobreesfuerzos, de la humedad y el frío o de un catarro; **A**: inquieto, depresivo, obnubilado; **C**: los dolores empeoran con la calma y por la noche; mejoran con el ejercicio y calor.

Sales de Schüssler

Las indicaciones sobre los efectos y la aplicación de las sales de Schüssler se pueden consultar en la pág. 268 y ss.

➤ Es adecuado tomar n.º 7: *Magnesium phosphoricum* (fosfato de magnesio) D6.

DOLORES MUSCULARES Y ESPASMOS MUSCULARES

Las causas de los dolores musculares son de diversa tipología: en la mayoría de los casos se producen por un sobreesfuerzo (agujetas), por problemas de circulación (dolores de piernas, pág. 106 y ss.), en caso de enfermedades gripales (pág. 41 y ss.) y fiebre (pág. 43 y ss.), en caso de reuma (fibromialgia) o debido a contusiones.

Los calambres en las pantorrillas por las noches indican posiblemente la existencia de un problema en algún disco intervertebral; asimismo, el desequilibrio de las sales y los líquidos del organismo puede producir calambres musculares. Los calambres frecuentes en la pantorrilla indican una falta de magnesio. En casos más raros es posible que los dolores espasmódicos en las piernas (pág. 34 y ss.) indiquen una obstrucción inicial de las venas profundas en las piernas (trombosis venosa).

• Prevención

Procure llevar una alimentación equilibrada. Cuando se realizan esfuerzos en el deporte no solo se elimina sudor sino también valiosos minerales, por lo que es conveniente reponer los electrolitos eliminados con el sudor mediante bebidas isotónicas. También es de ayuda tomar tentempiés energéticos, como plátanos y albaricoques secos, que al ser ricos en potasio previenen la aparición de calambres.

• Tratamiento

La mejor forma de solucionar unos calambres musculares simples es estirando el músculo contraído un par de veces de forma pasiva en sentido contrario al calambre. Por ejemplo, en caso de un calambre en las pantorrillas debería doblar el pie hacia arriba durante unos segundos. Si los calambres son persistentes, siéntese en el suelo, doble los dedos de los pies hacia arriba y estire la pierna totalmente. A continuación es conveniente masajear ligeramente el músculo con una crema que estimule la circulación sanguínea.

⊕ Consultar al médico

Si padece con frecuencia de calambres musculares y no encuentra la causa posible, debería acudir a la consulta del médico.

Si al correr padece calambres en las pantorrillas, puede solucionarlo estirando la pierna y doblando los dedos de los pies hacia arriba.

Información

Agujetas

Si padece con frecuencia de calambres musculares en las pantorrillas, puede aliviarle envolverlas con paños húmedos y calientes. Bañarse con agua caliente o tomar una sauna relaja los músculos.

Las agujetas normales con sus típicos dolores después de una actividad deportiva intensa se producen por lesiones mínimas en las fibras musculares sometidas a sobreesfuerzo. Esto produce una reacción de inflamación local que es la responsable del dolor pero que vuelve a curarse sin más consecuencias.

Las agujetas pueden evitarse entrenando con cuidado y mediante masaje y calentamiento previo a grandes esfuerzos. En caso de hacer ejercicio intensivo hay que tomar siempre suficiente líquido (dos litros al día).

Produce un alivio agradable tomar un baño caliente, un baño de sauna o frotarse con árnica.

Aplicaciones terapéuticas

➤ El hipérico o hierba de San Juan aumenta el efecto relajante muscular. Se puede obtener en aceite para masaje en herboristerías y farmacias.

➤ Una buena ducha caliente o un baño relajante pueden evitar las agujetas. También da muy buen resultado friccionarse con alcohol de pino negro después de la ducha o el baño, pues su efecto es a la vez refrescante y estimula la circulación.

➤ El magnesio tiene un papel muy importante en el metabolismo muscular. Los calambres pueden ser un indicio de carencia de este mineral. El aporte diario necesario de magnesio no está garantizado con una alimentación incompleta. Por ello, se recomienda tomar magnesio para prevenir su carencia y también como terapia en caso de sufrir calambres.

Preparados y remedios

Para los calambres musculares se recomiendan los siguientes principios activos fitoterapéuticos y de síntesis química, disponibles para aplicación externa en cremas, aceites o pomadas.

Fitoterapia

➤ Los preparados con árnica, alcanfor, mentol y castaño de Indias estimulan la circulación y calman los dolores. Los mismos efectos los tienen los aceites esenciales de eucalipto, pino, romero y tomillo. Algunos producen una sensación de calor, relajando de este modo las tensiones y las contracciones.

➤ Los extractos de castaño de Indias aplicados exteriormente refuerzan los vasos sanguíneos, calman las inflamaciones y mejoran claramente los dolores y la hinchazón en las piernas.

Remedios de síntesis química

➤ Los principios activos etofenamato, heparina, ibuprofeno, ácido silícico, polidocanol, ácido salicílico y sus combinaciones pueden obtenerse en forma de crema y pomada. Su efecto además de analgésico es a la vez antiespasmódico y estimula la circulación sanguínea.

Homeopatía

Las indicaciones sobre los efectos y la aplicación de los remedios homeopáticos se pueden consultar en la pág. 265 y ss. Los cuadros clínicos descritos a continuación están organizados por síntoma principal (**S**), estado anímico (**A**) y cambios que se producen (**C**):

➤ *Ledum palustre* D3, D4, D6, D12 – gotas: **S:** dolores musculares, dolores con rigidez en la espalda, tirones y espasmos en las articulaciones, también heridas por punzamiento (pinchazos de agujas, picaduras de insectos); **C:** escalofríos en general, si bien empeora en la cama caliente; mejora con afusiones y envolturas frías.

Sales de Schüssler

Las indicaciones sobre los efectos y la aplicación de las sales de Schüssler se pueden consultar en la pág. 268 y ss.

➤ Para la prevención y el tratamiento de las agujetas, tomar de forma alterna n.º 3: *Ferrum phosphoricum* (fosfato de hierro) D12 y n.º 9: *Natrium phosphoricum* (fosfato de sodio) D6. Si los dolores son intensos tomar además n.º 7: *Magnesium phosphoricum* (fosfato de magnesio) D6 también en caliente.

➤ En caso de bultos dolorosos en los músculos (gelosas) tomar o aplicar en pomada n.º 7: *Magnesium phosphoricum* (fosfato de magnesio) D6.

➤ En caso de dolores musculares tras una hipotermia tomar o aplicar como pomada n.º 10: *Natrium sulfuricum* (sulfato de sodio) D6.

DOLORES EN LAS ARTICULACIONES

Los dolores en las articulaciones tienen múltiples causas, pues puede tratarse de una afección de las articulaciones en sí, de los músculos correspondientes debido a una tensión dolorosa o de los nervios. Los dolores son en ocasiones tan intensos que apenas permiten, o no permiten en absoluto, el movimiento de la articulación. Entre las posibles causas se encuentran el desgaste de la capa de cartílago (artrosis), la inflamación de la articulación (artritis, lo más frecuente en caso de reuma), así como inflamaciones de las vainas tendinosas o de las bolsas sinoviales debido a sobrecarga. Si hay demasiado ácido úrico en la sangre se producen ataques de gota.

El motivo más extendido de los dolores de articulaciones es su desgaste, la artrosis.

Aproximadamente el 50% de los adultos padece este problema. Se produce al hacerse áspera la superficie del cartílago, disminuyendo así la movilidad de la articulación y produciendo las primeras molestias. A veces, también se desprenden capas de células propias de la articulación, lo que aumenta todavía más la fricción, produciéndose con frecuencia inflamaciones. Afecta a menudo a las articulaciones de la cadera y la rodilla, que son las que deben soportar mayores cargas. La causa más común es el sobrepeso.

Cuando una articulación está inflamada y se sobrecalienta e hincha se habla de artritis. Este tipo de inflamación es muy doloroso. Las inflamaciones en diferentes articulaciones o en los músculos y los tendones son típicas del reuma.

Prevención

En caso de padecer dolores de articulaciones hay que evitar por principio cargar en exceso. Eso significa intentar acercarse siempre que sea posible al peso normal mediante una alimentación equilibrada, evitar arrodillarse, ponerse en cuclillas o estar de pie durante mucho tiempo y cuidar las articulaciones. Esto no significa que haya que dejar de realizar actividades sino todo lo contrario. Pero sí hay que procurar que los movimientos no supongan una carga excesiva. Nadar es un ejercicio ideal puesto que se pueden mover las articulaciones en el agua sin cargarlas. En los estadios iniciales también es adecuado ir en bicicleta.

Ha obtenido muy buenos resultados para la prevención y mejora de la artrosis tomar complementos dietéticos –aparte de una alimentación básica suficiente– con sulfato de glucosamina y condroitina. Debido a que se ha probado en muchos casos la eficacia de estos productos combinados, existe una amplia demanda mundial de los mismos. Por desgracia, existen fabricantes que aprovechan la coyuntura y venden preparados con una dosificación demasiado baja.

Los productos de calidad contienen componentes del cartílago biocompatibles y por lo tanto asimilables por el organismo. La dosificación media diaria recomendada es de 1200 mg de sulfato de glucosamina y 200 mg de sulfato de condroitina. Es imprescindible asegurarse antes de la compra de estos preparados de que se trate de productos eficaces elaborados por fabricantes de confianza.

Los procesos inflamatorios del reuma en las articulaciones, en los que intervienen moléculas de oxígeno nocivas –los llamados radicales libres–, pueden mejorarse con frecuencia mediante antioxidantes, entre los que se encuentran la vitamina E natural, que se administrará en dosis elevadas (de 600 a 800 mg diarios durante al menos diez días) y la vitamina C. El antioxidante más potente que se conoce actualmente se llama OPC (pág. 239), se tolera muy bien y es muy recomendable, entre otras cosas, para prevenir inflamaciones.

A los preparados de enzimas se les suponen efectos antiinflamatorios y antiedemáticos. Este tipo de preparados contiene por ejemplo tripsina, quimotripsina, bromelaína, papaína o pancreatina.

Tratamiento

Para calmar los dolores y mejorar la movilidad se puede aplicar una serie de tratamientos a base de agua y calor, así como medicamentos fitoterapéuticos, de síntesis química u homeopáticos.

Información

Aceites esenciales curativos

En principio se recomienda el uso de aceites esenciales, pero hay que tener en cuenta algunos efectos secundarios:

➤ Los aceites de terpentina y los de canela pueden producir alergias al contacto. Esto también puede ocurrir cuando los aceites no se han preparado adecuadamente o llevan demasiado tiempo almacenados.

➤ En particular, los aceites de citronela, hierba de San Juan o bergamota tienen un alto contenido en sustancias que pueden producir un aumento de la sensibilidad de la piel a la luz.

➤ Si se usa durante largo tiempo una dosificación elevada del aceite esencial de sabina pueden descamarse las capas superficiales de la piel.

Consejo

Remedios caseros para la tendovaginitis

La sobrecarga al realizar deportes o enfermedades inflamatorias de las articulaciones pueden llevar a una inflamación muy dolorosa de una vaina tendinosa. Estos dolores suelen aparecer habitualmente en el hombro o en la articulación del codo (codo de tenista).

➤ En estos casos es recomendable intentar enfriar las zonas en las que aparece el dolor agudo. Para ello se pueden usar envolturas húmedas frías o paños empapados con agua y vinagre (una cucharada de vinagre por un vaso de agua) o con tintura de árnica (dosificar según las instrucciones del prospecto adjunto).

➤ En vez de esto también se pueden aplicar emplastos de rabanito picante, papilla de barro curativo o requesón, o aplicarse rodajas de cebolla.

➤ Otra posibilidad es untar la zona de la vaina tendinosa con pomada de propóleo. Esta masa resinosa usada por las abejas para reforzar sus panales contiene sustancias que, entre otras cosas, tienen un efecto antiinflamatorio.

➤ Si no se quiere complicar mucho y utiliza una almohadilla de gel refrigerante para enfriar la zona dolorida, sí es importante que la envuelva en un paño para que no resulte excesivamente fría.

➤ Hay que tener en cuenta que una tendovaginitis aguda debe cuidarse. Hay que esperar a que hayan mejorado los dolores antes de empezar con los ejercicios de rehabilitación.

⊕ Consultar al médico

Si padece dolores agudos debe acudir al médico para que le recomiende un tratamiento adecuado. Una inflamación de las articulaciones (artritis) reciente debe ser diagnosticada en primer lugar por el médico. También se puede obtener información, consejos y apoyo en caso de dolor de articulaciones en una asociación de afectados.

● Aplicaciones terapéuticas

➤ Si la enfermedad que padece no es inflamatoria, es conveniente realizar mucho ejercicio ya que al fortalecer la musculatura las articulaciones grandes reciben menos carga. Da muy buen resultado trabajar con máquinas que ejercitan la fuerza o realizar ejercicios de tensión teniendo en cuenta la carga adecuada que se debe aplicar a cada articulación. Si va a un gimnasio serio, el entrenador titulado le preparará los programas de entrenamiento adecuados.

➤ También reconforta la aplicación local de calor (pág. 257 y ss.) con fango, peloides, lodo y parafina, compresas y envolturas (pág. 253 y ss.) y también cataplasmas de mostaza (pág. 248), así como tomar baños de cuerpo entero con lodo, flores de heno o azufre.

➤ Si tiene inflamada alguna articulación, prepárese envolturas o paños fríos con lodo y tierra curativa o arcilla (pág. 257).

➤ Los combinados de magnesio (para tomar) pueden disminuir la contractura muscular por el juego que hay entre nervios y músculos. Si padece de espasmos en los muslos y las plantas de los pies o pérdida de sensibilidad puede que tenga una falta de magnesio. Procure administrarse diariamente al menos entre 50 y 400 mg de magnesio.

Aplicar acupresura en el siguiente punto produce alivio: Di 4 Hegu.

Para encontrar los puntos y realizar correctamente la acupresura consulte las tablas y figuras en la pág. 276 y ss.

Los dolores en la zona de los hombros se pueden aliviar aplicando fango o tierra curativa caliente. Se extiende sobre la zona afectada y se deja actuar durante un rato antes de retirarlo.

● Preparados y remedios

Si los complementos alimenticios preventivos no le han aportado los beneficios esperados, puede automedicarse en caso de padecer los siguientes síntomas:

➤ si los dolores están causados por una lesión,

➤ si ha realizado sobreesfuerzos, como en el caso del codo de tenista (pág. 116),

➤ si padece de fases de dolor agudo en las articulaciones, así como cuando se padece de enfermedades crónicas como el reuma.

A continuación se describen brevemente los principios activos adecuados.

Fitoterapia

➤ Para el tratamiento de dolores en las articulaciones de tipo reumático resultan calmantes las infusiones de corteza de álamo, ulmaria o pensamiento (consultar la preparación y dosificación en la pág. 264).

➤ Se han obtenido buenos resultados con preparados listos para usar de raponchigo.

Si se decide por un preparado de este tipo procure que la dosificación sea lo suficientemente elevada. En la farmacia podrán darle más detalles.

➤ Para la aplicación externa hay remedios calmantes y antiinflamatorios de extractos de árnica, castaño de Indias, consuelda o hipérico.

➤ La consuelda mayor solo puede aplicarse sobre la piel intacta. Si se aplican preparados de hipérico procure que no le dé el sol en las zonas tratadas.

➤ Los remedios que estimulan la circulación sanguínea forman parte de la terapia de estimulación de la piel con sustancias picantes y aceites esenciales. Estas aplicaciones producen la sensación de calor, calman el dolor y disminuyen la inflamación. Entre las sustancias picantes se encuentra el pimentón, que contiene capsaicina. Estas sustancias picantes no deben aplicarse en la zona de las mucosas, sobre zonas que estén inflamadas ni sobre heridas abiertas. Evitar el contacto con los ojos, así como lavarse las manos a conciencia después de haberlas aplicado.

➤ Los aceites esenciales pueden calmar los dolores cuya causa sea el reuma, los nervios, las contusiones o los músculos. Se recomienda el aceite de manzanilla, milenrama, árnica o hipérico porque, aparte de ser antiinflamatorios, mejoran la circulación local. Son especialmente indicados los preparados de un único principio activo, como los de menta. Hay muchos aceites esenciales que son adecuados, pero no disponemos de espacio en esta guía para indicarlos todos. Consulte a su farmacéutico.

Remedios de síntesis química

➤ Si tiene dolores repentinos es conveniente tomar remedios analgésicos y antiinflamatorios, pero no de forma continuada, ya que pueden tener efectos secundarios. Además, no solucionan la causa del dolor.

Muchos preparados que se encuentran en el mercado se denominan preparados combinados y contienen una cantidad casi incontrolable de ingredientes. No crea que son una panacea, por lo general un preparado con uno o dos principios activos será suficientemente eficaz. Además, si surgen efectos secundarios resultará más fácil saber qué le produce la reacción alérgica. Los preparados de uso más frecuente llevan ácido acetilsalicílico o ibuprofeno; estos suelen sentar bien y su eficacia está probada desde hace tiempo.

➤ Si están afectados los nervios del aparato locomotor, se recomiendan con frecuencia los preparados combinados con vitamina B1, B6 y B12. Estas se consideran vitaminas para los nervios. Los estudios han demostrado que se puede reducir la dosis de analgésicos que se toma habitualmente si se toma también vitaminas del grupo B.

➤ En el caso de tener una contractura en la musculatura esquelética, que aumenta el dolor, pueden tomarse remedios relajantes para la musculatura. El único medicamento que no requiere prescripción médica es la guaifenesina que, por otro lado, puede producir molestias en el tracto digestivo, aturdimiento, mareos y vómitos si se administra en dosis demasiado elevadas.

➤ Medicamentos de aplicación externa: existe un gran número de pomadas, geles y cremas para aliviar los dolores en músculos, tendones y articulaciones.

Al igual que los preparados de administración oral, los medicamentos de aplicación externa pueden mejorar los síntomas pero no eliminar las causas. La ventaja que tienen es que, al contrario que los analgésicos orales, producen menos efectos secundarios. Hay productos
– que contienen sustancias analgésicas locales,
– que al aplicarse mejoran la circulación produciendo alivio,

– que son antiinflamatorios o que contienen veneno de abejas o heparina.

➤ Los dolores también se alivian con preparados a base de mentol, como el aceite de menta concentrado japonés. La sustancia polidocanol tiene efecto analgésico local y también alivia el picor.

➤ Por otro lado, si tiene dolores en los músculos y las articulaciones y los reprime mediante la automedicación se pierde su función de aviso. Por ello, evite realizar esfuerzos demasiado pesados transcurrido poco tiempo después de haber utilizado analgésicos ya que puede producirse fácilmente lesiones en las articulaciones.

➤ Los preparados de aplicación externa que también tienen efecto antiinflamatorio contienen ácido salicílico o ibuprofeno.

➤ Los preparados con heparina tienen efecto anticoagulante, estimulan la circulación y aceleran la curación de las heridas. De forma similar a la heparina actúa también la hirudina, que se obtiene de las glándulas de las sanguijuelas.

➤ Los preparados con veneno de abeja actúan localmente aumentando la circulación de la sangre y disminuyendo la inflamación. Son adecuados para tratar diferentes tipos de afecciones como las inflamaciones de músculos, tendones, vainas tendinosas y bolsas sinoviales. Además, ayudan en caso de problemas de circulación sanguínea y sirven para prevenir y tratar lesiones deportivas. También producen alivio en caso de enfermedades inflamatorias y reumáticas.

 A tener en cuenta

Si tiene alergia a la picadura de abejas no debe utilizar estos preparados!

Homeopatía

Las indicaciones sobre los efectos y la aplicación de los remedios homeopáticos se pueden

consultar en la pág. 265 y ss. Los cuadros clínicos descritos a continuación están organizados por síntoma principal (**S**), estado anímico (**A**) y cambios que se producen (**C**):

➤ *Bryonia cretica* D1, D2 – gotas: **S:** debilidad, sensación de que las extremidades no pueden apenas cargar ya con el cuerpo, rigidez en todas las articulaciones, articulaciones hinchadas y enrojecidas, mucha sed; **A:** excitabilidad, el dolor depende de si se realiza ejercicio o no; **C:** empeoramiento al realizar esfuerzos y ejercicio; mejora con el calor.

➤ *Colchicum* D3, D4, D6 – gotas: **S:** hinchazón de las articulaciones, dolor en las articulaciones que se va desplazando, con pinchazos y tirones, sensibilidad al contacto, debilidad, sensación de parálisis ; **C:** empeora con el frío y el ejercicio; mejora con el calor y la tranquilidad.

➤ *Ledum palustre* D3, D4, D6, D12 – gotas: **S:** dolores con rigidez en la espalda, tirones y calambres en las articulaciones, heridas por punzamiento (pinchazos de aguja, picaduras de abeja); **C:** empeoramiento cuando tiene escalofríos y con el calor de la cama; mejora al aplicar afusiones y paños fríos.

➤ *Rhododendron* D1, D2, D3 – pastillas: **S:** todas las molestias que aparecen al cambiar el tiempo a ventoso y lluvioso; **A:** asustadizo, desconcertado; **C:** empeoramiento antes de tormentas de lluvia o viento; empeora con la tranquilidad.

➤ *Rhus toxicodendron* D3, D4, D6, (D30) – gotas: **S:** agotamiento en los músculos y las articulaciones, como paralizado, necesidad permanente de moverse, consecuencia de un sobreesfuerzo, consecuencia de haber pasado frío y haberse mojado o debido a un resfriado; **A:** inquietud, depresión, obnubilación, intranquilidad; **C:** empeoramiento con la tranquilidad y por la noche; mejora al hacer ejercicio y con el calor.

Sales de Schüssler

Las indicaciones sobre los efectos y la aplicación de las sales de Schüssler se pueden consultar en la pág. 268 y ss.

➤ Si se trata de enfermedades de naturaleza inflamatoria (como el reuma) aplíquese el tratamiento para procesos inflamatorios (pág. 269).

➤ Cura para el reuma: tomar n.º 4: *Kalium chloratum* (cloruro de potasio) D6, n.º 7: *Magnesium phosphoricum* (fosfato de magnesio) D6 y n.º 11: *Silicea* (dióxido de sílice) D12 durante tres a seis semanas; para ello disolver de dos a cuatro pastillas en 250 a 500 ml de agua caliente y tomar la solución a sorbos pequeños distribuidos a lo largo del día después de haberla dejado enfriar.

➤ Para la artrosis de la cadera tomar durante seis semanas n.º 1: *Calcium fluoratum* (fluoruro cálcico) D12.

➤ En caso de dolores punzantes que penetran la articulación y que aparecen en diversos sitios tomar n.º 7: *Magnesium phosphoricum* (fosfato de magnesio) D6.

➤ En caso de dolores que aparecen al levantarse y mejoran al moverse un poco, y que empeoran con el esfuerzo físico, tomar n.º 5: Kalium phosphoricum (fosfato de potasio) D6.

Los preparados con veneno de abeja son adecuados para aliviar los dolores de músculos y tendones.

Enfermedades y envejecimiento de la piel

Nuestra piel es el órgano de contacto y la capa límite con el exterior. Forma una barrera física y también psíquica y garantiza la individualidad y la integridad de una persona. Cuando se observan cambios y molestias en la piel, hay que tener en cuenta que las enfermedades del cuerpo y del alma influyen en el estado de la piel. Puede haber muchos tipos de enfermedades y modificaciones de la piel. En el listado del cuadro encontrará los problemas de piel que se tratan en esta guía.

● Prevención

La piel refleja nuestro estado anímico, como todo el mundo sabe. Un estado emocional equilibrado y un aporte óptimo de micronutrientes son la mejor forma de prevenir la enfermedad desde dentro del cuerpo. Una alimentación sana es imprescindible (aunque no solo) para una piel saludable.

Lo que muchas personas no saben es que nuestra piel no es exclusivamente un envoltorio sino también un órgano de alto rendimiento, que depende de un aporte suficiente de micronutrientes *in situ* para proteger el organismo de sustancias tóxicas del entorno y de radicales libres de oxígeno. Si el organismo y la piel disponen de suficientes micronutrientes, la piel envejecerá menos rápido a pesar de afrontar las cargas diarias. Una alimentación equilibrada con muchos productos frescos y si es necesario con complementos alimenticios naturales (pág. 232 y ss.) son la protección más sencilla y la mejor.

Cada vez hay más personas con problemas cutáneos. Resulta difícil saber cuáles son las causas y prevenirlas de forma permanente.

Guía para las enfermedades y el envejecimiento de la piel

➤ Prurito, pág. 122

➤ Inflamaciones de la piel causadas por bacterias, pág. 125

➤ Granos y acné, pág. 128

➤ Inflamaciones de la piel causadas por hongos, pág. 131

➤ Transformaciones de la piel causadas por infecciones virales, pág. 134

➤ Quemaduras solares, pág. 136

➤ Neurodermitis, pág. 138

➤ Psoriasis, pág. 140

➤ Nódulos cutáneos, pág. 141

➤ Pérdida de cabello, pág. 142

Si el problema que usted padece no aparece en este listado, puede consultar el índice de contenidos (pág. 280 y ss.).

Use una crema facial que se adapte a su tipo de piel. Si no está seguro, pida consejo en la farmacia o a una esteticista titulada.

Los especialistas en medicina preventiva son los médicos a los que hay que consultar en este caso.

Se ha demostrado que los extractos de uva con OPC (procianidina oligomérica, pág. 239) son particularmente adecuados para la protección y el cuidado de la piel. Se pueden usar de forma externa e interna para obtener una prevención eficaz. Actúan contra el envejecimiento prematuro de la piel. No es, por lo tanto, necesario aplicarse hormonas, inyecciones ni practicarse demás intervenciones.

Es necesario tener en cuenta que los diferentes productos presentan grandes diferencias de calidad. En la pág. 235 encontrará algunas indicaciones para saber diferenciar los productos y elegir el adecuado.

Información

El envejecimiento de la piel

El envejecimiento de la piel solo depende en una tercera parte de la genética. Una vida saludable y un cuidado adecuado pueden retardar (no solo) el envejecimiento de la piel.

El proceso de envejecimiento de nuestra piel se inicia lentamente entre los 25 y 30 años. Empieza a disminuir la capacidad de almacenamiento de agua de la piel y esta pierde elasticidad, aparecen las primeras pequeñas arrugas en los ángulos de la cara y debajo de los ojos. Este proceso continúa y aparecen las primeras venitas dilatadas. Sobre los 40 años empieza a ralentizarse la división celular, la capa córnea se hace más gruesa, por lo que disminuye la absorción de oxígeno y el aporte de micronutrientes y aparecen manchas de la edad (lentigos solares). No es posible parar el reloj y dejar de envejecer, pero sí se puede ralentizar el proceso. El exceso de exposición al sol, el estrés, las sustancias tóxicas del entorno y el tabaco aceleran el proceso de envejecimiento. Cuide su piel de forma regular con productos específicos para sus necesidades, evite el estrés, aliméntese de forma equilibrada y duerma suficiente.

El uso interno y externo de productos con sustancias extraídas de las semillas de la uva y la corteza de pino (OPC) se denominan "la vitamina del antienvejecimiento". Ayudan a conseguir una piel más lisa, ya que se forma colágeno y se absorbe más agua.

● Cuidado saludable de la piel

➤ Si tiene la piel sensible, utilice para lavarse jabones "syndets" (detergentes sintéticos) con pH neutro en vez de jabón. Los jabones son alcalinos y dañan el manto ácido que protege a la piel de la aparición de bacterias.

➤ Utilice leche limpiadora para limpiarse la cara y eliminar el maquillaje.

➤ Elija desodorantes para las axilas en forma de nebulizador y en general productos que respeten la piel, con poco alcohol y perfume. Los desodorantes para la zona íntima son prescindibles.

➤ Use cremas nutritivas después de lavarse si tiene la piel sensible.

➤ Si tiene la piel grasa o padece acné, use preparados con poca o ninguna grasa, como polvos de talco o soluciones acuosas y alcohólicas, diluciones que requieren agitarse o pastas.

➤ La piel seca, sin embargo, debería tratarse con preparados grasos como las pomadas y las pastas blandas, así como las emulsiones de agua en aceite.

➤ Las humectaciones con agua fría (pág. 249), las afusiones (pág. 250) y las duchas de agua caliente y fría alterna (pág. 247) estimulan la circulación y con ello la renovación de la piel.

➤ Si es posible, utilice la fuerza curativa del sol y tome breves baños de sol (véase el recuadro "Tomar el sol sin tener que arrepentirse", pág. 137).

PRURITO

El prurito es el síntoma cutáneo más común y tiene tantas causas como manifestaciones. Puede deberse a infecciones por bacterias, virus u hongos, a una plaga de parásitos, a picaduras de insectos, a enfermedades de la piel como neurodermitis o a las cada vez más frecuentes alergias. Con frecuencia se diagnostica a las personas afectadas una carencia de micronutrientes, sobre todo en personas mayores. También hay alteraciones internas, como enfermedades del hígado o problemas circulatorios, que están relacionadas con picores molestos en la piel. Una molestia frecuente de la que no se suele hablar es el prurito anal (pág. 100 y ss.).

Las zonas de la piel afectadas por el prurito suelen estar enrojecidas y calientes, con frecuencia también aparecen ampollitas blancas o rojas que pican. En especial por la noche, con el calor de la cama, pueden aumentar los picores hasta lo insoportable.

Consejo

Prevenir el prurito

La piel seca puede producir sensación de picor por sí misma o aumentarla. Procure por ello que su piel siempre tenga humedad y grasa naturales. Estudie con detenimiento sus costumbres de lavado, ducha y baños en la bañera; cuantas más veces se lave o bañe y cuanto más tiempo, más se resecará la piel. Si tiende a tener la piel seca use jabones sintéticos y vuelva a nutrir la piel usando emulsiones o productos para el baño adecuados para recuperar la grasa y la humedad. En la pág. 121 encontrará más consejos para cuidar de su piel.

● Prevención

Compruebe si su alimentación es equilibrada y obtiene todos los micronutrientes en suficiente cantidad. En caso de prurito debido a alergias y neurodermitis se forman en el cuerpo múltiples moléculas de oxígeno negativas, los llamados radicales libres. Para protegerlo contra estos radicales libres hay antioxidantes como las vitaminas C y E. El antioxidante vegetal más efectivo es el OPC (pág. 239), que también se puede tomar con carácter profiláctico. Los preparados de aceite de onagra de administración oral contienen ácidos grasos insaturados,

Los preparados a base de aceite de onagra son especialmente beneficiosos para el metabolismo de la piel.

que tienen un efecto positivo sobre la piel y también disminuyen el prurito.

• Tratamiento

Puesto que el prurito es un síntoma de enfermedad de la piel o general, hay que estudiar las causas que producen estas molestias antes de iniciar un tratamiento. Si no tiene claro cuál puede ser el detonante, consulte con su médico.

• Aplicaciones terapéuticas

➤ Los paños fríos con agua o agua y vinagre (1 cucharada de vinagre por 1 l de agua) así como el requesón o la tierra curativa (pág. 256 y ss.) calman la desagradable sensación de picor.
➤ Pruebe también los baños de medio cuerpo o cuerpo entero (pág. 247 y ss.) con agua salada, suero de leche o hierbas como la manzanilla o

la melisa. Prepare su propio preparado para el baño (recetas en la pág. 252) o use preparados ya hechos (dosificar según el prospecto adjunto).
➤ Es recomendable la paja de avena: para un baño de cuerpo entero, hervir 50-100 g de paja de heno con 1 l de agua 15 minutos, luego colar. Añadir el caldo al agua del baño.

Consejo

Ayuda en caso de picadura de insecto

Tiempo de verano, tiempo de insectos. El peligro acecha en los vasos de zumo, las tartas de fruta y en el césped de las piscinas. Para que no se agüe la fiesta, sobre todo si tiene niños pequeños, he aquí algunos consejos útiles:

➤ Si ocurre lo indeseado, que no cunda el pánico: la picadura o mordedura de insectos es muy dolorosa y desagradable en un primer momento, pero, generalmente, no tiene consecuencias. La piel alrededor de la picadura se hincha enseguida, se enrojece y pica.

El mejor remedio es un gel o una crema antihistamínicos, refrescantes y que alivian el picor. Esto es el mejor remedio, si bien no siempre se encuentra a mano.

Una solución rápida y casera es extraer el aguijón con unas pinzas y, a continuación, colocar hielo sobre la picadura (poner cubitos de hielo dentro de una manopla), o poner paños fríos con agua y vinagre, arcilla con vinagre o agua de limón (en cada uno de los casos una cucharada con un vaso de agua). De este modo se puede aliviar el picor.

Otro remedio casero es colocar rodajas de cebolla sobre la picadura. Esto evitará el edema.

➤ Los paños impregnados con decocción de corteza de roble (receta en la pág. 252; preparar una decocción fresca cada día) o con infusión de manzanilla, hojas de pensamiento o nogal (consultar la preparación en la pág. 264) tienen efecto antiinflamatorio y calman el prurito.

● Preparados y remedios

Existen principios vegetales activos que calman el picor. También hay medicamentos de síntesis química que se han desarrollado, en principio, para combatir las alergias (antihistamínicos) y que también son anestésicos locales.

Fitoterapia

➤ Con frecuencia se consigue alivio tomando dos veces al día una taza de infusión de hojas de pensamiento o nogal (consultar la preparación y dosificación en la pág. 264). El aceite esencial del árbol del té aplicado externamente calma el prurito.

Medicamentos de síntesis química

➤ Las fricciones con geles o pomadas que tienen efecto narcotizante local contienen principios activos como la benzocaína, la lidocaína, la mepivacaína o la quinisocaína.

➤ Entre los principios activos antihistamínicos que contienen las cremas, los geles, las pomadas o los lápices que se aplican en caso de alergia se encuentran, entre otros, la bamipina, la clorfenoxamina, la clemastina, el dimetindeno, la difenhidramina, la difenilpiralina, la feniramina o la tripelenamina.

➤ Además, hay preparados calmantes del prurito, que contienen alquitrán o sulfonato de aceite de pizarra, así como preparados con óxido de cinc o dióxido de silicio. Todos estos se aplican también externamente.

Homeopatía

Las indicaciones sobre los efectos y la aplicación de los remedios homeopáticos se pueden consultar en la pág. 265 y ss. Los cuadros clínicos descritos a continuación están organizados por síntoma principal (**S**), estado anímico (**A**) y cambios que se producen (**C**):

➤ *Agaricus muscarius* D3, D4 – pastillas: **S:** picor intenso, se rasca mucho, problemas de coordinación; **A:** muy activo, por las mañanas más calmado, subidones por la noche, con los nervios a flor de piel, se sobreesfuerza cuando se le requiere mucho trabajo; **C:** empeoramiento al realizar esfuerzo (intelectual) y al aire libre fresco; mejora al realizar ejercicio físico y por ingestión de bebidas frías.

➤ *Psorinum* (importante producto contra la neurodermitis): **S:** se rasca por hábito, picores intensos con heridas sangrantes, no soporta la lana ni el algodón vasto, introvertido y tímido; **C:** empeora con el calor, el calor de la cama y el contacto con el agua (consultar al farmacéutico sobre la presentación y dosificación).

➤ *Staphisagria* D3, D4 – pastillas: **S:** cuando está en casa es cuando más padece la neurodermitis, en otros lugares casi no tiene molestias, preferencia por la leche fría; **A:** susceptibilidad intelectual, iracundo, colérico.

Sales de Schüssler

Las indicaciones sobre los efectos y la aplicación de las sales de Schüssler se pueden consultar en la pág. 268 y ss.

➤ En caso de prurito general interno y externo, tomar n.º 3: *Ferrum phosphoricum* (fosfato de hierro) D12, n.º 7: *Magnesium phosphoricum* (fosfato de magnesio) D6 y n.º 6: *Kalium sulfuricum* (sulfato de potasio) D6.

➤ En caso de prurito en edad adulta tomar n.º 1: *Calcium fluoratum* (fluoruro cálcico) D12 y n.º 11: *Silicea* (dióxido de sílice) D12.

➤ En caso de urticaria con prurito intenso tomar tanto n.º 5: *Kalium phosphoricum* (fosfato de potasio) D6, como n.º 1: *Calcium fluoratum* (fluoruro cálcico) D12 y n.º 2: *Calcium phosphoricum* (fosfato de calcio) D6.

INFLAMACIONES DE LA PIEL CAUSADAS POR BACTERIAS

Las bacterias pueden introducirse en la piel de diferentes maneras. Si invaden una lesión cutánea, por ejemplo, una rozadura o un corte, producen inflamaciones con pus. También se pueden introducir desde fuera hacia dentro de la base de un pelo; este tipo de inflamación bacteriana en un folículo piloso en la que se forma un cúmulo de pus y produce dolor se denomina forúnculo. Si se inflaman varios folículos pilosos adyacentes se denomina ántrax. Si se unen formando una cavidad grande donde se acumula pus, se denomina absceso. Sobre todo las personas que tienen el sistema inmunológico debilitado, que tienen carencias de micronutrientes, que padecen de diabetes, sobrepeso o estrés tienden a tener forúnculos de forma reincidente.

• Prevención

La mejor protección contra las inflamaciones es tener un sistema inmunológico fuerte, lo que se consigue mediante una alimentación equilibrada y el aporte de complementos alimenticios de origen natural con antioxidantes. Las defensas también agradecen que se realice ejercicio al aire libre de forma regular y que se lleve un estilo de vida con suficientes momentos de descanso y de recuperación de fuerzas tras el exceso de estímulos recibidos.

• Tratamiento

Las inflamaciones, no importa si se dan dentro del cuerpo o en su superficie, producen enrojecimiento, hinchazón, sensación de calor, dolor y disminución de la movilidad. Si además participan bacterias en la inflamación, se forma pus. En estos casos hay que combatir o eliminar las bacterias, tratar los síntomas de la inflamación y el dolor y, a veces, eliminar el exceso de calor.

Si tiene un forúnculo –o incluso un absceso– en la cabeza, no debe explotárselo. Existe el peligro de que las bacterias puedan introducirse en un vaso sanguíneo que esté en contacto con los vasos del cerebro.

⊕ **Consultar al médico**

Si un forúnculo no se cura en el plazo de dos semanas, si se forma un carbúnculo, si tiene fiebre, o si el forúnculo o absceso se encuentra en la zona de la cabeza, hay que acudir al médico.

• Preparados y remedios

Los síntomas principales de una inflamación (dolores, enrojecimiento e hinchazón) deben tratarse con medicamentos y se debe apoyar su curación.

Fitoterapia
➤ Son muy eficaces los paños impregnados con infusión de pensamiento (pág. 259).

Hacer mucho ejercicio al aire libre y llevar una vida equilibrada resulta especialmente beneficioso para que el sistema inmunológico esté fuerte.

Información

¿Qué es mejor en caso de inflamaciones abiertas: las pomadas o los polvos?

	Pomada	Polvo
Ventajas	➤ mantiene suaves los bordes de la herida ➤ no se pega ➤ los principios activos penetran fácilmente en los tejidos	➤ fácil de utilizar ➤ absorbe las secreciones
Inconvenientes	➤ no absorbe las secreciones, por lo que es peor para las heridas húmedas ➤ puede formar, si se aplica en exceso, una capa que tapone la herida y no permita el aporte de oxígeno, por lo que puede aumentar la inflamación	➤ puede producir un exceso de sequedad ➤ solo actúa en la superficie ➤ se pega mucho ➤ puede formar, si se aplica en exceso, una capa que tapone la herida y no permita el aporte de oxígeno, por lo que puede aumentar la inflamación

➤ Para disminuir la inflamación y estimular la curación son eficaces las pomadas de manzanilla, equinácea y caléndula.

➤ Se ha demostrado que una de las propiedades del aceite del árbol del té es inhibir la proliferación de bacterias.

Medicamentos de síntesis química

En caso de inflamación cutánea es importante que la superficie de la piel, al igual que en otros tipos de herida, se cierre y que no puedan acceder más gérmenes a la herida.

➤ Los compuestos de cinc y aluminio absorben el líquido de la herida, cierran la herida y aceleran el desarrollo de la costra. El cinc estimula el crecimiento de las células cutáneas.

➤ El dexpantenol estimula la curación y el crecimiento de nuevas células cutáneas, además de aumentar las defensas a nivel local.

Homeopatía

Las indicaciones sobre los efectos y la aplicación de los remedios homeopáticos se pueden consultar en la pág. 265 y ss. Los cuadros clínicos descritos a continuación están organizados por síntoma principal (**S**), estado anímico (**A**) y cambios que se producen (**C**):

➤ *Atropa belladonna* D4, D6, D12 – gotas: **S:** remedio para la fase inicial del enrojecimiento y la hinchazón, con la piel afectada caliente, combinando a discreción con gotas de *Echinacea* D2 (al principio alternar cada hora); **A:** inquieto; **C:** empeoramiento con el frío, las corrientes de aire, la agitación.

➤ *Hepar sulfuris* D6, D12, D30 – pastillas: **S:** dolores punzantes y con comezón; **A:** abatimiento; **C:** sensibilidad extrema al frío y al contacto, sudor maloliente.

➤ *Myristica sebifera* D6, D12, D30 – pastillas: denominado el "cuchillo homeopático", pues consigue que los forúnculos maduren y se vacíen.

➤ *Silicea* D6, D12, D30 – pastillas: **S:** forúnculos y abscesos de mucho tiempo, pus líquida durante mucho tiempo, inflamación de la glándula sin dolor; **A:** malhumorado, irritable; **C:** empeora con el frío; mejora con el calor.

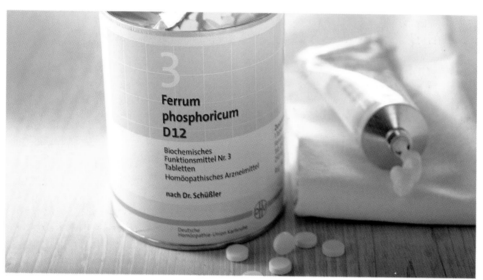

La sal de Schüssler Ferrum phosphoricum (fosfato de hierro) D12 regula la circulación sanguínea. Ayuda al cuerpo a asimilar mejor el hierro de la alimentación y transportarlo allí donde es necesario.

➤ *Sulfur* D6, D12, D30 – pastillas: **S:** prurito intenso especialmente en el calor de la cama, piel de aspecto sucio; **A:** malhumorado, irritable; **C:** empeoramiento al aplicar hidroterapia.

Sales de Schüssler

Las indicaciones sobre los efectos y la aplicación de las sales de Schüssler se pueden consultar en la pág. 268 y ss.
➤ Para costras amarillas blancuzcas tomar n.º 2: *Calcium phosphoricum* (fosfato de calcio) D6.
➤ Para ampollitas con costras purulentas tomar n.º 5: *Kalium phosphoricum* (fosfato de potasio) D6 y n.º 11: *Silicea* (dióxido de sílice) D12.
➤ En caso de eccemas húmedos tomar n.º 10: *Natrium sulfuricum* (sulfato de sodio) D6.
➤ En caso de inflamaciones con enrojecimiento tomar n.º 3: *Ferrum phosphoricum* (fosfato de hierro) D12.
➤ Generalmente, si la piel no suele curarse con facilidad tomar n.º 11: *Silicea* (dióxido de sílice) D12.

Información

Plata coloidal contra las bacterias, los hongos y los virus

Las múltiples propiedades de la plata coloidal se conocen desde hace más de 2000 años, pero es en la actualidad cuando los investigadores han podido probarlas científicamente. El principio activo combate las bacterias, virus y hongos y puede aplicarse tanto en personas como en animales. La plata coloidal se puede usar de forma externa e interna, por ejemplo, para heridas abiertas, eccemas, inflamaciones y enfermedades provocadas por hongos. En caso de inflamaciones de la garganta se puede además hacer gárgaras con la plata coloidal.

Son muchas las razones para tenerla a mano en casa. Pero compruebe que el producto que adquiera sea de buena calidad: la plata electrocoloidal de elaboración industrial tiene partículas especialmente pequeñas y permite una dosificación muy precisa.

GRANOS Y ACNÉ

Los granos y el acné forman parte de las enfermedades cutáneas más frecuentes. El acné normal aparece en la pubertad debido a los cambios hormonales, que producen una mayor producción de sebo. Si las vías de salida de las glándulas sebáceas se obstruyen por callosidades se interrumpe la salida de las secreciones, por lo que aparecen las espinillas, en las que pueden anidar bacterias que al producir una inflamación forman los granos (véase "Inflamaciones de la piel causadas por bacterias", pág. 125).

Esto afecta principalmente a la cara, los hombros, el pecho y la espalda. Tras finalizar la pubertad se vuelve a regular el metabolismo hormonal y se reduce la producción de sebo a los valores normales.

El acné juvenil suele remitir una vez alcanzados los 20 años. Las personas con acné pertinaz más allá de esa edad deberían comprobar si padecen alguna carencia de micronutrientes que pueda ser la causa de la enfermedad.

● Prevención

Precisamente los jóvenes en edad de crecimiento tienen unas importantes necesidades de vitaminas y minerales, por eso hay que procurar que su alimentación sea completa. Además, siempre es recomendable usar complementos alimenticios de origen natural con una cantidad importante de antioxidantes. También es importante realizar mucho ejercicio al aire libre y tomar el sol de forma moderada de vez en cuando.

● Tratamiento

No es posible evitar la aparición de granos y acné en todos los casos, pero sí se puede acortar el tiempo de duración de la afección y disminuir su virulencia. Es importante tener paciencia y limpiarse la piel a conciencia.

Para ello hay que utilizar jabones sintéticos en vez de jabón convencional. En la cara se puede usar leche limpiadora o líquido facial con compuestos desinfectantes. También hay preparados para el acné moderado que contienen tanto principios activos antisépticos como antiinflamatorios y se aplican con lápices o lociones del color de la piel.

Tomar el sol o rayos UV de forma moderada (véase el recuadro "Tomar el sol sin tener que arrepentirse", pág. 137) ayuda a curar el acné.

El tratamiento exfoliante permite eliminar las capas de piel cornificada y de este modo también los tapones de las salidas de las glándulas sebáceas. Este tratamiento se lo puede hacer uno mismo aplicándose las esponjas correspondientes o se puede ir a la esteticista. Los productos químicos exfoliantes suaves contienen resorcina y ácido salicílico. El peróxido de benzoilo tiene efecto antibactericida. Se pueden adquirir estos preparados sin receta.

⊕ Consultar al médico

En caso de padecer un acné más severo es recomendable acudir al dermatólogo, que podrá prescribir medicamentos más fuertes que contengan ácido de vitamina A o ácido acelaínico. En casos muy severos hay que aplicar antibióticos.

● Aplicaciones terapéuticas

➤ La hidroterapia estimula la circulación sanguínea. Son eficaces los baños de cara con vapor (pág. 247 y ss.), tomar saunas o baños de cuerpo entero (pág. 248) añadiendo al agua salvado, cola de caballo o azufre (en preparados listos para usar). Las compresas calientes (pág. 258 y ss.) impregnadas con decocción de corteza de roble o los baños con corteza de roble o extracto de hojas de pino (véase productos para el baño en la pág. 252) a una temperatura del agua de 37 °C (duración del baño: 15 minutos) inhiben la eliminación de sebo.

➤ Los lavados con infusión de manzanilla (pág. 248 y ss.), las cataplasmas o las mascarillas faciales con tierra curativa (pág. 257 y ss.) tienen efecto antiinflamatorio. Para mezclar la tierra curativa con agua y zumo de limón, aplicar la pasta, dejarla secar y retirarla pasados 15 minutos.

➤ Es muy útil cepillarse la cara en seco (pág. 251), para lo que hay cepillos faciales especiales.

● Preparados y remedios

Aquellas personas que solo padezcan la aparición de granos de forma puntual (por ejemplo, antes o durante la menstruación) pueden prescindir de un tratamiento específico. Lo que sí es imprescindible es una alimentación equilibrada, así como una limpieza de la piel realizada con cuidado y en profundidad. Solo debería tomarse medicamentos en casos excepcionales. En este caso vale decir que es mejor prevenir que curar.

Fitoterapia

➤ Las infusiones estimulantes del metabolismo con diente de león, ortiga, cola de caballo u hojas de pensamiento pueden mejorar el proceso curativo (para la preparación y dosificación consúltese la pág. 264). En el caso de la infusión de pensamiento se recomienda una aplicación de duración corta pero durante varios meses.

Remedios de síntesis química

➤ Los preparados listos para usar con principios activos como el ácido salicílico y el azufre en forma de cremas o lociones regulan la actividad de las glándulas sebáceas y pueden eliminar las escamas sobrantes.

➤ Entre los preparados con principios activos más novedosos se encuentran los que contienen peróxido de benzoilo. Estimulan la circulación sanguínea de la piel, facilitando la

---

Consejo

Cuidado de la piel con acné

➤ En primer lugar hay que desengrasar la piel. Para ello lo mejor es lavarla dos o tres veces al día con agua caliente. Si se usan jabones sintéticos en vez de jabón convencional no se destruye el manto ácido de la piel, de modo que puede seguir cumpliendo su función defensora frente a las invasiones de bacterias. Además, los jabones sintéticos evitan que la piel se hinche y no obstruyen los folículos capilares.

➤ Es mejor no usar las lociones faciales o para después del afeitado que contengan una gran proporción de alcohol, puesto que el alcohol reseca la piel, estimulando aún más la producción de sebo.

➤ Lavarse la cara con un paño suave para no irritarla más.

➤ Existen numerosos preparados cosméticos-medicinales en forma de cremas o mascarillas para realizar tratamientos que exfolian la piel mejorando la eliminación del sebo, pero no hay que abusar de ellos.

➤ Hay que evitar apretarse uno mismo los granitos del acné, pues puede destruirse tanto tejido que se produzcan cicatrices. Si el acné está muy extendido es mejor buscar a un esteticista, pues sabrá aplicarle el tratamiento adecuado. Siempre que tenga cuidado, puede quitarse las espinillas usted mismo después de haber tomado un baño de vapor facial con manzanilla (pág. 246 y ss.), tras haberse aplicado compresas con agua caliente (pág. 258) o una mascarilla facial tirando con cuidado de la piel circundante en las cuatro direcciones (pero jamás apretando).

curación de los granos inflamados. Desaparecen las espinillas y se evita su nueva aparición. El uso de esta sustancia también dificulta el asentamiento de bacterias (véase el recuadro a la derecha para un correcto uso).

➤ En caso de tener caspa y problemas con la secreción de sebo en el cuero cabelludo puede usarse selenio en forma de sulfuro de selenio en suspensión al 2,5% o en pasta. En ocasiones contadas los preparados de selenio producen un aumento de la formación de sebo. Los preparados de selenio no deben aplicarse sobre la piel herida, ya que el organismo absorbería demasiado selenio.

Homeopatía

Las indicaciones sobre los efectos y la aplicación de los remedios homeopáticos se pueden consultar en la pág. 265 y ss. Los cuadros clínicos descritos a continuación están organizados por síntoma principal (**S**), estado anímico (**A**) y cambios que se producen (**C**):

➤ *Graphites* D6, D12, D30 – pastillas: **S:** piel seca con escamas, pero también húmeda y pringosa, descamaciones en la zona fronteriza entre la piel y la mucosa, sudor ácido maloliente. **C:** empeora por la noche con calor y tras la menstruación.

➤ *Hepar sulfuris* D6, D12, D30 – pastillas: **S:** supuración intensa sobre todo en las arrugas de la piel, muy sensible al contacto y al mínimo frío que haga, comezón intensa.

➤ *Natrium muriaticum* D6, D12, D30 – pastillas: **S:** piel grasa y aceitosa, pero en algunas zonas también seca, granitos sobre todo en la zona limítrofe entre frente y cuero cabelludo, fisuras en las comisuras de la boca.

➤ *Pulsatilla* D6, D12, D30 – gotas: **S:** relación del estado de la piel con el sistema hormonal, acné en caso de estancamiento de la sangre venosa, cambia con frecuencia de estar sonrojado a pálido; **C:** mejora con ejercicio y al aire libre.

➤ *Sulfur* D6, D12, D30 – pastillas: **S:** piel de aspecto reseco y sucio, con picor y prurito con escozor, sudor maloliente, al llevar plata ésta ennegrece; **C:** empeora con la aplicación de agua y al calor de la cama, rascarse mejora el picor, aunque después aparezca prurito.

Consejo

Tratamiento de los granitos y el acné mediante la aplicación de peróxido de benzoilo

Cuando se usan preparados con el principio activo peróxido de benzoilo es recomendable seguir el siguiente protocolo:

➤ Para empezar, utilizar solo una vez al día un preparado de concentración baja (normalmente del 5%). Si se tolera bien, se puede aplicar dos veces al día.

➤ Aplicar al principio siempre por la noche después de lavarse la piel; más adelante, cuando se aplique dos veces al día, usar el preparado por la mañana y por la noche.

➤ Hay que tener paciencia, pues los resultados del primer tratamiento no serán visibles hasta que se haya llevado a cabo durante cuatro-diez semanas.

➤ Hay algunas personas muy sensibles que sufren reacciones al preparado. No obstante, no hay que temer que se produzcan efectos secundarios por la asimilación de la sustancia en el organismo.

➤ Otra indicación práctica: el peróxido de benzoilo puede blanquear la ropa según el tejido del que esté hecha, por lo tanto, cuidado con los cuellos de las camisas y camisetas, la ropa de cama y las toallas.

Sales de Schüssler

Las indicaciones sobre los efectos y la aplicación de las sales de Schüssler se pueden consultar en la pág. 268 y ss.

➤ En caso de piel grasa y acné es conveniente tomar n.º 10: *Natrium sulfuricum* (sulfato de sodio) D6. Además se puede usar también la sal n.º 9: *Natrium phosphoricum* (fosfato de sodio) D6; por las noches se recomienda aplicar ambos preparados en pomada.

➤ En caso de acné por todo el cuerpo tomar n.º 1: *Calcium fluoratum* (fluoruro cálcico) D12, también en pomada.

➤ En caso de pústulas de acné de color ámbar usar n.º 9: *Natrium phosphoricum* (fosfato de sodio) D6.

INFLAMACIONES DE LA PIEL CAUSADAS POR HONGOS

La mayoría de las enfermedades de hongos en la piel están provocadas por el hongo *Candida albicans*. En los niños pequeños produce candidiasis bucal y dermatitis del pañal. La transmisión en caso de adultos se produce con frecuencia en piscinas o saunas. Los síntomas son la aparición de zonas blancas e hinchadas en la piel y las uñas, que a veces escuecen o pican. Las uñas se vuelven amarillas y gruesas y aparecen estrías. Las enfermedades de hongos pueden ser muy pertinaces y volver una y otra vez.

● Prevención

Protéjase para prevenir: lleve calcetines y zapatos de materiales naturales y cámbiese a diario los calcetines y la ropa. Lleve ropa que se pueda hervir o trate la ropa de otros materiales con desinfectantes. Evite la acumulación de calor y de humedad, procure tener los pies o las zonas de la piel expuestas siempre secas, también los pliegues y los planos de flexión (espacios interdigitales).

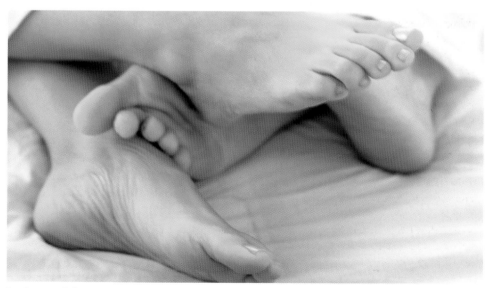

Los hongos de los pies se cogen con frecuencia en zonas húmedas, como las piscinas o saunas. La forma de transmisión más rápida es el contacto directo a través de la piel.

Información

Normas para el tratamiento de los hongos

➤ Empezar el tratamiento en cuanto aparezcan los primeros síntomas de una dermatomicosis: enrojecimiento, humedad y descamación.

➤ No solo aplique el remedio contra los hongos directamente sobre la zona afectada sino también alrededor de la misma, pues también allí puede encontrarse hongos.

➤ El efecto deseado solo se alcanza si se aplica el remedio de forma regular y se siguen las recomendaciones del médico o del prospecto adjunto.

➤ Tenga en cuenta que hay que utilizar el remedio el tiempo suficiente: aunque hayan desaparecido los síntomas en la piel siga el tratamiento al menos una o dos semanas más.

➤ El tratamiento de la candidiasis bucal es un caso especial. Los preparados con el principio activo nistatina tienen un sabor amargo y producen a veces náuseas, que se deben principalmente al sabor amargo y no suponen un efecto secundario. Para actuar de forma eficaz hay que instilar o pulverizar pequeñas cantidades de una suspensión con el principio activo en la boca (bebés: 0,5 a 1 ml, niños y adultos: 1 ml) de cuatro a seis veces al día. Es conveniente mover el líquido dentro de la boca el máximo tiempo posible antes de tragarlo.

La mejor protección contra las inflamaciones es un sistema inmunológico resistente, que hay que cuidar mediante una alimentación equilibrada y unos complementos alimenticios con antioxidantes. Las defensas también se refuerzan si se realiza diariamente ejercicio al aire libre y se lleva una vida con las pausas necesarias y fases de recuperación de la energía agotada por el estrés cotidiano.

• Tratamiento

Si es la primera vez que tiene una infección por hongos debe consultar al médico para que le recete la crema o pomada adecuada que debe usarse para la curación completa. Si padece con frecuencia infecciones por hongos, como el pie de atleta, también se lo puede tratar usted mismo siempre que esté totalmente seguro de qué enfermedad se trata.

• Aplicaciones terapéuticas

➤ En el caso de enfermedades de las uñas son beneficiosos los baños con permanganato de potasio.

➤ Es aconsejable estimular la circulación sanguínea de la piel mediante pomadas, fricciones, masajes o hidroterapia (pág. 243 y ss.).

• Preparados y remedios

Los medicamentos mencionados son de aplicación externa. En casos de infección pertinaz, hay que apoyar a veces el tratamiento con medicamentos de ingesta oral en forma de pastillas.

Fitoterapia

En este caso ha dado buenos resultados el aceite de árbol del té. Si bien hay personas que perciben el olor como extraño, se trata de un aceite muy eficaz que se tolera muy bien. Se puede aplicar puro sobre las zonas afectadas o añadir unas gotas al agua de baño. El aceite de árbol del té puede pulverizarse en los zapatos. Es importante adquirir aceite de árbol del té de cultivo controlado.

El aceite de árbol del té actúa de forma fiable en caso de enfermedades de la piel producidas por hongos.

Medicamentos de síntesis química

➤ La plata coloidal puede pulverizarse directamente sobre la zona afectada; resulta muy tolerable a la piel.

➤ La nistatina, que también se usa en el tratamiento de la candidiasis bucal, es adecuada para el tratamiento de enfermedades de la piel producidas por hongos y solo produce irritación en casos aislados.

➤ También es muy eficaz el tolnaftato, y a la vez muy tolerable por la piel, en particular para el tratamiento de enfermedades dermatológicas producidas por hongos en los pies y en las ingles. No es adecuado para los hongos en las uñas.

➤ El clotrimazol, el econazol, el fluconazol, el isoconazol y el miconazol se pueden obtener sin receta y no solo son eficaces contra los hongos sino también contra ciertas bacterias. Esto es especialmente importante, ya que en caso de enfermedades de hongos pertinaces también puede haber adicionalmente bacterias que inflaman la piel. Todos estos remedios se toleran muy bien. Se presentan tanto en cremas y pomadas para los casos normales, como en líquido de aplicación con pincel en caso de hongos en los pies y en la boca. Para los hongos en las uñas existen preparados especiales en forma de laca de uñas. No obstante, es mejor consultar al médico para que le recete el medicamento específico que le permita curar este tipo de hongo.

Homeopatía

Las indicaciones sobre los efectos y la aplicación de los remedios homeopáticos se pueden consultar en la pág. 265 y ss. Los cuadros clínicos descritos a continuación están organizados por síntoma principal (**S**), estado anímico (**A**) y cambios que se producen (**C**):

➤ *Acidum nitricum* D12 – gotas: **S**: coloración amarillenta de la piel y las uñas de los pies, proceso largo, olor desagradable; **A**: insatisfecho, depresivo;

➤ *Silicea* D4, D6, D12 – pastillas: **S**: modificación del aspecto de uñas y pies debido a un proceso inflamatorio, aumento del sudor de pies y aparición de mal olor; **A**: depresivo; **C**: empeora por la noche y cuando hace frío; mejora con el calor.

➤ *Sepia* D12 – pastillas: **S**: afección en la piel y las uñas y pies, sudor de pies maloliente; **A**: irritable, malhumorado; **C**: empeora por el contacto con el agua y en invierno.

Sales de Schüssler

Las indicaciones sobre los efectos y la aplicación de las sales de Schüssler se pueden consultar en la pág. 268 y ss.

➤ Además del tratamiento contra los hongos usar el n.º 6: *Kalium sulfuricum* (sulfato de potasio) D6 y el n.º 10: *Natrium sulfuricum* (sulfato de sodio) D6.

➤ En especial, en el caso de infecciones cutáneas y de uñas, usar a modo de pomada las sales n.º 1: *Calcium fluoratum* (fluoruro cálcico) D12 y n.º 6: *Natrium sulfuricum* (sulfato de potasio) D6 y n.º 10: *Natrium sulfuricum* (sulfato de sodio), D6, y aplicar pomada del n.º 1 y n.º 10.

CAMBIOS DE LA PIEL CAUSADOS POR INFECCIONES VIRALES

Los agentes causantes de las ampollas labiales son los virus herpes. Tras una primera infección anidan en las células nerviosas (en el caso del herpes zóster se produce durante la varicela), donde pueden permanecer durante años e incluso décadas sin que se note hasta que un momento de debilidad del sistema inmunológico, una exposición intensa al sol, una infección o el estrés los vuelven a activar y se dirigen a través de los conductos nerviosos a las células de la piel o la mucosa en las comisuras de la boca y los labios o formando un anillo en la piel de la zona de la cintura (herpes zóster).

Allí se multiplican de forma importante y producen ampollitas, prurito, enrojecimiento y dolor. Las ampollitas se secan normalmente solas tras una o dos semanas sin dejar cicatriz.

● Prevención

Un sistema inmunológico resistente es la mejor defensa contra las inflamaciones. Para ello es importante una alimentación equilibrada así como el aporte de complementos alimenticios de origen natural con antioxidantes (véase el cuadro en la pág. 225). Las defensas también se fortalecen realizando ejercicio de forma regular al aire libre y tomándose respiros en el curso de la actividad diaria.

● Tratamiento

No se pueden curar las afecciones por herpes de forma definitiva, pero sí intentar aliviar los síntomas. En caso de aparecer ampollas de fiebre o de labios se puede aplicar una serie de eficaces medidas que disminuyen los síntomas que acompañan a esta afección. También son adecuadas las medidas para aumentar las defensas. El tratamiento con medicamentos hay que iniciarlo lo antes posible (en el momento de notar el primer prurito o comezón) para evitar que se puedan seguir expandiendo los virus.

 Consultar al médico

La infección por herpes zóster es muy dolorosa y debe recibir tratamiento médico. No obstante, se pueden también tomar las medidas que se describen a continuación para aumentar las defensas tras haberlo consultado con el médico.

● Aplicaciones terapéuticas

➤ Si tiene tendencia a padecer ampollas de fiebre puede adoptar medidas preventivas que suelen dar buen resultado, como fortalecerse mediante hidroterapia (pág. 243 y ss.).

➤ En caso de infecciones agudas debería aplicarse paños húmedos refrescantes, que pueden también estar empapados en decocción de corteza de roble (preparación en la pág. 252), tintura lista para usar o infusión de manzanilla o milenrama (pág. 264).

➤ Evitar una propagación de la infección en la familia: no compartir cepillos de dientes, vasos, cubiertos, toallas o pintalabios.

● Preparados y remedios

No solo hay que tratar los virus como causantes de la enfermedad sino también los síntomas de la inflamación, como los dolores, el enrojecimiento y la hinchazón. Asimismo, hay medicamentos para estimular la curación.

Fitoterapia

➤ Para la prevención son eficaces los preparados listos para usar de equinácea, si bien solo deben tomarse durante ocho semanas seguidas, pues de lo contrario se somete a sobreesfuerzo el sistema inmunológico y en consecuencia aumenta la propensión a enfermar.

➤ La infusión de salvia alivia el picor (para la preparación y dosificación consulte la pág. 264).

➤ El extracto de melisa contiene un principio activo denominado citraleno, al que se confiere eficacia contra los virus. Se puede aplicar en pomadas listas para usar de la farmacia.

➤ El aceite de árbol del té disminuye la multiplicación de virus.

Medicamentos de síntesis química

➤ Entre los principios activos de síntesis química que pueden disminuir la proliferación de virus se encuentra el aciclovir. En caso de herpes labial suele ser suficiente aplicar localmente una crema; el tratamiento del herpes zóster requiere sin embargo supervisión médica.

➤ Los preparados de sulfato de cinc en forma de cremas o pomadas también disminuyen la proliferación del virus. Esto se refuerza utilizando a la vez heparina. Esta combinación suele ser muy eficaz en poco tiempo.

Homeopatía

Las indicaciones sobre los efectos y la aplicación de los remedios homeopáticos se pueden consultar en la pág. 265 y ss. Los cuadros clínicos descritos a continuación están organizados por síntoma principal (**S**), estado anímico (**A**) y cambios que se producen (**C**):

➤ *Clematis erecta* D6, D12 – gotas: **S:** dolores punzantes, se forman las ampollas y explotan; **A:** alegre, activo, posteriormente depresivo; **C:** empeora con el agua fría y el ejercicio.

➤ *Dulcamara* D6, D12, D30 – gotas: **S:** herpes antes de tener la regla; **A:** inquieta, irritable; **C:** empeora con el ejercicio y el calor.

➤ *Mezereum* D6, D12 – gotas: **S:** dolores de nervios, dolor con comezón, picor especialmente con el calor de la cama, costras grandes con secreción amarillenta; **C:** empeora por el contacto con tiempo frío y húmedo.

➤ *Thuja* D12 – gotas: **S:** infecciones de herpes pertinaces, acompañadas con frecuencia de verrugas, ampollas a la vez en la boca y en la lengua, mucha sensibilidad al contacto;

Información

Verrugas

Las verrugas también las provocan virus y conllevan la formación de unas modificaciones cutáneas con la superficie endurecida. Si no son tratadas por un especialista se pueden multiplicar y ser contagiosas.

Evite el contagio no yendo descalzo por salas de deportes o piscinas y evitando el contacto físico con personas que tengan verrugas. No rascarse las verrugas existentes, porque existe el riesgo de contagio a otras partes de la piel.

La mayoría de las verrugas pueden tratarse con soluciones o pastas especiales que se pueden adquirir en la farmacia. Si no consigue eliminarlas, consulte al médico.

A: depresivo, despistado; **C:** el estado empeora por la noche y con el calor de la cama.

Sales de Schüssler

Las indicaciones sobre los efectos y la aplicación de las sales de Schüssler se pueden consultar en la pág. 268 y ss.

➤ En caso de ampollitas con contenido acuoso amarillento tomar y aplicar pomada del n.º 4: *Kalium chloratum* (cloruro de potasio) D6.

➤ En caso de ampollitas con contenido amarillo oscuro tomar y aplicar pomada del n.º 10: *Natrium sulfuricum* (sulfato de sodio) D6.

➤ En caso de ampollitas con contenido denso y amarillo tomar y aplicar pomada del n.º 9: *Natrium phosphoricum* (fosfato de sodio) D6.

➤ Si se padece herpes con frecuencia y en caso de ampollitas con contenido muy líquido, tomar y aplicar pomada del n.º 8: *Natrium chloratum* (cloruro de sodio "sal común") D6.

QUEMADURAS PRODUCIDAS POR EL SOL

La incisión de los rayos de sol sobre la piel resulta importante para un metabolismo sano, pero una exposición al sol de la cara y el dorso de las manos más o menos cada dos días por un periodo breve sería suficiente, aunque a muchas personas esto no les baste. De ahí que se repitan sin cesar los efectos negativos de tomar el sol de forma intensiva. Las quemaduras, la formación prematura de arrugas y un riesgo mayor de contraer cáncer son el precio de ese envidiable bronceado obtenido durante las vacaciones.

Al oscurecerse, la piel intenta protegerse del exceso de rayos UV aumentando la producción del pigmento de la piel, la melanina. La melanina atrapa los rayos ultravioleta del sol evitando que se dañe el tejido celular subcutáneo. Además se produce un engrosamiento de la capa córnea de la piel, lo que supone una protección adicional contra el sol.

Una exposición al sol demasiado intensa tiene como efecto que se dilaten los vasos sanguíneos superficiales de la capa externa de la piel. Cuando se producen quemaduras solares en la piel es típico observar una clara diferencia entre las zonas quemadas y las partes que estaban resguardadas por la ropa. Un enrojecimiento local doloroso de la piel, que suele convertirse más adelante en moreno, corresponde a una quemadura de primer grado. Si se forman ampollas y superficies con heridas enrojecidas se trata de una quemadura de segundo grado (véase también la pág. 216).

Las molestias producidas por las quemaduras solares suelen desaparecer a los dos o tres días, cuando las capas de la epidermis se desprenden en forma de escamas o trozos más grandes.

● Prevención

Se puede disfrutar del sol, pero es mejor proteger la máxima cantidad de piel posible. Los sombreros y las gorras con visera no solo protegen del sol, también sientan bien. Permanezca la mayor parte del tiempo debajo de la sombrilla y utilice cremas de protección solar y productos para el cuidado de la piel que contengan antioxidantes (Vitamina E, OPC).

● Tratamiento

Todo aquello que refresque la piel quemada produce alivio. Si una quemadura solar duele mucho puede aplicarse geles o cremas de la farmacia que alivien la inflamación y el dolor. Estos productos también son eficaces en caso de alergia al sol.

   ### Consultar al médico

Debería consultar al médico si además de las quemaduras producidas por el sol aparece fiebre y dolores intensos de cabeza. Estos síntomas indican que se trata de una insolación (primeros auxilios, pág. 211). También es conveniente consultar al médico si se forman ampollas de consideración o se infectan las zonas quemadas.

Información

Alergia al sol

Algunas personas no solo reaccionan a una exposición excesiva al sol con quemaduras sino también con reacciones alérgicas. Aparte del enrojecimiento de la piel, aparecen puntitos y ampollitas que pican sobre todo en la zona del pecho y el cuello.

Actualmente se considera que son los componentes mismos de los protectores solares –como los perfumes y emulgentes– los que tienen que ver con estos síntomas cada vez más frecuentes. Para tomar el sol sin que surjan estas molestias se pueden adquirir protectores solares sin perfumes ni emulgentes.

Consejo

Tomar el sol sin arrepentirse

Las personascon el cabello oscuro, la piel morena y los ojos oscuros soportan más sol que las personas pelirrojas con muchas pecas. No obstante, independientemente del tipo de piel que uno tenga, no debería exponerse al sol sin protección:

➤ Es recomendable acostumbrar a la piel poco a poco a los rayos solares. Hay que evitar permanecer directamente bajo el sol entre las 10 y las 15 horas, cuando la insolación es más intensa.

➤ No olvidar cubrir suficientemente la cabeza y a ser posible también los brazos y las piernas.

➤ Elegir protectores solares de la farmacia que no contengan perfume y que tengan factores de protección solar comprobados para los rayos UVA y UVB. El factor de protección solar ayuda a calcular el tiempo que se puede permanecer al sol sin que se produzcan daños. Si se utiliza un factor solar del número 12 se puede permanecer doce veces 15 minutos al sol, lo que significa en total tres horas.

➤ Elegir un factor de protección solar adecuado a la intensidad solar de cada situación. La intensidad de la radiación solar varía según la estación del año, la hora del día, la proximidad al ecuador y dependiendo de si se está en la alta montaña o en el mar. También hay que tener en cuenta la sensibilidad al sol de cada individuo y el estado de su piel (grasa o seca). No hay que olvidar protegerse los labios; para ello existen barras labiales con protectores solares.

➤ Un protector solar debe aplicarse 30 minutos antes de tomar el sol sobre la piel limpia y debe volverse a aplicar varias veces al día, sobre todo tras cada baño y secado de la piel. Además hay que tener en cuenta que aplicarse el protector solar varias veces una detrás de otra no aumenta la protección solar.

● Aplicaciones terapéuticas

➤ Aplicar durante varias horas paños empapados en agua o té negro, o emplastos con requesón batido o leche fermentada (pág. 257) sobre la piel quemada.

➤ Si las quemaduras abarcan grandes superficies lo mejor es envolverse en paños húmedos o ponerse una camiseta mojada.

● Preparados y remedios

Existe una gran cantidad de lociones a base de plantas o con principios activos de síntesis química que pueden aliviar el escozor (pág. 122 y ss.), el enrojecimiento y los dolores.

Preparados y remedios

➤ Los preparados fitoterapéuticos en de cremas y geles que sirven para calmar las quemaduras producidas por el sol contienen extractos de árnica, ortiga, corteza de hamamelis o manzanilla.

Remedios de síntesis química

➤ Tienen efecto refrescante y antiedemático los preparados con los principios activos que también se aplican en caso de picaduras de insectos (pág. 123) y prurito en general (pág. 122).

➤ Tienen efecto anestésico local y analgésico los preparados con benzocaína, lidocaína, mepivacaína, polidocanol o quinisocaína.

NEURODERMITIS

La neurodermitis es una enfermedad pertinaz de la piel que padecen los niños y que afecta actualmente –con una tendencia que sigue en aumento– a uno de cada cinco niños. También se denomina dermatitis atópica o eccema endógeno. Cuando aparece en lactantes se denomina costra de la leche o lactumen. A partir de los tres meses de vida aparecen rojeces húmedas, que posteriormente se encostran, o pápulas sobre todo en la cara y el cuero cabe-lludo con pelo. En el tronco y las extremidades suele observarse más raramente. El eccema produce prurito intenso y la piel rascada se infecta con frecuencia con bacterias, virus y hongos. Si no se cura el lactumen puede trasformarse en una neurodermitis.

La neurodermitis aparece sobre todo en la cara y los codos y produce (especialmente por la noche con el calor de la cama) eccema con picor fuerte; la piel se reseca y descama, apenas acumula agua y el manto ácido está deteriorado. Los niños afectados por neurodermitis tienen problemas de concentración, desequilibrios psicológicos y un bajón en los resultados escolares.

Un elevado grado de humedad en el ambiente, mucho polvo y el aire de las calefacciones empeoran los síntomas de esta enfermedad, mientras que el aire puro y tomar el sol pueden mejorarlos. La intensidad de la neurodermitis disminuye hasta que se alcanza la pubertad. Normalmente es menos aguda en los adultos.

• Prevención

Para prevenir alergias y neurodermitis lo más importante es tener un sistema inmunológico fuerte. Esto se consigue mediante una alimentación equilibrada así como el aporte de complementos a la dieta de origen natural con antioxidantes (véase el cuadro en la pág. 225). Las defensas también se fortalecen realizando ejercicio al aire libre de forma regular, llevando un ritmo de vida que incluya sufi-

Los aceites de baño con soja, manzanilla y aceite de romero alivian el prurito intenso que produce la neurodermitis.

cientes respiros y concediéndose periodos de descanso para recuperarse de la gran cantidad de estímulos recibidos. También resulta beneficioso para aliviar la neurodermitis tomar durante periodos prolongados preparados con aceite de onagra, pues este contiene muchos ácidos gama linoléicos, que son sustancias importantes para la protección de la piel.

• Tratamiento

Si sospecha que su hijo padece neurodermitis, acuda al médico para decidir cuál es el tratamiento que más le conviene y cuáles son las medidas que mejores resultados le pueden ofrecer.

Existe gran cantidad de tratamientos para aliviar las molestias producidas por la neurodermitis. A continuación le proponemos una serie de opciones para que pueda encontrar la que mejor resultado le puede proporcionar. La neurodermitis puede resultar muy molesta. También se pueden obtener consejos y apoyo, así como mucha información valiosa, acudiendo a las asociaciones de autoayuda de afectados de neurodermitis.

Aplicaciones terapéuticas

➤ Tome una dieta pobre en proteínas. Aunque no resulte fácil, también hay que renunciar a las chucherías. Con frecuencia, la neurodermitis se produce a raíz de alergias a alimentos, por eso es importante averiguar con la ayuda de su médico si hay algún alimento que le produce la enfermedad a su hijo para poder evitarlo.

➤ Vista a su hijo principalmente con prendas de algodón cien por cien de cultivo ecológico, que no lleve colorantes o almidones que puedan producir alergias. Es mejor lavar la ropa nueva antes de usarla por primera vez. No se puede usar ni lanas ni pieles, pues irritan la piel más aún.

➤ Use jabones sintéticos sin perfume con el pH ligeramente ácido para el cuidado de la piel. Aun así, usar el mínimo posible de jabón para evitar una irritación adicional de la piel.

➤ Para aliviar el picor intenso se pueden tomar baños con manzanilla y aceite de romero con una temperatura entre 34 y 36 ºC, que no durarán más de diez minutos para que la piel no sufra. Finalizado el baño, no secar la piel sino dejar que la película de aceite se seque sobre ella.

➤ También alivian los baños con leche o suero de leche, con té negro (1 l de té negro fuerte por bañera) o con decocción de paja de avena (hervir 100 g de paja de avena de la farmacia en 1 l de agua durante 15 minutos y luego usar el caldo colado para un baño de cuerpo entero).

➤ No tomar baños muy calientes, resulta más agradable ducharse con agua fresca. Para fortalecerse, resultan eficaces las humectaciones y afusiones con agua fría (pág. 248 y ss).

➤ Si el eccema es muy húmedo se puede preparar una decocción de corteza de roble (receta en la pág. 252) y aplicar el caldo en paños húmedos o envolturas.

➤ La tierra curativa aplicada directamente o en envolturas, los paños húmedos con té negro (empapar paños de hilo en té negro cargado) y los baños con agua salada (seguir las indicaciones del prospecto adjunto para una correcta dosificación) resultan de alivio en caso de eccemas muy húmedos.

Después de estos tratamientos se debe nutrir la piel con cremas base o emulsiones de aceite en agua sin principios activos. Si tiene la piel seca es recomendable usar cremas nutritivas y pomadas; en caso de piel húmeda y muy caliente, son más adecuados los productos húmedos.

➤ Realizar deporte al aire libre y pasar una temporada en la playa puede ayudar a curar la piel.

Preparados y remedios

No hay medicamentos que puedan curar una neurodermitis. Solo sirven para aliviar el picor. A continuación se presenta una selección de los remedios de autotratamiento más comunes.

Fitoterapia

➤ Las infusiones de hojas de pensamiento o de nogal ayudan a aliviar los síntomas (para la preparación y dosificación consúltese la pág. 264).

➤ Se han obtenido buenos resultados con un aceite corporal que disminuye el picor y cuida la piel en casos de neurodermitis. Para su preparación mezclar con una base de 30 ml de aceite de yoyoba y 70 ml de aceite de hipérico,

5 gotas de aceite de árbol del té
3 gotas de aceite de manzanilla
2 gotas de aceite de melisa
1 gota de aceite de rosa

Aplicar sobre el cuerpo esta mezcla de aceites con un ligero masaje una o dos veces al día.

➤ Si el eccema es seco y crónico resulta de ayuda la brea de abedul. Consulte al farmacéutico para que le aconseje un preparado.

➤ En caso de picor fuerte se pueden ingerir preparados de dulcamara.

Remedios de síntesis química

➤ Para el cuidado médico de la piel reseca se recomienda el uso de emulsiones, lociones o cremas con urea, ya que se trata de una sustancia muy hidratante.

Homeopatía

Las indicaciones sobre los efectos y la aplicación de los remedios homeopáticos se pueden consultar en la pág. 265 y ss. Los cuadros clínicos descritos a continuación están organizados por síntoma principal (**S**), estado anímico (**A**) y cambios que se producen (**C**):

➤ *Natrium tetraboracicum* D6 – pastillas: **S:** eccema del lactante, tendencia a problemas cutáneos con pus y a fisuras en la comisura de la boca; **A:** malhumorado, sensible a los ruidos, miedoso; **C:** empeora con el tiempo húmedo y frío.

➤ *Nerium oleander* D6, D12 – gotas: **S:** eccema húmedo con picor sobre todo en la zona de la cabeza (también en el conducto del oído); **A:** inquieto, irritable, padece insomnio.

➤ *Petroleum* D6, D12 – gotas: **S:** piel seca agrietada, con frecuencia sangrante, dolor con comezón; **A:** asustadizo, iracundo; **C:** empeora con el frío; mejora con el calor.

PSORIASIS

La psoriasis es una enfermedad no infecciosa de la piel relativamente frecuente que afecta a miles de personas. De repente aparecen manchas rojas sobre todo en los codos, las rodillas y el cuero cabelludo, que se cubren al poco tiempo con escamas que producen picor. A veces afecta a las uñas, que se engruesan y tiñen; además aproximadamente el 20% de los afectados padece molestias en las articulaciones (pág. 114). Esta enfermedad afecta mucho al ánimo de los pacientes por su manifestación poco agradable.

Se desconocen con precisión cuáles son las causas de esta enfermedad. Con frecuencia aparece en otoño o invierno o tras sufrir heridas en la piel, quemaduras producidas por el sol, una ingesta excesiva de alcohol o estrés psicológico. Se desarrolla en oleadas agudas que producen un empeoramiento notable en poco tiempo. Posteriormente aparece de forma crónica con síntomas menos acentuados que incluso llegan a desaparecer del todo en algunos casos.

● Tratamiento

La psoriasis solo puede curarse en casos contados. Resulta de ayuda tomar suficientes micronutrientes, en particular antioxidantes (pág. 225). Los tratamientos tienen como finalidad aliviar en la medida de lo posible los síntomas. Para ello el médico dispone de medicamentos modernos. Si desea obtener más consejos e información puede dirigirse también a una asociación de afectados.

● Aplicaciones terapéuticas

➤ Modificar los hábitos alimenticios y comer productos integrales acompañados de muchos alimentos crudos, así como reducir las proteínas animales, en particular, la carne de cerdo.

➤ Para aliviar los síntomas se puede tomar baños parciales de las extremidades afectadas (para la temperatura consultar el apartado de baños parciales en la pág. 245), realizar humectaciones con agua fría (pág. 249 y ss.), aplicar afusiones (pág. 249 y ss.) y envolturas (pág. 253 y ss.) y tomar saunas.

➤ Para eliminar las escamas resultan beneficiosos los baños de sal, azufre o jabón, así como los baños medicinales con aceites nutritivos, que con frecuencia también contienen brea (dosificar según el prospecto adjunto). Los baños con paja de avena y salvado, así como la aplicación de tierra curativa (pág. 257), alivian el picor.

➤ Es recomendable hacer mucho deporte al aire libre. A partir de marzo, pueden tomarse baños de sol de forma regular (consultar el recuadro "Tomar el sol sin arrepentirse", pág. 137).

● Preparados y remedios

En caso de que la enfermedad sea aguda, el médico tendrá que prescribirle medicamentos más fuertes. Si padece la enfermedad de forma crónica se pueden tomar los siguientes medicamentos como medida adicional.

Fitoterapia

➤ Para el fortalecimiento interno pueden ser eficaces los preparados de raíz de zarzaparrilla.
➤ En aplicación externa puede resultar beneficiosa la pomada de *Mahonia aquifolium*, ya que puede prevenir las inflamaciones.

Remedios de síntesis química

➤ Para eliminar las escamas son adecuadas las pomadas y cremas con ácido salicílico, urea y los preparados con brea.

NÓDULOS CUTÁNEOS

Los nódulos cutáneos son multiplicaciones de tejido o acumulaciones de células en la piel, que pueden partir de diferentes tejidos. Entre las deformaciones benignas de la piel están los lunares y los denominados fibromas y lipomas.

➤ Con frecuencia se observan en la piel lunares o manchas de nacimiento con diferentes formas y tonalidades, que están formadas por células pigmentosas. Estas manchas pueden encontrarse en el mismo plano que el resto de la piel o bien sobresalir de forma similar a las verrugas o tener pelos. Las manchas de nacimiento son benignas, aunque deben vigilarse con regularidad por si cambia su tamaño o su color.

➤ El crecimiento benigno de un bulto de tejido conjuntivo se llama fibroma. Puede ser de diferentes tamaños y se reconoce al tacto como un nudo de extensión limitada y duro.

➤ A partir de tejido adiposo se forman los lipomas. Son blandos, se pueden mover y son benignos.

➤ Los tumores malignos son el basalioma, el espinalioma y el melanoma maligno (cáncer negro). Este tipo de cáncer suele aparecer en zonas de la piel que ya han sido castigadas con anterioridad por frecuentes quemaduras producidas por el sol, o por un contacto regular con grandes cantidades de sustancias cancerígenas como el hollín, el alquitrán o la pez.

➤ El basalioma tiene el aspecto de un nudo duro y marrón que no produce dolor al contacto y aparece con mayor frecuencia en la cara. En su superficie puede dividirse del mismo modo que un tumor. Este tipo de cáncer no produce metástasis y puede eliminarse sin mayor problema mediante una intervención quirúrgica y posterior tratamiento con rayos.

➤ El espinalioma es un nudo duro de color marrón que no duele tampoco al contacto. Con el tiempo se convierte en un tumor con el borde muy duro. Es un tumor que suele aparecer cuando la piel está expuesta a la intemperie en condiciones extremas (navegantes, agricultores), sobre tejidos con cicatrices de quemaduras o lesiones debidas a irradiaciones, así como sobre la piel con inflamaciones crónicas. Los espinaliomas aparecen con frecuencia en la cara en la zona de los labios, la barbilla, alrededor de la boca y los ojos, en la lengua, en el pene y en los labios vaginales. Forman muy rápidamente metástasis y deben descubrirse a tiempo para ser adecuadamente tratados.

➤ El cáncer de piel negro (melanoma) es la enfermedad cutánea más maligna. Los primeros indicios de esta enfermedad son los lunares, manchas de nacimiento o verrugas que aumentan de forma repentina con un borde irregular, sangran ligeramente y pican o se humedecen. La aparición de este tipo de tumor ha aumentado con el incremento del culto al sol.

● **Tratamiento**

Para no padecer estas enfermedades hay que prevenir: evitar tomar el sol con frecuencia o protegerse de la radiación solar de forma adecuada (consúltese el recuadro "Tomar el sol sin arrepentirse", pág. 137). Si se quiere ir a lo seguro, se puede confeccionar un mapa de manchas del cuerpo o, todavía mejor, fotografiarse el cuerpo de forma regular. Así podrá comprobar si ha habido cambios en las manchas.

⊕ **Consultar al médico**

Si observa cambios en la piel que no puede explicar es imprescindible que acuda al médico inmediatamente. Solo él podrá comprobar si se trata de un nódulo de la piel benigno o maligno e iniciará el tratamiento adecuado.

PÉRDIDA DE CABELLO

Normalmente las personas perdemos al día de 30 a 100 cabellos, que vuelven a crecer de la misma raíz capilar. Solo al hacernos mayores disminuye la cantidad de cabello. Los hombres tienden a perder más cabellos en la zona limítrofe de la frente, lo que puede llevar a la calvicie. Con frecuencia queda una corona de cabellos en la parte trasera de la cabeza. Las mujeres suelen padecer de un aumento de la caída del cabello cuando se produce un cambio hormonal (tras un parto, en la menopausia), que se vuelve a regular por sí mismo.

Aparte de estas pérdidas de cabello naturales, existen otras formas, como la alopecia areata que se debe al estrés; se producen en diferentes partes del cuero cabelludo dejando zonas calvas redondas, que pueden crecer e incluso llevar a una calvicie completa, si bien también puede volver a crecer el cabello tras la recuperación.

● **Tratamiento**

En primer lugar hay que descubrir cuál es la posible causa de la pérdida de cabello. Algunas pueden solucionarse: puede tratarse de una intolerancia a un producto concreto para el cabello o una reacción del pelo a una aplicación excesiva de tintes o permanentes durante años.

Hay que lavarse la cabeza con cuidado y mantener un cuero cabelludo saludable. Un aporte equilibrado de vitaminas, minerales y micronutrientes (pág. 232 y ss.) es de ayuda y estimula el crecimiento normal de un pelo sano. Recele de los remedios que prometen milagros.

⊕ **Consultar al médico**

Si desconoce la causa que le produce una pérdida de cabello mayor de lo habitual acuda al médico para que le haga un tricograma, prueba mediante la que se recuentan y se estudian bajo el microscopio los cabellos caídos para saber más detalles sobre las posibles causas del problema.

También se puede acudir a asociaciones de afectados para obtener consejo y apoyo en casos graves.

● **Aplicaciones terapéuticas**

Todas las medidas que estimulen la circulación sanguínea del cuero cabelludo tienen efectos positivos sobre el crecimiento del cabello.

➤ Son adecuadas las afusiones (pág. 249 y ss.), caminar dentro del agua (pág. 251) o ducharse el cuero cabelludo por las mañanas y las noches alternando agua fría y caliente, terminar con agua fría y frotarse la cabeza con intensidad hasta que esté seco el cabello. No lavarse nunca el pelo con agua demasiado caliente.

➤ Se puede friccionar el cuero cabelludo a diario con jugo fresco de ortiga o abedul o con agua capilar de romero (de la farmacia).

➤ A veces, en las mujeres, se trata de falta de hierro, que puede compensarse mediante medicación. Siempre acertará si toma los nutrientes y los micronutrientes en forma de complementos alimenticios necesarios para que funcione correctamente el metabolismo. Son recomendables los preparados combinados de origen natural.

● Preparados y remedios

Se puede intentar combatir la caída de cabello con productos fitoterapéuticos u homeopáticos. Hay que tener paciencia y usar los medicamentos durante periodos de tiempo prolongados a modo de cura; los resultados no suelen obtenerse inmediatamente.

Fitoterapia

➤ Se recomienda tomar infusiones de ortiga o cola de caballo, pues ambas hierbas contienen mucho ácido silícico (para la preparación y dosificación consúltese la pág. 264).

➤ Las cápsulas de aceite de onagra estimulan el funcionamiento de las células del organismo.

Homeopatía

Las indicaciones sobre los efectos y la aplicación de los remedios homeopáticos se pueden consultar en la pág. 265 y ss. Los cuadros clínicos descritos a continuación están organizados por síntoma principal (**S**), estado anímico (**A**) y cambios que se producen (**C**):

➤ *Alumina* D6, D12, D30 – gotas: **S:** cuero cabelludo muy seco y descamado, picor con sensación de entumecimiento en el cuero cabelludo, sensibilidad al frío; **A:** miedoso, malhumorado, ansiedad.

➤ *Arsenicum album* D6, D12, D30 – pastillas: **S:** cuero cabelludo sensible, duele incluso al peinarse, picor y comezón especialmente por la noche, debilidad, mucho frío; **A:** inquietud, miedo.

➤ *Graphites* D6, D12, D30 – pastillas: **S:** picor intenso, húmedo, maloliente, escalofríos, con tendencia a sobrepeso, mucha descamación; **A:** flemático, triste, lloroso.

➤ *Phosphorus* D6, D12, D30 – gotas: **S:** gran agotamiento, caída de pelo a mechones que caben en la mano, cabello ralo, fino y brillante; **A:** nervioso, excitado, asustadizo.

➤ *Sulfur* D6, D12, D30 – pastillas: **S:** piel grasienta sucia, diferentes erupciones y defectos cutáneos en la cabeza, picor, comezón, no mejora al rascarse, cabello encrespado sin brillo; **A:** malhumorado, olvidadizo.

➤ *Thallium sulfuricum* D6, D12, D30 – pastillas: **S:** caída del cabello como consecuencia de dolores nerviosos.

El tratamiento de la alopecia areata es muy complicado y requiere experiencia y paciencia. Inténtelo con el siguiente remedio comprobado:

➤ *Acidum fluoricum* D6, D12, D30 – gotas: **S:** cuero cabelludo fino y como un pergamino, sudor ácido y maloliente, presión en las sienes; **A:** miedoso, inquieto, irritado; **C:** empeora con el calor.

Sales de Schüssler

Las indicaciones sobre los efectos y la aplicación de las sales de Schüssler se pueden consultar en la pág. 268 y ss.

➤ En general tomar el n.º 11: *Silicea* (dióxido de sílice) D12.

➤ En caso de pérdida de cabello formando calvas circulares en el cuero cabelludo tomar n.º 5: *Kalium phosphoricum* (fosfato de potasio) D6.

➤ En caso de pérdida de cabello tras vacunaciones o ingestión de medicamentos tomar n.º 4: *Kalium chloratum* (cloruro de potasio) D6.

Enfermedades de las vías urinarias

Las vías urinarias comprenden los riñones, los dos uréteres, que unen los riñones a la vejiga, la vejiga y la uretra. En este capítulo se comentan las molestias más frecuentes de este sistema orgánico.

Guía de las enfermedades de las vías urinarias

Si el problema que usted padece no aparece en este listado, puede consultar el índice de contenidos (pág. 280 y ss.).

● Prevención

Los riñones son unos órganos de alto rendimiento de nuestro organismo. Deben estar en buen funcionamiento para eliminar sustancias tóxicas y retener sustancias necesarias para la vida. Para que ofrezcan un buen funcionamiento durante toda la vida requieren un aporte suficiente de alimentos y micronutrientes, que se obtienen mediante una alimentación lo más natural posible con productos frescos de temporada y de la región en la que uno vive.

Es muy importante conocer la calidad del agua potable que se consume habitualmente. El agua del grifo no tiene por qué ser saludable. Según la zona, el agua contiene diferentes residuos (cobre, plomo, cal, arsénico, insecticidas, pesticidas, restos de medicamentos, etc.). Si no los filtra mediante un sistema adecuado será su riñón el que realice esta función.

Todos sabemos que hay que beber mucho. Pero, ¿cuáles son las bebidas recomendadas, y cuáles son prescindibles? ¿Cómo se puede conseguir agua limpia a buen precio en el hogar? Pregunte a un especialista en medicina preventiva para que le aconseje.

PROBLEMAS DURANTE LA MICCIÓN

Los problemas al orinar se deben a inflamaciones de la vejiga, a tener la vejiga irritable o, en el caso de los hombres, a una hiperplasia de la próstata.

Las mujeres tienen con frecuencia inflamaciones de vejiga. La causa se encuentra en la anatomía femenina, ya que la uretra es más corta que la de los hombres, por lo que las bacterias pueden alcanzar más fácilmente la vejiga y asentarse en la mucosa de este órgano. Este mecanismo suele producirse debido a un resfriado o a un enfriamiento causado por estar sentadas durante mucho tiempo sobre una superficie fría o simplemente por llevar ropa demasiado ligera. Las afectadas sienten (sobre todo por las noches) una necesidad frecuente de orinar y cuando lo hacen sienten escozor y pinchazos.

A pesar de orinar con frecuencia, de ahí el nombre de vejiga irritable, solo se eliminan pequeñas cantidades de orina, que con frecuencia es turbia. Si bien esta enfermedad no es grave en sí, deberá curarse lo más rápido posible para evitar tener una vejiga incontinente crónica o infecciones que sigan subiendo y que puedan afectar a los riñones.

● Prevención

Si padece infecciones de vejiga con frecuencia, debería tener en cuenta algunas medidas de precaución:

➤ Beba suficiente líquido, al menos dos o tres litros al día. De este modo, la vejiga se limpia bien y resulta más difícil el anidamiento de las bacterias en la uretra o la vejiga.

➤ No aguante demasiado si tiene ganas de orinar. Tener la vejiga excesivamente llena disminuye la capacidad de defensa contra las bacterias.

➤ Evite sentarse sobre piedras frías o el suelo. Cámbiese la ropa mojada después de tomar el baño y póngase ropa seca aunque esté tomando el sol.

● Tratamiento

El tratamiento consiste, en primer lugar, en limpiar la vejiga para arrastrar las bacterias de las vías urinarias. Para ello es especialmente indicado tomar agua filtrada y por lo tanto libre de sustancias nocivas (consúltese también el capítulo "Alimentación sana" en la pág. 222 y ss.), agua mineral de calidad y zumos lo más ácidos posibles o infusiones de hierbas medicinales.

El agua es el elixir de la vida. Es recomendable beber entre dos y tres litros al día, preferentemente de agua sin gas o infusiones de hierbas medicinales. De este modo se limpian bien los riñones y la vejiga y las bacterias no tendrán la posibilidad de anidar en la uretra y la vejiga.

Consultar al médico

Será imprescindible acudir a la consulta del médico si las molestias no mejoran en tres o cuatro días, si aparece sangre en la orina, si resulta muy doloroso orinar, o si tiene fiebre y empieza a sentir dolores en la zona de los riñones.

• Aplicaciones

➤ La aplicación de calor produce gran alivio cuando se tienen dolores e irritación. Se pueden tomar pediluvios con temperatura ascendente (pág. 246) y baños de asiento (pág. 248), y aplicar envolturas de flores de manzanilla o heno (pág. 254 y ss.) o paños húmedos y calientes (pág. 257 y ss.) sobre el bajo vientre. Mantener bien caliente la parte inferior del cuerpo. Quizás también mejoren las molestias con una sauna.

➤ Las molestias de vejiga pueden disminuir si se come todos los días al menos una cucharada de pepitas de calabaza; saben bien mezcladas con el muesli, en ensaladas o solas.

• Preparados y remedios

En caso de contraer una infección de las vías urinarias, se pueden tomar medicamentos fitoterapéuticos y de síntesis química como complemento al tratamiento a base de antibióticos prescrito por el médico o con el fin de prevenir recaídas. La cistitis se puede tratar sobre todo en la fase inicial con remedios naturales que ayudan a eliminar las bacterias.

Fitoterapia

Hay preparados fitoterapéuticos que no solo sirven para el lavado de la vejiga, sino que también son ligeramente desinfectantes. Se utiliza principalmente la cola de caballo, la gayuba, el abedul, la ortiga, el vaso de oro, la capuchina, la gatuña y el enebro (no tomar preparados de enebro durante el embarazo).

➤ La forma más adecuada de tomar las hierbas medicinales es en infusión, ya que de este modo se bebe a la vez la cantidad de líquido necesario (para la preparación y dosificación consúltese la pág. 264). Los preparados de extractos en forma de pastillas o gotas deben tomarse con suficiente líquido. Hay que beber mucho en general, hasta dos litros al día.

➤ Estas mezclas de hierbas medicinales son recomendables en caso de infección de las vías urinarias:

25 partes de hojas de abedul
45 partes de gayuba
30 partes de raíz de regaliz
o también:
20 partes de hojas de abedul
20 partes de agróstide
20 partes de vara de oro
20 partes de raíz de gatuña
20 partes de raíz de regaliz

Consultar las indicaciones para la preparación y dosificación en la pág. 264.

➤ Cuando se padece de vejiga irritable se siente dolor y retortijones al orinar. Con frecuencia también se producen pequeñas pérdidas de orina indeseadas. Para estos casos es recomendable el uso de remedios fitoterapéuticos como las pepitas de calabaza, que estimulan el metabolismo de la musculatura de la vejiga, el kava-kava (pimienta intoxicante) y el lúpulo, por el componente equilibrante del ánimo que contienen, el vaso de oro, porque relaja los espasmos musculares, así como el hipérico, por su efecto relajante. Los preparados listos para usar (de la farmacia o la herboristería) con cola de caballo y hojas de gayuba estimulan la limpieza de la vejiga y tienen efecto bactericida.

Medicamentos de síntesis química

➤ Los medicamentos de síntesis química con compuestos de sodio y potasio, metionina o nicotinamida actúan del mismo modo que los preparados fitoterapéuticos, es decir, estimulan la limpieza y tienen un efecto desinfectante en caso de inflamación de la vejiga.

➤ Para automedicarse en caso de vejiga irritable, son adecuados los medicamentos con sustancias antiespasmódicas, como la butil escopolamina o el flavoxato, que relajan el sistema nervioso vegetativo, tienen efecto antiespasmódico y reducen la estimulación del esfínter de la vejiga. Pida al farmacéutico que le recomiende el preparado correspondiente.

Homeopatía

Las indicaciones sobre los efectos y la aplicación de los remedios homeopáticos se pueden consultar en la pág. 265 y ss. Los cuadros clínicos descritos a continuación están organizados por síntoma principal (**S**), estado anímico (**A**) y cambios que se producen (**C**):

➤ *Dulcamara* D2, D3, D4 – pastillas: **S:** dolor en la uretra al orinar, en caso de vejiga irritable crónica, orina turbia, como consecuencia de tiempo frío, por haberse mojado; **C:** mejora con el calor.

➤ *Thuja occidentalis* D3, D4, D6 – gotas: **S:** necesidad de orinar, sensación al orinar como si quedara algún resto en la uretra, goteo largo tras orinar, pérdidas de orina, escalofríos, sudores intensos en la cabeza y el cuello; **C:** empeora con la humedad y el frío; mejora con el calor.

Sales de Schüssler

Las indicaciones sobre los efectos y la aplicación de las sales de Schüssler se pueden consultar en la pág. 268 y ss.

➤ Con las primeras molestias tomar una pastilla cada pocos minutos de n.º 1: *Calcium fluoratum* (fluoruro cálcico) D12; en caso de dolores fuertes tomar cada pocos minutos y de forma alterna una pastilla del n.º 1 y el n.º 3: *Ferrum phosphoricum* (fosfato de hierro) D12.

MOLESTIAS DE PRÓSTATA

Casi todo hombre padece en la edad avanzada un aumento de la próstata. Este órgano se encuentra debajo de la vejiga y rodea de forma anular la uretra; su función es producir una secreción que aumenta la movilidad de los espermatozoides. A partir de los 40 años, la próstata empieza a aumentar de tamaño debido a cambios hormonales. Esto puede conllevar problemas, pues al aumentar la próstata estrangula la uretra, dificultando la salida de la orina que hay en la vejiga. La consecuencia es una ralentización de la micción; a veces la orina solo llega a salir de gota en gota. Si el aumento de tamaño de la próstata es considerable, puede resultar casi imposible orinar y se origina un reflujo en la vejiga.

La persona afectada tiene la sensación desagradable de no haber vaciado la vejiga o de una necesidad permanente de orinar. El reflujo, por otro lado, aumenta el riesgo de infección.

El aumento de próstata tiene tres fases:

➤ fase 1ª: dificultad al orinar, disminución de la presión del chorro de orina y necesidad de orinar por las noches;

➤ fase 2ª: dolores cuando se necesita orinar; retención de orina, pérdidas en forma de gotas;

➤ fase 3ª: vejiga saturada (pérdidas), bloqueo de la orina, daño en los riñones debido al reflujo.

● Tratamiento

Hay que acudir siempre al médico para comprobar si las molestias se deben realmente a un aumento de la próstata y, de ser así, en qué fase se encuentra. Este es el único modo de poder iniciar un tratamiento eficaz. En las primeras fases, los medicamentos pueden aliviar las molestias. En un estadio más avanzado, a veces la única solución es una intervención quirúrgica para eliminar el tejido que ha crecido en exceso y eliminar las complicaciones. Consulte a un médico especialista sobre los métodos quirúrgicos menos invasivos.

● Aplicaciones terapéuticas

➤ En las fases tempranas de un aumento de próstata se puede conseguir alivio mediante aplicaciones de hidroterapia, como los pediluvios con temperatura ascendente (pág. 246) o los baños de asiento o de medio cuerpo (pág. 245, 247), con aditivos para el baño a base de manzanilla, flores de heno o cola de caballo.

➤ Como antiespasmódico y calmante sirven las aplicaciones de peloides y flores de heno en la zona de la vejiga (pág. 257 y ss.).

➤ Es importante procurar siempre vaciar la vejiga de forma regular y completa.

● Preparados y remedios

Un tratamiento médico mediante la administración de preparados fitoterapéuticos o de síntesis química solo es posible en las fases iniciales, mientras no haya todavía daños en la vejiga o los riñones. En algunos casos, los preparados con hormonas pueden ser de ayuda. Actualmente hay medicamentos más tolerables que relajan la próstata (los denominados bloqueadores de receptores alfa). Requieren prescripción facultativa.

Fitoterapia

➤ Hay muchos remedios fitoterapéuticos eficaces para la próstata a base de pepitas de calabaza, frutos de *Serenoa repens*, raíces de ortiga o polen de flores. Consiguen frenar la hiperplasia de la próstata evitando un empeoramiento de los síntomas que acompañan a este proceso, incluso consiguiendo una mejoría considerable. También pueden llegar a eliminarse en muchos casos los problemas y dolores al orinar, la formación de orina residual y la necesidad constante de orinar. Estos preparados deben tomarse a modo de cura durante un periodo de tiempo largo. Lo positivo es que apenas muestran efectos secundarios, por lo que también pueden tomarse a modo de profilaxis.

➤ Si aumenta a la vez la tendencia a una inflamación de la próstata por retención de orina residual y reflujo también son recomendables los extractos de vaso de oro y equinácea. El extracto de equinácea ayuda a fortalecer las defensas.

Remedios de síntesis química

➤ Para las molestias de próstata se aplica la beta sitosterina. Se trata de un principio activo que se ha aislado originalmente de plantas y cuyos efectos son similares a los de las plantas medicinales mencionadas.

Homeopatía

Las indicaciones sobre los efectos y la aplicación de los remedios homeopáticos se pueden consultar en la pág. 265 y ss. Los cuadros clínicos descritos a continuación están organizados por síntoma principal (**S**), estado anímico (**A**) y cambios que se producen (**C**):

➤ *Thuja occidentalis* D3, D4, D6 – gotas: **S:** necesidad de orinar, sensación al orinar como si quedase algún resto en la uretra, goteo largo tras orinar, pérdidas de orina, escalofríos, sudores intensos en la cabeza y el cuello; **C:** el estado empeora con la humedad y el frío; mejora con el calor.

Sales de Schüssler

Las indicaciones sobre los efectos y la aplicación de las sales de Schüssler se pueden consultar en la pág. 268 y ss.

➤ En la fase inicial junto con otros tratamientos tomar con frecuencia n.º 3: *Ferrum phosphoricum* (fosfato de hierro) D12, pasados tres días tomar además n.º 4: *Kalium chloratum* (cloruro de potasio) D6.

INCONTINENCIA URINARIA

La incontinencia es la incapacidad de contener la orina de forma voluntaria. A veces la persona afectada ya no puede decidir el lugar y el momento en que va a orinar, y en ocasiones también puede ocurrir lo mismo con la defecación. La incontinencia sigue siendo un tema del que no se habla y, sin embargo, afecta aproximadamente entre el 15 y el 20% de la población mayor de 60 años. Hay diferentes formas de incontinencia y cada una tiene sus propias causas.

➤ La incontinencia al realizar esfuerzos (afecta sobre todo a mujeres) produce ligeras pérdidas involuntarias de orina al reír, toser, estornudar o levantar objetos pesados, porque el músculo de la vejiga no trabaja correctamente La causa es un debilitamiento de la musculatura de la base del suelo pélvico que suele darse a medida que uno se hace mayor o después de haber dado a luz.

➤ En el caso de la incontinencia de urgencia, se produce una hiperactividad del músculo de la vejiga debido a inflamaciones en las vías urinarias o a factores psíquicos.

➤ La incontinencia por rebosamiento suele afectar principalmente a los hombres que padecen de un aumento del tamaño de la próstata, pues cuando la vejiga está demasiado llena y la musculatura de la vejiga demasiado tensa se pierde algo de orina de forma involuntaria.

• Tratamiento

Antes de tomar medidas por iniciativa propia hay que acudir al médico para que, tras una exploración, averigüe las causas de la dolencia, aplique un tratamiento en la medida de lo posible y le aconseje sobre cómo hacer más llevaderas las molestias producidas por este trastorno.

También se puede obtener consejo y ayuda en las asociaciones de afectados. Para evitar la debilidad de la vejiga, que es como también se denomina a la incontinencia debida al estrés, lo más conveniente es aplicar medidas preventivas de forma razonable y constante (consultar el recuadro en la pág. 150). Con frecuencia se pueden mejorar visiblemente las molestias mediante gimnasia.

Los ejercicios para fortalecer el suelo pélvico previenen la incontinencia urinaria. Uno de los ejercicios es el siguiente: acostado sobre la espalda, apoyar los pies y los brazos en el suelo, apretar los glúteos y elevar las nalgas. Mantener en tensión 10 segundos los glúteos y los abdominales y volver a la posición de inicio. Repetir cinco veces.

● Aplicaciones terapéuticas

➤ Todo aquello que supone un sobreesfuerzo para la pelvis produce incontinencia y debería por lo tanto evitarse. También hay que evitar los movimientos abruptos. Para levantar un objeto pesado póngase en cuclillas y levántelo lo más cerca posible del tronco.

➤ La práctica regular de ejercicios de gimnasia específicos para el suelo pélvico (véase la pág. 149) resulta una buena forma de evitar problemas en el futuro, y es muy importante sobre todo tras un parto. Estos ejercicios pueden aprenderse en cursos específicos de gimnasia así como también en las consultas de fisioterapia (se pueden prescribir).

➤ Procure llevar una alimentación sana y rica en fibra para tener digestiones ligeras, pues el estreñimiento y las ventosidades pueden afectar negativamente a la vejiga y el suelo pélvico. Por la misma razón hay que reducir el sobrepeso y evitar los estimulantes innecesarios, entre los que están el té y el café y, sobre

Consejo

Prevenir la debilidad de la vejiga

La debilidad de la vejiga, que afecta sobre todo a las mujeres, también es un problema de nuestra forma de vida: aumenta tras el sobreesfuerzo que supone el embarazo y el parto, así como debido al sobrepeso y a una vida sedentaria. Pero se puede prevenir el debilitamiento del suelo pélvico si se siguen los siguientes consejos:

➤ Asegúrese de que su alimentación sea equilibrada (comida variada) para evitar el sobrepeso y regular la digestión. Además de los carbohidratos, reduzca sobre todo el consumo de grasas, dé preferencia a las ensaladas, las legumbres, los frutos del bosque y los productos obtenidos de los cereales.

➤ La hidroterapias, las afusiones (pág. 249 y ss.) o las sesiones de sauna, estimula la circulación sanguínea.

➤ Realice ejercicio físico, de este modo también se consumen calorías. Algunas actividades físicas que son beneficiosas para el reforzamiento del suelo pélvico son montar en bicicleta, nadar, practicar marcha, el ballet, la esgrima, montar a caballo y hacer gimnasia.

➤ Llevar a los niños pequeños en brazos o subir la caja de botellas de agua del coche al tercer piso son cargas demasiado pesadas para una mujer si además se realizan sin aplicar unas técnicas posturales. Hay que mover las cargas siempre lo más cerca posible del cuerpo y levantar los objetos pesados por norma flexionando las rodillas. Además, si se acostumbra a mantener una postura erguida disminuirá las cargas ejercidas sobre la columna y el suelo pélvico.

➤ Si ha percibido que se queda sin aliento al cargar cajas, tenga en cuenta que la respiración está muy relacionada con cargar el suelo pélvico. Acostúmbrese a respirar también con el abdomen y no solo con la caja torácica. Cuando levante un objeto pesado suelte siempre el aire para evitar una presión excesiva sobre el suelo pélvico.

➤ La norma fundamental para prevenir las molestias es realizar ejercicio antes de que aparezcan los problemas y de forma regular, a ser posible cada día y durante bastante tiempo.

todo, el tabaco. Es importante curarse bien los resfriados, pues toser con frecuencia afecta al tejido conjuntivo del suelo pélvico, que es fundamental para el buen funcionamiento de los mecanismos de sujeción y oclusión.

➤ Al igual que se procura que los niños (pág. 152) mantengan un ritmo cotidiano constante, con frecuencia resulta de ayuda hacer lo mismo, es decir, intentar eliminar la orina de forma regular, ingerir líquidos de forma ordenada (a ser posible no beber nada por la noche) y observar con exactitud los propios reflejos y las señales.

• Preparados y remedios

Si padece incontinencia, pidaconsejo en una tienda de productos sanitarios sobre los artículos que puedan resultarle útiles. También pueden ayudar los siguientes preparados.

Fitoterapia

➤ Son recomendables para aliviar los espasmos y las tensiones los extractos de vaso de oro, hipérico y serena. En el apartado "Problemas al orinar" (pág. 144 y ss.) encontrará más remedios adecuados.

Homeopatía

Las indicaciones sobre los efectos y la aplicación de los remedios homeopáticos se pueden consultar en la pág. 265 y ss. Los cuadros clínicos descritos a continuación están organizados por síntoma principal (**S**), estado anímico (**A**) y cambios que se producen (**C**):

➤ *Causticum* D4, D6, D12 – gotas: **S:** incontinencia urinaria al toser y estornudar, durante el sueño; **C:** empeora cuando el aire está seco; mejora con tiempo húmedo.

➤ *Hyoscyamus niger* D6, D12, D30 – gotas/pastillas: **S:** incontinencia urinaria y fecal, tos espasmódica nocturna, espasmos musculares; **A:** agitación, alucinaciones, locuacidad; **C:** el estado empeora al beber, comer y hablar.

➤ *Plantago major tintura madre* D1, D2 – gotas: **S:** pérdidas nocturnas en la cama, dolores de dientes y muelas y de cabeza.

➤ Pulsatilla D6, D12, D30 – gotas: **S:** urgencia de orinar con pérdidas involuntarias; sensación de frío; **A:** lloroso, tímido; **C:** empeora con el calor exterior; mejora con el ejercicio.

Sales de Schüssler

Las indicaciones sobre los efectos y la aplicación de las sales de Schüssler se pueden consultar en la pág. 268 y ss.

➤ n.º 5: *Kalium phosphoricum* (fosfato de potasio) D6 también alternando con n.º 1: *Calcium fluoratum* (fluoruro cálcico) D12.

Información

Elementos de ayuda en caso de incontinencia urinaria

➤ Utilizar compresas con gran capacidad de absorción con núcleo reforzado de celulosa, protectores y absorbentes de uso único resulta higiénico, seguro, limpio y evita los olores; además, protegen la ropa y la piel evitando que se inflame tanto. El olor desagradable a orina se anula mediante una composición química.

➤ Las mujeres con la musculatura del suelo pélvico debilitada pueden pedir al médico que les adapte un pesario especial. En casos más leves es suficiente el uso de tampones especiales o de conos ejercitantes de la musculatura interna.

➤ Para los hombres con incontinencia de goteo existen bolsas colectoras de orina que se adaptan al muslo, donde se recoge la orina conducida hasta allí. Con la ayuda de calzoncillos especiales se garantiza una sujeción segura. También existen sistemas del mismo tipo, con recogida en bolsitas, para las mujeres.

➤ Los protectores de cama permiten dormir con tranquilidad si la incontinencia es fuerte.

ENURESIS Y ENURESIS NOCTURNA

Si un niño cumplidos los cinco años sigue teniendo con frecuencia micciones nocturnas o le cuesta también aguantar lo suficiente la micción durante el día, es posible que padezca una inflamación de la vejiga o que tenga una malformación en la región de los riñones y la vejiga. Por otro lado, también puede deberse a factores psicológicos, tales como interrupciones del ritmo diario, miedos o tensiones.

• Prevención

Para los niños es muy importante llevar un ritmo de vida ordenado. La repetición de los rituales al levantarse, durante las comidas o al irse a dormir transmite la sensación de seguridad y procura una referencia temporal. Aplicar un programa de ejercicios adaptado al ritmo diario del niño puede ayudar a resolver este problema.

• Tratamiento

En primer lugar, deberá acudir al médico para que compruebe si se trata de un problema orgánico, que deberá ser tratado correspondientemente. La enuresis nocturna o la debilidad de la vejiga por causas psicológicas resulta un incordio para los padres pero tampoco supone un drama familiar. La mejor manera de ayudar a su hijo es con empatía y comprensión. Dedíquele mucho tiempo y atención, evite reñirle y castigarle y procure que la cuestión del "pantalón mojado " no se convierta en el tema principal de cada día. Si las causas son más complejas puede resultar necesario acudir a una terapia psicológica.

• Aplicaciones terapéuticas

Estos sencillos consejos puede ser con frecuencia de ayuda:

Los niños necesitan rituales y una rutina diaria ordenada para desarrollarse de forma saludable. Eso también incluye, por ejemplo, la comida en compañía de la familia en un horario determinado.

➤ Elimine en la medida de lo posible cualquier factor del entorno que pueda repercutir en la incontinencia, como un cuarto de baño de difícil acceso, ropa que resulte complicada de quitarse, o iluminación insuficiente en el baño y en el camino hacia el mismo.

➤ Procure llevar un ritmo diario regular con horarios predeterminados para cada cosa.

➤ Reduzca la cantidad de líquido por la tarde.

➤ La hora de la cena en común debería ser una hora antes de la hora de ir a la cama para que al niño le dé tiempo a ir antes al baño.

➤ Pruebe la hidroterapia, por las noches prepare al niño baños de asiento (pág. 247) con corteza de roble, y por las mañanas practíquele lavados con agua fría (pág. 248 y ss.) en la espalda.

➤ Hacer deporte de forma regular así como otras actividades físicas como jugar y alborotar al aire libre ayuda a eliminar las tensiones.

● Preparados y remedios

Si la causa de la enuresis de su hijo es de tipo psicológico y la aplicación de los consejos no ha obtenido los efectos deseados puede usar durante un periodo breve preparados fitoterapéuticos como tratamiento de apoyo.

Fitoterapia

➤ Si a su hijo le resulta difícil concentrarse y le cuesta tranquilizarse por las noches resultan relajantes los preparados listos para usar o las infusiones con hipérico, kava-kava (pimienta intoxicante), lúpulo o vara de oro (para la preparación y dosificación de la infusión consúltese la pág. 264).

Homeopatía

Las indicaciones sobre los efectos y la aplicación de los remedios homeopáticos se pueden consultar en la pág. 265 y ss. Los cuadros clínicos descritos a continuación están organizados por síntoma principal (**S**), estado anímico (**A**) y cambios que se producen (**C**):

Consejo

Pautas para ir al baño

Un método sencillo que se puede aplicar a niños que también padecen enuresis diurna es seguir unas pautas para ir al baño. Se trata de indicar al niño que vaya al baño en momentos concretos del día:

➤ por las mañanas nada más levantarse,

➤ 30 minutos después de cada comida,

➤ entre comidas,

➤ justo antes de irse a dormir.

➤ Póngale al niño pañales por la noche si lo considera necesario.

➤ *Hyoscyamus niger* D6, D12, D30 – gotas/pastillas: **S:** incontinencia urinaria, además también incontinencia de heces, tos espasmódica nocturna, espasmos musculares; **A:** agitación, alucinaciones, locuacidad; **C:** el estado empeora al beber, comer y hablar.

➤ *Pulsatilla* D6, D 12, D30 – gotas: **S:** urgencia de orinar con pérdidas involuntarias por la noche, al andar y toser; **A:** lloroso, tímido; **C:** empeora con el calor; mejora con el ejercicio.

Sales de Schüssler

Las indicaciones sobre los efectos y la aplicación de las sales de Schüssler se pueden consultar en la pág. 268 y ss.

➤ En caso de debilidad del esfínter de la vejiga (y en caso de defecación involuntaria), tomar n.º 5: *Kalium phosphoricum* (fosfato de potasio) D6.

➤ n.º 3: *Ferrum phosphoricum* (fosfato de hierro) D12, de forma alternativa tomar n.º 10: *Natrium sulfuricum* (sulfato de sodio) D6 .

➤ En caso de fragilidad nerviosa tomar n.º 2: *Calcium phosphoricum* (fosfato de calcio) D6.

Problemas ginecológicos

Los problemas más frecuentes relacionados con el aparato sexual femenino son los flujos vaginales, los trastornos menstruales y los trastornos de la menopausia. En este capítulo se explica cómo prevenir y tratar estos problemas.

FLUJO VAGINAL

La secreción vaginal es ligeramente ácida debido a las bacterias del ácido lácteo que contiene y su función es la prevención de inflamaciones. Cuando la secreción vaginal es mayor y más prolongada o blanquecina se habla de flujo vaginal. Un aumento de la secreción es normal durante el embarazo así como poco antes del periodo y una vez finalizado. El aspecto de la secreción permite conocer a qué

● Prevención

El organismo femenino depende de forma especial de un funcionamiento conjunto en armonía de todos los procesos metabólicos del organismo. Para que todos estos procesos puedan tener lugar sin obstáculos es imprescindible un aporte óptimo de micronutrientes. Hay que tener en cuenta que la píldora anticonceptiva disminuye la asimilación de muchos micronutrientes. Si la toma necesitará tomar más micronutrientes. Del mismo modo, el embarazo, el tiempo de lactancia y la menopausia son periodos en la vida en que se requiere un aporte óptimo de micronutrientes. Los dolores y el malestar relacionados con la menstruación pueden resolverse con frecuencia y convertirse en un simple recuerdo del pasado si se consigue un aporte suficiente de micronutrientes por medio de la alimentación y los complementos alimenticios adecuados (pág. 232 y ss.).

Para poder afrontar como mujer de forma óptima cada época de la vida es importante redescubrir conocimientos ancestrales y aplicar los conocimientos modernos. Para obtener ayuda acuda al médico especialista en medicina preventiva.

se debe: si el flujo es blanquecino y no aparecen otros síntomas se trata normalmente de un trastorno hormonal con una disminución de la actividad de los ovarios. El flujo amarillo blanquecino, sin olor particular o con un olor leve a levadura y una consistencia granulosa, picor y escozor en la entrada de la vagina y enrojecimiento o inflamación indica que se trata de una infección por hongos.

• Prevención

Si padece una infección de hongos recurrente hay que plantearse un cambio de dieta permanente. Una dieta especial antihongos es una medida adicional razonable para el tratamiento local de los hongos. Se trata de prescindir casi absolutamente del azúcar en los alimentos, ya que es un buen caldo de cultivo para los hongos. Será una dieta rica en fibra que incluya verdura fresca, diferentes tipos de ensaladas, requesón batido, queso, yogur, carne y pescado, y prescinda de alimentos ricos en hidratos de carbono como el pan, la pasta y las patatas, que se borrarán por un tiempo del menú.

Los vaqueros ajustados, la ropa interior y las medias de fibras sintéticas crean un clima cálido y pobre en oxígeno, ideal para el cultivo de hongos. Por eso es más conveniente vestir ropa holgada y cómoda de fibras naturales.

La higiene diaria es necesaria; sin embargo un exceso de higiene puede destruir el equilibrio normal de las defensas que el cuerpo tiene para prevenir las infecciones. Lavarse o ducharse cada día es suficiente, se puede prescindir de los nebulizadores íntimos o de bañarse todo el cuerpo con frecuencia.

Una alimentación rica en proteínas con productos lácteos como el requesón batido y el yogur ayuda a prevenir las infecciones por hongos.

• Tratamiento

Antes de autotratarse es conveniente acudir al médico para determinar de qué tipo de flujo vaginal se trata en su caso y cuál es su causa. A partir de ese momento ya podrá intentar un tratamiento siguiendo los siguientes consejos.

 Consultar al médico

Si tras tres días de tratamiento no hay mejoría acuda al médico. No es recomendable automedicarse si está embarazada, ya que puede haber otros motivos que causen los síntomas. Si aparte de las molestias típicas de una infección por hongos en la vagina tiene fiebre, escalofríos, dolores en el bajo vientre, molestias al orinar o malestar deberá ir inmediatamente al médico para excluir otras enfermedades adicionales.

• Aplicaciones terapéuticas

➤ La hidroterapia se puede aplicar tomando baños sentada (pág. 247) con el agua a una temperatura de 37 °C y añadiendo extractos de manzanilla, salvia o milenrama. Lo más sencillo es comprar los extractos ya listos para usar.

• Preparados y remedios

La aparición de flujo vaginal suele diferir según la mujer. Si se siente molesta por ello y está excluida la posibilidad de que se trate del síntoma de una enfermedad grave, puede usar los siguientes medicamentos.

Fitoterapia

➤ Las curas mediante infusiones pueden ayudar en caso de flujo vaginal. Beba durante cuatro semanas seguidas todos los días varias tazas de infusión de la siguiente mezcla de hierbas:

1/3 de milenrama
1/3 de ortiga menor
1/3 de alquimila

Verter 3/4 l de agua hirviendo sobre 2 cucharas soperas de la mezcla y dejar reposar durante 10 minutos, a continuación colar. Beber la infusión a lo largo del día.

Remedios de síntesis química

Si ya ha tenido alguna experiencia con infecciones por hongos seguramente lo reconocerá enseguida y podrá empezar automedicándose.
➤ Para su tratamiento son apropiados los preparados con el principio activo clotrimazol. Se pueden obtener en forma de pastillas o cremas vaginales. Las pastillas solo son adecuadas para las mujeres que tienen una zona vaginal lo suficientemente húmeda porque en caso contrario no se disuelven. La aplicación de la crema resulta más sencilla, pues lleva un aplicador que se introduce en la vagina.

Homeopatía

Las indicaciones sobre los efectos y la aplicación de los remedios homeopáticos se pueden consultar en la pág. 265 y ss. Los cuadros clínicos descritos a continuación están organizados por síntoma principal (**S**), estado anímico (**A**) y cambios que se producen (**C**):
➤ *Ferrum metallicum* D3, D4, D6 – pastillas: **S:** fluido vaginal lechoso, acuoso, irritante, con frecuencia menstruación adelantada, de color rojo pálido, más fuerte o más larga de lo habitual, cara pálida o enrojecida, gran debilidad, pies fríos, sed, reuma; **A:** abatida, aprensiva; **C:** empeora con la tranquilidad; mejora al realizar ejercicio.
➤ *Kreosotum* D6, D 12 – pastillas/gotas: **S:** fluido vaginal irritante maloliente, picor en la vagina, ardor durante la micción, sangrado del periodo irregular y doloroso, granos, forúnculos; **A:** depresiva, desesperada; **C:** empeora con el frío y la calma.
➤ *Pulsatilla* D3, D4, D6 – gotas: **S:** fluido vaginal denso y lechoso, menstruación demasiado floja o retrasada, retortijones, sensación de frío y los pies fríos; **A:** depresión, llorosidad; **C:** mejora si recibe consuelo y haciendo ejercicio al aire libre; empeora con el calor.

Lo que resulta de ayuda y lo que perjudica en caso de flujos vaginales

Al tratar los problemas de flujo vaginal puede interferirse en el sensible equilibrio de la zona íntima. Por ello sea, por principio, reticente respecto al uso de cosméticos. Del mismo modo, tenga en cuenta lo siguiente a la hora de la aplicación de medicamentos de síntesis química así como de remedios alternativos:

➤ Prescinda, en general, de los enjuagues vaginales, pues pueden arrastrar bacterias muy útiles.

➤ Tampoco es recomendable la aplicación local de yogur, ya que aparte de los ácidos lácteos deseados también puede contener otros gérmenes que pueden resultar patógenos.

➤ Si el flujo vaginal se debe a una infección por hongos, esto también implica tomar precauciones durante las relaciones sexuales por la posibilidad de infección. Por lo tanto, si se está tratando una infección causada por hongos, su pareja también deberá aplicarse el mismo medicamento en forma de crema. Aunque no tenga síntomas visibles, su pareja puede volver a contagiarle los hongos al tener contacto sexual con él, evitando así que su tratamiento pueda obtener resultados. Comente esto con su pareja.

Sales de Schüssler

Las indicaciones sobre los efectos y la aplicación de las sales de Schüssler se pueden consultar en la pág. 268 y ss.

➤ En caso de flujo neutro, pegajoso y blanco tomar n.º 4: *Kalium chloratum* (cloruro de potasio) D6.

➤ En caso de flujo de olor fuerte o flujo muy líquido tomar n.º 8: *Natrium chloratum* (cloruro de sodio "sal común") D6.

➤ En caso de flujo con picor, acuoso y de olor fuerte tomar n.º 11: *Silicea* (dióxido de sílice) D12.

➤ En caso de flujo blanco, la mejoría más rápida se obtiene con las sales del n.º 2: *Calcium phosphoricum* (fosfato de calcio) D6.

➤ En caso de personas jóvenes, tomar n.º 3: *Ferrum phosphoricum* (fosfato de hierro) D12.

DOLORES DE LA MENSTRUACIÓN (DISMENORREA)

La mayoría de las mujeres padecen dolores antes o durante la menstruación. Los dolores leves y pulsantes son la expresión del periodo menstrual y no suponen nada extraño: la matriz se contrae y elimina la mucosa que no se requiere para que anide el óvulo.

Pero a veces la regla deja de ser tan regular o se producen trastornos antes de que empiece. Durante el denominado síndrome premenstrual (SPM) muchas mujeres padecen un aumento en el tamaño de los senos, sensación de tensión y dolores, aumento de peso por retención de líquidos en el tejido, dolores en la zona lumbar, dolores intensos de cabeza y desequilibrios emocionales.

Casi la mitad de las mujeres, con frecuencia muchas chicas jóvenes, se quejan de dolores muy intensos no normales durante la menstruación que a veces interfieren durante unos días en su vida laboral. Los dolores de la menstruación pueden deberse a interrupciones en el ritmo de vida (vacaciones), al estrés, a inflamaciones, a tumores benignos en el útero (miomas), a la aparición y crecimiento del tejido que cubre el útero en otras zonas (endometriosis) o por llevar un DIU. Con frecuencia tampoco hay una causa evidente. Se cree que durante el sangrado se segregan más sustancias transmisoras del dolor, que conllevan una contracción de la musculatura de la matriz.

● Prevención

Aplicando medidas dietéticas puede conseguirse con frecuencia una mejoría a largo plazo. La ingesta adicional de complementos alimenticios (pág. 232 y ss.) puede disminuir la producción de sustancias transmisoras del dolor, disminuyendo de este modo el dolor.

● Tratamiento

Con frecuencia, el simple hecho de aceptar las cosas inevitables ya suele ser de ayuda. Intente aceptar su menstruación y adáptese a ella. Si padece con regularidad dolores durante el periodo organícese de tal modo que pueda disfrutar de momentos de descanso a lo largo de esos días y así sentirá los dolores con menos intensidad. Intente también esos días llevar una vida saludable y natural y a ser posible evite fumar. Estar mucho al aire libre y realizar una actividad física suave incluso unos días anteriores a la menstruación le hará estar más resistente.

No lleve durante la menstruación ropa demasiado estrecha que le estrangule el abdomen ya que esto produce un aumento de los dolores.

⊕ **Consultar al médico**

Si los dolores son normalmente de tal intensidad que le impide sus actividades cotidianas ni atender su obligaciones laborales, o si surgen irregularidades en el periodo, debería acudir al médico, que seguramente le prescribirá un tratamiento hormonal. Al tomar la píldora muchas mujeres consiguen volver a equilibrar sus hormonas.

Si los dolores se deben a problemas emocionales, puede resultar de ayuda acudir a una asociación de afectados o efectuar un tratamiento psicoterapéutico.

● **Aplicaciones terapéuticas**

➤ Pruebe la hidroterapia: tome pediluvios con temperatura ascendente (pág. 246), antes de la menstruación tome baños de asiento con temperatura ascendente (pág. 248). Tienen efecto calmante los baños de medio cuerpo y cuerpo entero (pág. 245, 248) con extracto de melisa o con fango y los baños de asiento con manzanilla o milenrama (para preparar en casa aditivos de baño, consultar la pág. 252; también se pueden comprar productos listos para usar).

➤ La aplicación de calor produce alivio en caso de dolores y espasmos. Se puede usar una bolsa de agua caliente colocada sobre el bajo vientre, saquitos o envolturas calientes (pág. 254 y ss.) con fango o flores de heno.

➤ Un efecto similar se obtiene realizando un ligero masaje circular en el bajo vientre con aceite de hipérico. Si además se sienten dolores tirantes en la espalda masajear también la zona lumbar.

➤ Aplicar acupresura en los siguientes puntos produce alivio: Ren 4 Guanyuan, MP 6 Sanyinjiao, Le 3 Taichong, Di 4 Hegu.

Para encontrar los puntos y realizar correctamente la acupresura consulte las tablas y figuras de la pág. 276 y ss.

● **Preparados y remedios**

Si a pesar de llevar una alimentación equilibrada y tomar de forma razonable complementos dietéticos padece dolores y espasmos tan fuertes que no puede concentrarse en las tareas cotidianas debería iniciar una terapia con uno de los remedios siguientes.

Fitoterapia

➤ Tomar infusiones de argentina anserina, flores de manzanilla o milenrama lo más caliente que se pueda alivia los dolores espasmódicos (para la preparación y dosificación consultar la pág. 264).

➤ Como alternativa a tomar hormonas se puede usar la fitoterapia (tomando infusiones o preparados listos para usar) de sauzgatillo, que regula de forma suave la interacción de las hormonas. Si se toman a lo largo de un tiempo se obtienen beneficios en el síndrome premenstrual.

➤ La inestabilidad psíquica puede volverse a equilibrar tomando hipérico, valeriana o melisa. Use preparados listos para usar de la farmacia, pues en ellos los principios activos tienen una dosificación suficientemente elevada.

➤ Los preparados de aceite de onagra y aceite de pescado contienen ácidos grasos insaturados y pueden tener efectos beneficiosos y aliviar los dolores.

Remedios de síntesis química

➤ En los preparados de síntesis química para los dolores de menstruación se combinan en muchos casos los analgésicos ácido acetilsalicílico, ibuprofeno o paracetamol con la sustancia antiespasmódica butil bromuro escopolamina.

Homeopatía

Las indicaciones sobre los efectos y la aplicación de los remedios homeopáticos se pueden consultar en la pág. 265 y ss. Los cuadros clínicos descritos a continuación están organizados por síntoma principal (**S**), estado anímico (**A**) y cambios que se producen (**C**):

➤ *Aristolochia* D12 – pastillas: **S**: amenorrea, flujo vaginal, sensación frecuente de frío, dia-

El sauzgatillo regula la producción de hormonas femeninas de una forma suave y natural.

rrea, dolor de vejiga, dolor punzante e irritante de las articulaciones, estancamiento de la sangre en las venas, eccemas; **A:** depresión, decaimiento general; **C:** mejora al eliminar líquido (menstruación), al realizar ejercicio, al aire libre y con la aplicación local de calor.
➤ *China* D2, D3, D4 – pastillas: **S:** menstruación con sangrado fuerte, oscuro con coágulos, gran debilidad tras la menstruación, ventosidades, gran sensibilidad al contacto y todos los estímulos sensoriales; **A:** desánimo; **C:** empeora al comer y con el frío; mejora con el calor.
➤ *Pulsatilla* D3, D4, D6 (D30) – gotas: **S:** menstruación con retraso, muy irregular o amenorrea, débil, flujo de olor neutro, sensación de mucho frío, pies fríos; **A:** desasosiego, depresión, llorosa; **C:** empeora con el reposo y el calor (a pesar de tener frío); mejora con ejercicio al aire libre y cuando recibe consuelo.
➤ *Atropa belladonna* D3, D4, D6 – pastillas: **S:** sangrado del periodo adelantado, intenso y con

mal olor, retortijones en el bajo vientre con sensación de presión que se extiende hacia abajo, cabeza muy caliente, pies fríos; **A:** hipersensibilidad en todos los sentidos, de-sasosiego, los dolores aparecen y desaparecen de repente; **C:** empeoramiento con el frío y las alteraciones.
➤ *Chamomilla* D2, D3, D4, D6 – gotas: **S:** dolor intenso en el bajo vientre como un cólico, sangrado de la menstruación oscuro con coágulos; **A:** nerviosismo, impaciencia; **C:** empeoramiento con calor, por la tarde y la noche; sin embargo el dolor del cólico puede mejorar con calor.
➤ *Cimicifuga* D3, D4, D6 – gotas: **S:** dolor espasmódico de menstruación que se expande hacia abajo, dolor que se extiende por la espalda de un lado a otro, periodo irregular; **A:** mujeres depresivas (con tendencia a la migraña); **C:** mejora con el ejercicio.
➤ *Viburnum opulus* D1, D2, D3 – gotas: **S:** menstruación adelantada o demasiado fuerte, dolores espasmódicos y de cabeza, dolor de espalda que se extiende de un lado a otro; **A:** gran nerviosismo e intranquilidad; **C:** mejora haciendo ejercicio y al aire libre.

Sales de Schüssler

Las indicaciones sobre los efectos y la aplicación de las sales de Schüssler se pueden consultar en la pág. 268 y ss.
➤ En caso de sangrado nocturno intenso tomar n.º 9: *Natrium phosphoricum* (fosfato de sodio) D6, de forma alternativa n.º 3: *Ferrum phosphoricum* (fosfato de hierro) D12.
➤ Si el sangrado se alarga demasiado, n.º 3: *Ferrum phosphoricum* (fosfato de hierro) D12.
➤ Si no llega el periodo tras una enfermedad o un gran esfuerzo tomar n.º 5: *Kalium phosphoricum* (fosfato de potasio) D6 en combinación con n.º 3: *Ferrum phosphoricum* (fosfato de hierro) D12.
➤ En caso de menstruación irregular con malestar y mareos tomar n.º 7: *Magnesium*

phosphoricum (fosfato de magnesio) D6 y n.º 11: *Silicea* (dióxido de sílice) D12.

➤ Si el sangrado es doloroso con retortijones tomar n.º 7: *Magnesium phosphoricum* (fosfato de magnesio) D6, en caliente (pág. 269); empezar tres-cinco días antes de la menstruación.

TRASTORNOS DE LA MENOPAUSIA

Entre los 40 y los 55 años los ovarios van disminuyendo poco a poco la producción de hormonas (estrógenos, gestágenos). La menstruación va disminuyendo hasta dejar de producirse. Esta fase se denomina menopausia o climaterio. Cada mujer percibe este cambio de la producción de hormonas de manera diferente. Alrededor de una quinta parte de las mujeres no percibe la menopausia, una tercera parte siente oleadas de calor sin otras molestias típicas del climaterio, mientras que el resto de las mujeres se quejan de otros trastornos durante este periodo de cambio.

Entre las molestias típicas se encuentran la sudoración repentina, las palpitaciones (pág. 38 y ss.), los mareos (pág. 168 y ss.), el insomnio (pág. 175 y ss.), la pérdida de la líbido, la sequedad de la piel y las mucosas, la incontinencia urinaria, neurastenia (pág. 178 y ss.) y desequilibrios anímicos. En esta fase, las mujeres tienen riesgo de infarto. Además, debido a la disminución de la protección que ofrecen las hormonas, puede iniciarse la osteoporosis.

• Prevención

Tome suficientes micronutrientes. Para ello son recomendables los preparados combinados de origen natural. En la pág. 222 y ss. encontrará más información sobre una alimentación sana y los complementos dietéticos.

• Tratamiento

Conseguir una disposición positiva hacia los cambios inevitables que se producen en el cuerpo en esta nueva etapa en la vida supone un buen comienzo y la mejor forma de prevención.

Además, la mayoría de las molestias de la menopausia son manejables. Entre las medidas de apoyo están la hidroterapia, las terapias de relajación y respiración y diferentes medicamentos.

⊕ Consultar al médico

En esta fase de la vida es importante acudir con regularidad a la consulta del médico para reconocer a tiempo la aparición de enfermedades de los órganos y poder atajarlas.

• Aplicaciones terapéuticas

➤ Caminar dentro del agua (pág. 251), baños de medio cuerpo y de asiento de breve duración (pág. 245, 247), baños con fricciones (pág. 251) así como baños de cuerpo entero (pág. 248) añadiéndoles preparados de sal, fango o flores de heno.

➤ Las terapias de relajación y respiración mejoran el bienestar y el equilibrio interior. Infórmese de los cursos en su municipio o en un gimnasio con terapeutas cualificados. Además encontrará libros de iniciación de estas técnicas en cualquier librería.

• Preparados y remedios

Hay diversos preparados fitoterapéuticos para tomar que pueden hacer más llevaderos los síntomas desagradables que acompañan al periodo de la menopausia.

Fitoterapia

➤ Aparte de la terapia a base de hormonas que le haya prescrito el médico, también se pueden equilibrar las variaciones de las hormonas propias del cuerpo con la ayuda de los principios activos fitoterapéuticos de sauzgatillo y cimicífuga, consiguiendo de este modo influir en los síntomas que acompañan a la menopausia. Los preparados listos para usar disponibles resultan muy tolerables.

➤ El hipérico tiene efecto estabilizador de la psique, mientras que la melisa y la pasionaria pueden ayudar en caso de insomnio (consúltese también la pág. 175 y ss.).

➤ Los preparados de ginseng, onagra o polen de flores también mejoran el tono general.

➤ Las curas con infusiones mezclando hipérico, melisa, lavanda y granadilla a partes iguales (relajante y equilibrante) o con salvia (en caso de sudores) suelen agradar mucho (para su preparación consúltese la pág. 264).

Remedios de síntesis química

➤ En muchos casos se realiza una terapia mediante el apoyo de hormonas que debe ser controlada por el ginecólogo. Las molestias propias de la menopausia y la pérdida de masa ósea pueden mejorar de esta manera.

Homeopatía

Las indicaciones sobre los efectos y la aplicación de los remedios homeopáticos se pueden consultar en la pág. 265 y ss. Los cuadros clínicos descritos a continuación están organizados por síntoma principal (**S**), estado anímico (**A**) y cambios que se producen (**C**):

➤ *Aristolochia* D12 – pastillas: **S:** sudores nocturnos, sensación general de escalofrío, dolor punzante irritante de las articulaciones; **A:** decaimiento durante semanas y llorosidad; **C:** mejora al volver la menstruación, al realizar ejercicio y estar al aire libre.

➤ *Cimicifuga* D3, D4, D6 – gotas: **S:** depresión del climaterio, desesperación, decaimiento, inquietud, cambios frecuentes entre molestias psicológicas y físicas, tendencia a la migraña; **C:** empeora con el tiempo húmedo.

➤ *Lachesis* D6, D12 – pastillas: **S:** oleadas de calor con sudores y sensación de desazón; **A:** locuacidad, depresión, envidia, no soporta la ropa ajustada; **C:** empeora al dormir y con calor; mejora con el ejercicio.

➤ *Pulsatilla* D3, D4, D6 – gotas: **S:** menstruación con faltas, irregular, oleadas de calor y depresión cuando falta la menstruación, escalofríos; **A:** desasosiego, desesperación, llorosidad; **C:** empeora con la calma y el calor (a pesar de tener frío); mejora haciendo ejercicio al aire libre y cuando recibe consuelo.

➤ *Sepia* D3, D4, D6, D12 – pastillas: **S:** depresión y oleadas de calor, presión del útero hacia abajo, empeoramiento en fase premenstrual, cabeza muy caliente, pies fríos, por las mañanas todo está peor; **A:** indiferencia, depresión; **C:** empeora en habitaciones calientes con el aire irrespirable y con mucha gente; mejora al hacer ejercicio y al aire libre.

Sales de Schüssler

Las indicaciones sobre los efectos y la aplicación de las sales de Schüssler se pueden consultar en la pág. 268 y ss.

➤ Plan para la menopausia: antes del desayuno, tomar n.º 5: *Kalium phosphoricum* (fosfato de potasio) D6, por la mañana n.º 10: *Natrium sulfuricum* (sulfato de sodio) D6, antes de acostarse, n.º 11: *Silicea* (dióxido de sílice) D12; tomar cinco pastillas de cada sal, disolverlas en agua caliente y tomar a sorbos.

➤ En caso de sequedad de los labios vaginales usar n.º 8: *Natrium chloratum* (cloruro de sodio "sal común") D6 por dentro y por fuera.

Afecciones del sistema nervioso

El sistema nervioso es una construcción muy compleja que controla la recepción, la transmisión y el procesamiento de información. Cada célula participante se comunica con su "célula vecina" mediante sustancias mensajeras. El cerebro representa la central y los nervios transmiten los mensajes, que son procesados en los órganos. Las deficiencias de esta unidad tienen efectos de diferentes niveles sobre el cerebro, la memoria, los músculos y el aparato locomotor, así como sobre todos los órganos internos.

Guía de las afecciones del sistema nervioso

• Prevención

Un metabolismo perfecto de las células nerviosas es la base para que el sistema nervioso pueda funcionar correctamente. Del mismo modo que el motor de un vehículo solo funciona sin problemas si tiene aceite y combustible, el organismo humano requiere un número de diferentes micronutrientes. Precisamente para el sistema nervioso resulta imprescindible un aporte óptimo de micronutrientes. Cambiar la alimentación y tomar a ser posible mucha fruta y verdura de temporada recién recolectada en la región y de agricultura ecológica supone una contribución importante a su salud. También resulta beneficioso un aporte de micronutrientes de apoyo de origen natural (pág. 232 y ss.).

Muchos trastornos del sistema nervioso se producen por un tipo de vida muy ajetreado. Por ello, planifique para cada día momentos de relax.

En teoría, todos estos fundamentos son sabidos por todo el mundo, pero hay tantas personas enganchadas a sus hábitos que no son capaces de cambiarlos por sí solos. Con la ayuda de un médico especializado en medicina preventiva podrá desarrollar nuevas vías hacia un cambio de vida.

DOLORES DE CABEZA Y MIGRAÑA

Aproximadamente el 80% de todas las mujeres y el 50% de los hombres sufren al menos de vez en cuando dolores de cabeza, y del 5 al 10% de la población los padece de forma continua. Puesto que esto no es una enfermedad sino un síntoma, puede tener múltiples causas, comenzando por un exceso de cansancio, hambre y susceptibilidad a los cambios climáticos así como tensión baja o problemas de vista. Pero los dolores de cabeza también acompañan con frecuencia a otras enfermedades orgánicas, resfriados o inflamaciones dentales y pueden producirse por tensiones musculares o trastornos de los vasos sanguíneos. A veces también nos zumba la cabeza simplemente porque tenemos demasiadas preocupaciones: un exceso de exigencias en la profesión, conflictos en la vida personal, etc. Sin embargo, en muchos casos no es posible saber la causa de los dolores.

Hay diferentes tipos de dolor de cabeza. Por un lado está el dolor de cabeza con tensión, con dolores sordos que se sienten como una presión desde fuera, y por otro está la migraña, con episodios de dolor muy intenso que van acompañados de malestar, náuseas y fotofobia.

Los dolores de cabeza de tipo migraña suelen estar localizados en un lado de la cabeza y pueden durar de cuatro horas a cuatro días. Los afectados suelen sentir poco antes del ataque lo que se denomina un aura, lo que supone trastornos de la vista, un hormigueo o una sensación de insensibilidad en brazos y piernas.

• Prevención

Las personas que sufran con frecuencia dolor de cabeza deberían preguntarse por las causas psicosomáticas que lo producen y cambiar de forma de vida si es posible. Con frecuencia resulta de ayuda llevar una vida sana con un aporte de los micronutrientes necesarios, así como suficiente sueño y descanso. Pasee con frecuencia al aire libre y haga deporte. Prescinda de fumar y beba el mínimo alcohol posible. Se ha descubierto que tras tomar chocolate, queso o vino tinto, las personas con tendencia a la migraña suelen padecer ataques. Aquellas personas que padezcan migraña con frecuencia no deberían tomar estos alimentos.

• Tratamiento

Si los dolores de cabeza tienen una causa conocida, como una resaca, un resfriado o sensibilidad a los cambios de tiempo, los puede tratar uno mismo.

⊕ Consultar al médico

Si los dolores de cabeza surgen con mucha frecuencia, duran más de tres días, se intensifican de forma repentina y van acompañados de náuseas, fiebre o rigidez en la nuca, debería acudir al médico.

Las personas que realizan un trabajo estresante en oficinas y pasan muchas horas delante del ordenador no deben extrañarse si padecen dolor de cabeza. En estos casos hay que replantearse el estilo de vida, intentar hacer mucho ejercicio al aire libre y concederse suficientes periodos de descanso para desconectar y relajarse.

Aplicaciones terapéuticas

➤ Masajee las sienes, la frente y la nuca con un par de gotas de aceite de menta concentrado. También producen alivio el aceite de romero, el aceite de clavo y la esencia de melisa.

➤ Se consigue mejoría aplicando sobre la frente y la nuca un paño húmedo tras haberlo dejado unos minutos en el congelador o envolturas frías con requesón batido (pág. 256).

➤ Una migraña incipiente puede cortarse mediante una ducha larga de agua caliente. Aplíquese el chorro caliente haciendo círculos entre la nuca y el inicio del cuero cabelludo.

➤ El dolor de cabeza matutino se debe con frecuencia a tener la tensión baja. Practicar

Información

¿Qué riesgos encierran los analgésicos?

El dolor de cabeza es, con el dental, el más desagradable y puede verdaderamente dejar a uno fuera de juego. Tomarse una pastilla parece ser en esos casos la tabla de salvación. Pero ¿es también razonable?

Es evidente que no se debe tomar analgésico con asiduidad, ya que ello puede dañar a otros órganos, sobre todo los riñones. En muchos casos, sin embargo, mejora la circulación del cerebro después de tomarse un analgésico de modo que los dolores de cabeza desaparecen al poco rato, lo que para el afectado supone una especie de pequeño milagro. No obstante, hay que ser prudente con el uso de analgésicos, sobre todo si se padece con frecuencia dolores de cabeza, pues si se toman durante demasiado tiempo y a dosis demasiado elevadas puede alterarse la regulación propia de la circulación sanguínea de tal modo que sean los propios analgésicos los que produzcan el dolor de cabeza.

con regularidad carrera ligera pone en marcha la circulación y con un poco de constancia se consigue una mejoría.

➤ También el café fuerte (expreso o moka) estimula la circulación sanguínea del cerebro y puede aliviar con frecuencia el dolor de cabeza, si bien no es recomendable tras haber tomado alcohol, cuando el estómago ya está irritado.

➤ Cuando el dolor de cabeza está causado por tensiones en los hombros y la nuca ayudan las compresas calientes con semillas de lino o puré de patata aplicadas en la nuca (pág. 257).

➤ Interrumpa a tiempo los trabajos que le produzcan tensiones intercalando descansos. De este modo prevendrá agarrotamientos persistentes. Hágase masajes en las sienes.

➤ También se recomienda aplicar maniluvios con temperatura ascendente (pág. 244), afusiones de agua caliente y fría alterna (pág. 250) o afusiones con agua fría en la cara. Para ello, desenrosque el cabezal de la ducha y mantenga el chorro de agua fría desde abajo dirigido a la cara inclinada hacia delante y muévalo durante cinco minutos formando un círculo alrededor de la nariz, los ojos y la boca.

➤ Aplicar acupresura en los siguientes puntos produce alivio:

Ma 44 Neiting

SJ 5 Waiguan

Le 3 Taichong

Para encontrar los puntos y realizar correctamente la acupresura consulte las tablas y figuras en la pág. 276 y ss.

Preparados y remedios

Si ha agotado las posibilidades para prevenir los dolores de cabeza, no hay nada que contravenga la administración puntual de un analgésico.

Fitoterapia

➤ Aplicar unas gotas de aceite de menta en las sienes resulta refrescante y alivia el dolor. Compruebe que se trata realmente de aceite de menta piperina y no del aceite de menta más barato y menos eficaz.

Remedios de síntesis química
➤ Los preparados de administración oral contienen ácido acetilsalicílico, ergotamina, paracetamol, fenazona e ibuprofeno.

Homeopatía
Las indicaciones sobre los efectos y la aplicación de los remedios homeopáticos se pueden consultar en la pág. 265 y ss. Los cuadros clínicos descritos a continuación están organizados por síntoma principal (**S**), estado anímico (**A**) y cambios que se producen (**C**):

Remedios contra el dolor de cabeza:
➤ *Atropa belladonna* D4, D6 – pastillas: **S:** dolores pulsantes, cara muy caliente y enrojecida; **A:** hipersensibilidad a la luz y los ruidos; **C:** empeora al realizar ejercicio, con los movimientos bruscos, al levantarse, al acostarse y al inclinarse hacia delante; mejora al inclinarse hacia atrás y presionando los puntos doloridos.
➤ *Calcium phosphoricum* D4, D6, D12 (D30) – pastillas: **S:** dolor de cabeza que padecen niños en edad escolar, desmejorados, que se agotan con rapidez tanto mental como físicamente, dolores de cabeza tras realizar esfuerzos intelectuales o físicos; **C:** empeora al inclinarse hacia delante y hacer ejercicio; mejora al comer.
➤ *Gelsemium sempervirens* D4, D6, D12 – gotas: **S:** dolor de cabeza con problemas de vista y mareo; los dolores se expanden desde la nuca a lo largo de la cabeza hasta la frente y los ojos; **A:** obnubilación, somnolencia; **C:** empeora con el calor, el sol, el ejercicio, el miedo, los sobresaltos, el acaloramiento.
➤ *Glonoinum* D4, D6 – gotas: **S:** dolor de cabeza intenso y pulsante, con la cabeza muy roja (como si tuviera una insolación); **A:** temeroso, nervioso, acalorado; **C:** empeora con

el calor, el alcohol, el ejercicio y reclinando la cabeza hacia atrás; mejora al aire libre.
➤ *Nux vomica* D4, D6, D12 (D30) – pastillas: **S:** dolor de cabeza matutino, con malestar, sobre todo tras haber tomado alcohol; náuseas, dolor de estómago, hipersensibilidad a los estímulos externos **A:** vivaz, persona irritable, con una forma de vida frecuentemente estresante y sedentaria, carácter pendenciero, deseoso de tomar sustancias estimulantes (alcohol, tabaco y café), abuso de medicamentos; **C:** empeora al aire libre, tras dormir largo tiempo, al comer, a la luz, cuando hay ruido, cuando hay tiempo soleado; mejora en una habitación caliente, con tranquilidad y durmiendo espacios breves.

Remedios que ayudan en caso de migraña:
➤ *Cimicifuga* D3, D4, D6 (D30) – gotas: **S:** dolores intensos de cabeza (como si fuera a "estallar") en caso de mujeres con depresión y mujeres durante el climaterio, cambios frecuentes entre molestias psicológicas y físicas, con frecuencia tensión muscular en la zona entre los hombros y las cervicales; **A:** desesperación, miedo; **C:** empeora al aire libre y con frío.
➤ *Cyclamen* D3, D4 (D12, D30) – gotas: **S:** dolor de cabeza pulsante con centelleo que afecta a mujeres, con frecuencia menstruación adelantada o demasiado fuerte, deseo de calor; **A:** alicaimiento; **C:** mejora con el ejercicio.
➤ *Digitalis purpurea* D3, D4 – gotas: **S:** ataques de migraña frecuentes con visión de colores y malestar, insomnio; **A:** depresión; **C:** empeora con calor, sol, al realizar ejercicio, con los sobresaltos y el acaloramiento; mejora con la micción abundante.
➤ *Iris versicolor* D4, D6 – gotas: **S:** migraña con malestar, diarrea; dolores en la frente y las sienes que aparecen cuando uno se relaja; **A:** depresivo, desesperado.
➤ *Sanguinaria canadensis* D4, D6, D12 – gotas: **S:** migraña matutina que empeora a mediodía y mejora por la noche, mareos, zumbido en el

oído; **A:** temeroso, irritable, desorientado; **C:** peor al realizar ejercicio y en estado de calma.

Sales de Schüssler

Las indicaciones sobre los efectos y la aplicación de las sales de Schüssler se pueden consultar en la pág. 268 y ss.

➤ Para combatir la migraña: tomar de 2 a 6 semanas dos pastillas a lo largo del día de las siguientes sales: n.º 5: *Kalium phosphoricum* (fosfato de potasio) D6, n.º 7: *Magnesium phosphoricum* (fosfato de magnesio) D6 y n.º 8: *Natrium chloratum* (cloruro de sodio "sal común") D6.

➤ Como remedio básico para todos los dolores, tomar n.º 7: *Magnesium phosphoricum* (fosfato de magnesio) D6, en caliente.

➤ En el caso de dolor de cabeza de niños en edad escolar, n.º 2: *Calcium phosphoricum* (fosfato de calcio) D6.

NEURALGIAS

Las neuralgias surgen en la zona de irradiación de un nervio sin que se encuentre una causa directa. Se producen de repente dolores desgarradores. Las neuralgias pueden ser el aviso de una inflamación de nervios y aparecen durante o tras enfermedades inflamatorias, en caso de excrecencias de tejidos y formación de cicatrices, o bien pueden ser la expresión de una sobrecarga anímica o una depresión. A veces los ataques de dolor se desencadenan por el frío, la presión o ciertos movimientos.

En el caso de la neuralgia de trigémino, los dolores se irradian por la mandíbula superior e inferior. Otros puntos donde puede aparecer dolor neurálgico son el nervio occipital, los nervios intercostales y los nervios del cuello (braquialgia) que producen dolores en el hombro y los brazos. En el caso de la isquialgia, los dolores y la irritación se producen en la zona del nervio ciático y se irradian desde la zona lumbar hasta la parte posterior del muslo llegando a la corva. Estos dolores (lumbago) pueden producirse de repente tras haber realizado un mal movimiento o por levantar cargas en una postura inadecuada.

● Prevención

Para prevenir, lo mejor es garantizar el aporte de suficientes micronutrientes. Sobre todo han dado buen resultado los preparados de vitaminas de origen natural con una elevada proporción de antioxidantes (pág. 225).

● Tratamiento

Los dolores en sí ya obligan al afectado a permanecer tranquilo y en calma. En la mayoría de los casos también alivian las aplicaciones de calor por medio de paños, baños o masajes para producir calor y estimular la circulación sanguínea; más raramente ayudan los tratamientos con frío. Si un nervio se ha "enganchado", a veces puede desaparecer igual de rápido que ha llegado mediante una manipulación adecuada realizada por el quiropráctico. En caso de dolores neurálgicos, las terapias contra el dolor, en especial la acupuntura (ambas aplicadas por un experto), así como la acupresura a modo de autotratamiento (pág. 273 y ss.), han dado resultados probados. En muchos casos no se puede evitar la administración de analgésicos.

⊕ Consultar al médico

Si padece de neuralgias intensas sobre todo en la cabeza, la cara y la zona lumbar, es imprescindible que acuda al médico, pues una dilación innecesaria del tratamiento adecuado puede producir daños irreparables. Además, a veces los dolores son tan insoportables que necesitará medicamentos con prescripción médica.

● Aplicaciones terapéuticas

➤ Para las aplicaciones de calor son especialmente adecuadas las flores de heno, el fango, el lodo o las patatas (pág. 257 y s.). También alivian los masajes suaves y circulares sobre las zonas doloridas con aceite de hipérico, hinojo o menta piperina.

➤ Pruebe la siguiente mezcla de aceites con efecto calmante, es especialmente adecuada para la cara en caso de neuralgia de trigémino: mezclar 5 gotas de aceite de lavanda y cajeput y una gota de aceite de melisa y rosa con 50 ml de aceite de hipérico. Masajear con suavidad las zonas doloridas.

➤ Procure tomar suficientes vitaminas del grupo B (consultar a este respecto el capítulo "Aporte de micronutrientes y complementos alimenticios", pág. 232 y ss.).

➤ Aplicar acupresura en el siguiente punto produce alivio:

Di 4 Hegu.

Para encontrar los puntos y realizar correctamente la acupresura consulte las tablas y figuras en la pág. 276 y ss.

● Preparados y remedios

Las neuralgias resultan insufribles, sobre todo si duran mucho. Los masajes y las pastillas pueden aliviar.

Fitoterapia

➤ El raponchigo no solo resulta eficaz en el caso de dolores articulares sino también en el caso de neuralgias. En la farmacia se pueden obtener preparados listos para usar adecuados para administración por vía oral o aplicación externa.

Y si quiere añadir un remedio adicional a este tratamiento, tome tres tazas de té de raponchigo (pág. 264). Tómese el té durante un periodo breve hasta que hayan mejorado los dolores.

➤ Otros preparados fitoterapéuticos listos para usar contienen corteza de sauce y ulmaria.

Remedios de síntesis química

➤ Las fricciones que producen calor o las compresas curativas (en particular en el caso de la ciática) contienen sustancias estimulantes de la circulación sanguínea, como por ejemplo veneno de abeja. De forma similar al principio activo de la ortiga, el veneno de la abeja produce un estímulo curativo antiinflamatorio sobre el nervio afectado.

➤ Aparte de los analgésicos habituales, también resultan muy eficaces los preparados con una elevada proporción de vitaminas del grupo B. Suelen combinarse con analgésicos.

Consejo

Evitar el lumbago

Si alguien ha padecido alguna vez lumbago es comprensible que quiera evitar que se repita.

➤ Para ello hay que procurar alimentarse de forma equilibrada con productos integrales y ricos en vitaminas. El cereal integral es uno de los alimentos que más vitamina B1 aportan. Es mejor prescindir del alcohol, puesto que puede tener efectos dañinos para los nervios.

➤ Entre la gama de hidroterapias existente, se recomiendan los baños de medio cuerpo con temperatura ascendente (pág. 245) así como los baños de inmersión (pág. 248) con aditivos de acículas de pino, flores de heno y azufre (en preparados listos para usar, dosificar según el prospecto adjunto). Todas estas terapias tienen efectos positivos para los nervios y ayudan también a conseguir un mejor funcionamiento del sistema nervioso.

➤ Realice ligeros ejercicios en el agua caliente, por ejemplo contraer y estirar las piernas, o dibujar círculos moviendo la articulación de los tobillos.

MAREOS

Con frecuencia, los mareos son la señal de un trastorno del órgano del equilibrio en el oído. Se distinguen básicamente tres tipos. Se denomina mareo fisiológico a una sensación de mareo duradera con malestar que se produce al realizar movimientos no habituales (como el mareo durante los viajes o al viajar en barco, pág. 81). El presíncope es una sensación de mareo repentino e indefinido. Puede producirse por problemas de la regulación cardiaca o de la tensión arterial, lo que ocasiona trastornos de circulación sanguínea y de alimentación en el cerebro. El mareo por desequilibrio se produce al juntarse problemas del órgano del equilibrio y otros órganos (ojos, músculos, tendones y articulaciones) con los que coordinamos nuestros movimientos en un espacio.

También puede ser motivo de mareos la falta de micronutrientes, la tensión baja, la enfermedad de Menière (daños en el oído interno), la arterioesclerosis, una bajada de azúcar, daños en la columna cervical, falta de oxígeno y enfermedades de los ojos o los nervios.

● Tratamiento

Si el mareo dura varios días es imprescindible acudir al médico, pues en primer lugar deberá encontrarse la causa que lo produce.

● Aplicaciones terapéuticas

➤ Si se han excluido las causas orgánicas puede resultar de ayuda colocar compresas frías o calientes (pág. 257) sobre la nuca. Asimismo suelen aliviar pasajeramente el mareo los masajes en la nuca y la parte posterior de la cabeza.
➤ Si el mareo se debe a un viaje, se pueden usar preparados de polvo de jengibre o medicamentos adecuados a ese fin (consultar el recuadro en la pág. 81).

● Preparados y remedios

Los remedios fitoterapéuticos dan muy buenos resultados, en particular cuando los mareos se deben a problemas circulatorios. Lo más adecuado son los preparados listos para usar de la farmacia.

Fitoterapia

➤ Si ya es algo mayor y padece mareos con frecuencia le ayudará posiblemente tomar un preparado de extracto de ginkgo.
➤ Para tratar los mareos producidos por problemas circulatorios son adecuados los preparados fitoterapéuticos de alcanfor, combalaria, muérdago, romero y espino majuelo.

Remedios de síntesis química

Si la causa del mareo ha sido aclarada por el médico y se ha demostrado que se debe a una presión sanguínea demasiado baja pueden usarse los siguientes principios activos.
➤ Si padece de forma regular mareos causados por problemas circulatorios (con visión nublada) y no le han surtido efecto las medidas generales mencionadas, puede activar la circulación de forma rápida con medios que emulan la reacción del cuerpo cuando elimina la hormona del estrés, la adrenalina. Para ello se requiere la etilefrina y la oxilofrina, que aumentan la presión sanguínea y la frecuencia del pulso. El efecto de estos preparados es de corta duración y desaparece a las cuatro horas de haberlos tomado, por eso también existen los preparados de acción retardada (pág. 22), que liberan los principios activos de forma más lenta. La etilefrina y la oxilofrina pueden, por otro lado, causar problemas circulatorios en personas especialmente sensibles, produciéndoles mareos y que se les nuble la vista cuando cambian de forma rápida de posición.

Con la raíz de jengibre se elabora un polvo que da buenos resultados en caso de mareos en los viajes.

⊙ A tener en cuenta

Independientemente del efecto que tenga cada uno de los preparados estimulantes de la circulación, solo deberán tomarse durante poco tiempo. Una administración prolongada puede dañar a la larga la propia regulación del cuerpo y conducir a reacciones contrarias que son difícilmente previsibles.

Homeopatía

Las indicaciones sobre los efectos y la aplicación de los remedios homeopáticos se pueden consultar en la pág. 265 y ss. Los cuadros clínicos descritos a continuación están organizados por síntoma principal (**S**), estado anímico (**A**) y cambios que se producen (**C**):

➤ *Argentum nitricum* D12 – gotas: **S:** mareo a grandes alturas, con frecuencia personas miedosas y nerviosas; **A:** temeroso, nervioso; **C:** mejora al realizar ejercicio; empeora al comer.

➤ *Barium carbonicum* D6, 12 – pastillas: **S:** mareo debido a una circulación defectuosa (calcificación de los vasos sanguíneos), insomnio; **A:** falta de memoria. Este remedio

solo actúa tras haberse administrado durante dos o tres semanas.

➤ *Cocculus* D4, D6, D12 – gotas: **S:** mareo en caso de arterioesclerosis o tras haber viajado en coche, en caso de irregularidades en el ciclo de sueño y vigilia (trabajadores de noche o a turnos, *jet lag*), gran malestar, vómitos, sensación de vacío en la cabeza, debilidad, agotamiento, dolores en la parte posterior de la cabeza; **A:** nerviosismo, hipersusceptibilidad; **C:** empeora con cualquier movimiento (levantar la cabeza, viajar en tren).

➤ *Conium* D4, D6, D12 – gotas: **S:** mareos al girar la cabeza, incluso en la cama, todo da vueltas, gran malestar, debilidad muscular, temblores, problemas de coordinación de las extremidades, la lengua y los ojos, tendencia a sudar; **A:** fallos de memoria, carácter huraño; **C:** empeora con la inactividad y el frío, así como por las noches.

➤ *Tabacum* D4, D 6 – gotas: **S:** mareos repentinos con malestar, sensación de frío y trastornos de la vista; **C:** empeora al fumar o inhalar humo de tabaco (en ese caso D12), con ejercicio y al estar en habitaciones calientes; mejora al vomitar y al aire libre.

➤ *Veratrum album* D3, D4 – pastillas: **S:** sudores fríos, pulso bajo, piel azulada; dosificación: tres gotas cada tres minutos.

Sales de Schüssler

Las indicaciones sobre los efectos y la aplicación de las sales de Schüssler se pueden consultar en la pág. 268 y ss.

➤ En caso de tensión baja y mareo al cambiar de posición, tomar n.º 5: *Kalium phosphoricum* (fosfato de potasio) D6 .

➤ En caso de mareo con posterior debilitamiento, tomar n.º 5: *Kalium phosphoricum* (fosfato de potasio) D6.

➤ En caso de mareo con malestar, tomar n.º 7: *Magnesium phosphoricum* (fosfato de magnesio) D6.

Trastornos psíquicos

El cuerpo y el alma están unidos de forma inseparable durante la vida. Por ello los trastornos físicos, que afectan a los órganos, pueden influir sobre el estado de ánimo. A la inversa, las cargas anímicas causadas, por ejemplo, por conflictos relacionales, muertes, acoso laboral y muchos otros motivos pueden causar problemas físicos. A nivel mundial, actualmente, el 12% de todas las enfermedades pueden deberse a problemas psíquicos y de comportamiento, y afectan a alrededor de 450 millones de personas. En los siguientes apartados se describen los trastornos psíquicos más frecuentes y la forma de prevenirlos así como su tratamiento global.

Guía de los trastornos psíquicos

Si el problema que usted padece no aparece en este listado puede consultar el índice de contenidos (pág. 280 y ss.).

● Prevención

Ya en la antigua Roma se decía: *"mens sana in corpore sano"*. La condición fundamental para la salud física es que el cuerpo reciba suficientes micronutrientes (vitaminas, minerales, oligoelementos) para poder funcionar de forma correcta y sin fallos. Un problema que también se discute cada vez más en círculos científicos en relación con la salud es la absorción cada vez mayor de productos químicos no naturales a través de la alimentación. Nadie es capaz de saber cuáles son los efectos sobre el organismo a largo plazo y las interacciones que puedan surgir. La inquietud, el nerviosismo, la hiperactividad, así como las depresiones y el insomnio, pueden mejorarse o eliminarse en muchos casos suprimiendo las sustancias químicas.

Por ello, evite en lo posible tomar alimentos de fabricación industrial con aditivos químicos y dé preferencia a los productos más naturales. No resulta tan complicado tomar diariamente cinco porciones de fruta y verdura fresca de temporada, preferentemente dee cultivo ecológico, de su región. Y sin embargo solo lo consigue una minoría de personas (5%), lo que significa que ni siquiera se garantiza el aporte mínimo de nutrientes, mientras aumenta su necesidad a causa de las cargas medioambientales. Para un funcionamiento óptimo del cerebro y los nervios es especialmente importante el aporte de vitaminas del grupo B. Se puede asegurar un aporte suficiente recurriendo a complementos alimenticios de calidad (pág. 232 y ss.).

¿Qué puede hacerse para una prevención eficaz? Reconsidere su forma de vida e intente encontrar nuevas vías para mejorarla con la ayuda de un médico especializado en medicina preventiva.

MIEDO

El miedo nos avisa de los peligros y sirve para estar más atentos a lo que ocurre a nuestro alrededor. Por lo tanto, supone una cierta protección. Sin embargo, algunas personas sienten el miedo de forma tan acusada y angustiante que determina sus vidas y les incapacita para llevar una vida normal. El miedo se considerará patológico cuando no resulte una reacción proporcional a una situación que, en realidad, debería experimentarse sin ese sentimiento.

Las causas o los desencadenantes del miedo son con frecuencia situaciones que se consideran complicadas (miedo a exámenes, miedo a volar), pero también amenazas reales del entorno, como el peligro de que se declare una guerra, de una inminente pobreza, la contaminación del medio ambiente o preocupaciones en el puesto de trabajo. Las personas afectadas reaccionan exageradamente y ya no son capaces de enmarcar el peligro de forma realista. La sensación de miedo se percibe de diferentes formas, pueden surgir ataques de pánico o trastornos crónicos debidos al miedo; los ataques de pánico se producen de forma repentina y sin motivo aparente. Van acompañados de taquicardias, problemas de respiración, temblores, sudoraciones, pérdida del habla, trastornos gastrointestinales, dolores de pecho y cabeza, y mareos hasta la pérdida del conocimiento. Con frecuencia, las personas afectadas no son conscientes de que algo falla hasta que sufren estos síntomas. Y, por otro lado, estos síntomas les producen temor a padecer realmente una enfermedad.

• Tratamiento

En primer lugar, es importante que familiares y amigos muestren comprensión hacia el afectado. El miedo puede convertirse en un estado patológico que el enfermo no puede manejar solo. En ese estado lo mejor es obtener ayuda mediante una terapia conductista.

⊕ Consultar al médico

Debería buscar ayuda médica si su día a día está determinado por el miedo, si los ataques de miedo son muy prolongados o son frecuentes y agudos.

• Aplicaciones terapéuticas

➤ Todo aquello que pueda estimular el equilibrio interno y la relajación puede ser de ayuda: los ejercicios de respiración, el entrenamiento autógeno, el deporte o el yoga.

➤ Desahóguese conversando con su pareja o un amigo. También puede buscar ayuda profesional acudiendo a un consultorio psicoterapéutico para aprender a desactivar sus miedos.

➤ Aplicar acupresura en el siguiente punto produce alivio: He 7 Shenmen.

El yoga relaja, fortalece la salud, el rendimiento y mantiene el cuerpo ágil y el espíritu equilibrado.

Para encontrar los puntos y realizar correctamente la acupresura consulte las tablas y figuras en la pág. 276 y ss.

● **Preparados y remedios**

En general, es eficaz y razonable disminuir la inquietud y el miedo con remedios medicinales fitoterapéuticos.

Fitoterapia

➤ Son beneficiosos los preparados de valeriana, lúpulo, hipérico, melisa, kava-kava o flor de la pasión. Según la combinación, se pueden tomar tanto para conciliar el sueño (añadiendo más valeriana) como para espantar el miedo.

➤ La siguiente mezcla tranquilizante también produce alivio:

10 partes de hojas de melisa

10 partes de hojas de menta piperina

25 partes de raíz de valeriana

20 partes de flores de azahar

15 partes de anís

20 partes de pasionaria

Consultar las indicaciones para la preparación y dosificación en la pág. 264.

Homeopatía

Las indicaciones sobre los efectos y la aplicación de los remedios homeopáticos se pueden consultar en la pág. 265 y ss. Los cuadros clínicos descritos a continuación están organizados por síntoma principal (**S**), estado anímico (**A**) y cambios que se producen (**C**):

➤ *Aconitum napellus* D12, D30 – gotas: **S:** sensación de miedo con frecuencia debida a una experiencia impactante; **A:** miedo, inquietud; **C:** empeora por las tardes, por las noches y con el calor.

➤ *Argentum nitricum* D6, D12, D30 – gotas: **S:** miedo anticipado a fechas importantes y exámenes, miedo a estar solo, a sufrir la entrada de intrusos en el hogar, a la muerte, agorafobia, pero también claustrofobia; **A:**

miedo, inquietud, mala memoria; **C:** mejora con el ejercicio; empeora al comer.

➤ *Phosphor* D6, D12, D30 – gotas: **S:** miedo por las mañanas, a estar solo, al futuro, a enfermar, miedo por otros, a la entrada de intrusos en el hogar, a la muerte, a los vendavales y las tormentas; al oír ruidos, sensación de mucho calor en la cabeza con sudoración en la frente.

➤ *Stramonium* D6, D12, D30 – pastillas: **S:** miedo en la oscuridad, por las noches, a estar solo, a los cuartos oscuros, en especial a los túneles, a todo lo que sea negro, a caerse (con frecuencia el contenido de los sueños), a volverse loco, a ser asesinado, al ruido del agua en movimiento, al dentista; rechinar, espasmos; **A:** fantasía muy acentuada, verborrea, da la impresión de estar agitado; **C:** empeora con el ejercicio y la luz; mejora al estar de pie y sentado.

➤ *Sulphur* D6, D12, D30 – pastillas: **S:** miedo por las noches en la cama (insomnio), miedo por las noches al despertarse, con sofoco, taquicardia y ansiedad, preocupación interior, miedo por los demás, miedo a constiparse, a los fantasmas, miedo a la salvación del alma, inquietud, dispersión, muy asustadizo, incluso cuando se le llama por su nombre; pelo encrespado, eccemas, oleadas de calor; **A:** irritable, malhumorado, olvidadizo, depresivo; **C:** empeora por las noches, tras la medianoche, al estar acostado, con humedad y frío y con falta de movimiento; mejora con el calor.

Sales de Schüssler

Las indicaciones sobre los efectos y la aplicación de las sales de Schüssler se pueden consultar en la pág. 268 y ss.

➤ En caso de claustrofobia n.º 5: *Kalium phosphoricum* (fosfato de potasio) D6

➤ En caso de miedo con alteración, temblores y taquicardia n.º 7: *Magnesium phosphoricum* (fosfato de magnesio) D6.

➤ En caso de temores en general, n.º 6: *Kalium sulfuricum* (sulfato de potasio) D6.

ESTADOS DEPRESIVOS

Los estados depresivos tienen muchas causas: factores externos como el estrés o el exceso de exigencias en el trabajo o en las labores del hogar, el miedo a perder el puesto de trabajo, los problemas económicos o la pérdida de un ser querido. Pero también hay factores orgánicos, como trastornos hormonales durante la menstruación, tras dar a luz o en la menopausia, así como una predisposición genética. Los síntomas típicos que acompañan a una depresión son el alicaimiento general y la apatía, así como cambios en el estado anímico, problemas de insomnio e inquietud o dificultades de concentración.

• Prevención

Las sustancias químicas que contienen los alimentos de producción industrial suponen un riesgo innecesario para el organismo que no solo afecta al metabolismo cerebral. No obstante, el aporte de micronutrientes importantes de origen natural ayuda a que el metabolismo cerebral y sus sustancias emisoras funcionen correctamente y no pueden por lo tanto faltar en su alimentación. Garantice por ello un aporte suficiente de estas sustancias, que también incluyen los ácidos grasos insaturados.

• Tratamiento

Cada persona reacciona de forma diferente a los problemas que depara la vida, para ello no hay reglas universales. Sin embargo, si no se es capaz de controlar un estado anímico depresivo es necesario recurrir a ayuda.

Con frecuencia es suficiente desahogarse hablando con un amigo. Mantener conversaciones con un especialista o un psicoterapeuta también puede ayudar a resolver el problema de forma específica.

Si se sufre un estado depresivo con frecuencia suele ser de ayuda mantener una conversación con un buen amigo o una buena amiga para desahogarse.

Consultar al médico

En casos graves y persistentes, es conveniente consultar a un médico, sobre todo si no encuentra ningún motivo externo aparente, si el estado depresivo va en aumento o si tiene la sensación de que todo le supera. Incluso si cree que la solución de sus problemas es el suicidio, es imprescindible la ayuda de un profesional.

● **Aplicaciones terapéuticas**

➤ La hidroterapia es tonificante: se obtienen buenos resultados con baños de pies con agua cliente y fría alternante (pág. 246), baños con cepillado (pág. 251) y aditivos de acículas de pino o romero (pág. 252), afusiones (pág. 249 y ss.), sauna, nadar y cepillados en seco (pág. 251).

➤ El ejercicio disipa los malos pensamientos: pasear por la montaña e ir en bicicleta alivia las penas, pues no solo la actividad física sino también estar al aire libre y absorber luz solar es estimulante. Por eso es importante tomar el sol (en su justa medida). Intente apuntarse a clases de gimnasia con música o a una terapia de respiración con gimnasia de relajación.

➤ Los aromas también infunden ánimo. Algunos aceites esenciales se consideran claramente estimulantes, entre ellos está el aceite de angélica, la bergamota o la albahaca, y en especial el aceite de rosa. Puede usarlos con evaporadores de aceites esenciales. Una solución rápida es dejar caer una o dos gotas de uno de estos aceites en el pañuelo o frotarlas sobre el dorso de la mano y respirar hondo.

● **Preparados y remedios**

Para aliviar los estados depresivos hay muchos remedios fitoterapéuticos que son eficaces y a la vez sientan bien, o infusiones, así como remedios homeopáticos. Son adecuados para estados depresivos leves, en especial cuando están relacionados con la menstruación o la menopausia. Los medicamentos de síntesis química pueden evitarse en gran medida.

Fitoterapia

➤ Entre los remedios fitoterapéuticos eficaces en caso de estados de ánimo depresivos se encuentra el hipérico, la melisa (tranquilizantes) o el kava-kava. Actúan equilibrando el ánimo y consiguen que se pueda conciliar el sueño.

➤ Se han realizado estudios clínicos que han demostrado una eficacia impresionante y una buena tolerabilidad de los extractos de hipérico en personas con estados depresivos leves y medios. Puede empezar tomando infusiones, quizás la cantidad de principios activos que le proporcione sea suficiente. Si no consigue mejorar debería tomar un preparado listo para usar de la farmacia pues éstos contienen una cantidad mayor de principios activos y su efecto es por lo tanto más intenso.

Homeopatía

Las indicaciones sobre los efectos y la aplicación de los remedios homeopáticos se pueden consultar en la pág. 265 y ss. Los cuadros clínicos descritos a continuación están organizados por síntoma principal (**S**), estado anímico (**A**) y cambios que se producen (**C**):

➤ *Arsenicum album* D12, D30 – gotas: **S:** tristeza y melancolía especialmente al estar solo, al reflexionar, gran preocupación por los demás, miedo angustiante e inquietud, miedo por las noches, con frecuencia personas consumidas y extenuadas; **A:** no cree en su curación, miedo a morir, tiene pensamientos de suicidio; **C:** empeora con palabras de ánimo amables; empeora por la noche y con el frío; mejora general del estado al tomar bebidas calientes y con el calor en general.

➤ *Aurum metallicum* D12, D30 – gotas: **S:** cara enrojecida, oleadas de calor, presión sanguínea elevada; **A:** depresión melancólica, autorreproches, retraimiento, pensamiento de que nadie le quiere, hiperactividad y ansiedad, alterna la actitud de encerrarse en sí mismo y ataques de ira, pensamientos de suicidio, paranoias religiosas; **C:** empeora por la noche.

➤ *Ignatia* D6, D12, D30 – pastillas: **S:** melancolía tranquila, consecuencia de falta de reciprocidad en el amor o de desengaño amoroso, muy celoso, como consecuencia de añorar la propia tierra; suspiros involuntarios frecuentes, aversión a la sociedad, no soporta que le contradigan, risa espasmódica poco natural que termina en llanto; **C:** empeora tras esfuerzos físicos e intelectuales.

➤ *Natrium chloratum (muriaticum)* D6, D12, D30 – gotas: **S:** sin fuerzas, abatido; con frecuencia delgadez y palidez; **A:** desesperado, abatido, parco en palabras, lloroso; **C:** empeora a media mañana.

➤ *Sepia* D 12, D30 – gotas: **S:** cambios de humor, irritable, enojado; con frecuencia en la menopausia; casi siempre buena pigmentación en el cutis; **A:** preocupación por la salud; **C:** mejora con el ejercicio y al comer.

Sales de Schüssler

Las indicaciones sobre los efectos y la aplicación de las sales de Schüssler se pueden consultar en la pág. 268 y ss.

➤ En caso de depresión por agotamiento n.º 5: *Kalium phosphoricum* (fosfato de potasio) D6.

➤ En caso de falta de energía por las mañanas n.º 11: *Silicea* (dióxido de sílice) D12 .

➤ Para la depresión causada por preocupaciones, n.º 8: *Natrium chloratum* (cloruro de sodio "sal común") D6.

PROBLEMAS DE INSOMNIO

Según las estadísticas, el 10% de la población española padece insomnio crónico. Entre las causas más importantes se encuentran, aparte de los problemas anímicos (depresión, miedo, falta de predisposición a dormir debida a disgustos o problemas), factores físicos como haber realizado sobreesfuerzos, padecer picores (pág. 122 y ss.), dolores, apnea, tos (pág. 122 y ss.) o necesidad de orinar con frecuencia (pág. 144 y ss.).

Además, también están las causas autoinducidas que trastornan el tan necesario sueño, como una comida demasiado pesada antes de irse a dormir, el consumo de nicotina, alcohol y café, de ciertos medicamentos (muchos analgésicos y remedios contra la gripe contienen cafeína), una cama demasiado dura o demasiado blanda o ropa de noche incómoda.

Se diferencia entre los trastornos que no permiten conciliar el sueño y los que lo interrumpen. Algunas personas se despiertan por tener sueños que les producen miedo y ya no vuelven a conciliar el sueño.

Cuando se duerme mal se está cansado y estresado. Si los problemas de insomnio se prolongan se disminuye el rendimiento y los afectados están muy irritables. También pueden suponer un peligro para ellos mismos o para otras personas, pues disminuye la capacidad de reacción durante la conducción.

• Prevención

Mediante remedios sencillos se puede conseguir un descanso nocturno regular sin sustancias químicas y así levantarse por las mañanas con energías renovadas. En primer lugar, hay que intentar analizar los propios hábitos en detalle, pues quizás pueda conseguirse resolver el problema del insomnio efectuando cambios en las actividades cotidianas o en el entorno. Intente hacer suficiente ejercicio durante el día. Caminar, bailar, ir en bicicleta, nadar y cualquier otra actividad deportiva realizada al aire libre produce una relajación de los músculos. Pero no se dé la paliza a última hora de la tarde, ya que activará tanto la circulación sanguínea que le costará horas conciliar el sueño.

Compruebe su cama. ¿Cuál es el estado del colchón? ¿Le gusta su ropa de cama, o le resulta demasiado caliente, fría o pesada? ¿Son los tejidos agradables al tacto? Con hacer unos simples cambios pueden obtenerse grandes resultados.

● Tratamiento

Usar somníferos debería ser la última opción para volver a conciliar el sueño.

⊕ Consultar al médico

Usar de vez en cuando somníferos a base de plantas es bastante inocuo. Si los problemas de insomnio duran más de una semana seguida o retornan de forma regular cada

cierto tiempo sin que la causa pueda reconocerse es recomendable acudir al médico para que compruebe si no se padece de un trastorno orgánico.

● Aplicaciones terapéuticas

➤ Pruebe las siguientes hidroterapias: por las mañanas tome maniluvios o pediluvios con temperatura ascendente (pág. 244, 246), por las noches baños de inmersión (pág. 148) con aditivos de melisa, valeriana, acículas de pino o lavanda (de preparación casera (pág. 252) o preparados listos para usar). Tras el baño también puede aplicarse envolturas húmedas y calientes alrededor del cuerpo (pág. 254 y ss.). Las sesiones de sauna también mejoran la disposición a dormir.

➤ Si no puede dormir alguna noche es posible que tenga la tensión demasiado baja. En vez de contar ovejitas humedézcase con agua fría todo el cuerpo (pág. 249) y acuéstese a continuación en la cama sin secarse. También se puede normalizar la presión sanguí-

Con los estróbilos de lúpulo se elaboran unos preparados que calman y ayudan a conciliar el sueño.

Información

Los somníferos disminuyen la capacidad de reacción

Incluso los somníferos y los calmantes más suaves pueden influir en la capacidad de reaccionar, de modo que no deberá ni conducir vehículos ni trabajar con máquinas cuando los tome. Evite a toda costa tomar bebidas alcohólicas si está administrándose tranquilizantes.

Los antihistamínicos pueden producir molestias en el aparato digestivo, y con menor frecuencia sequedad en la boca, taquicardia, debilidad muscular o trastornos de la micción. Si la dosis es demasiado elevada pueden producirse mareos, obnubilación, zumbidos en el oído y problemas de vista.

nea y ayudar a conciliar el sueño mediante la aplicación de paños fríos en las pantorrillas (pág. 255), caminando dentro del agua (pág. 251), tomando un baño de medio cuerpo con agua fría (pág. 247) de dos o tres minutos así como mediante afusiones en los brazos y las rodillas (pág. 250).

➤ Aproveche el tiempo antes de irse a la cama para relajarse. Tener el estómago lleno supone una carga, por ello es mejor que tome la comida principal a mediodía. A ser posible acostúmbrese a acostarse siempre a la misma hora.

➤ Vuelven a ser muy apreciadas las almohadas de la botica de la abuela: cojines o saquitos pequeños de lino hechos a mano con un relleno ligero a partes iguales de estróbilos de lúpulo, hierba de San Juan y flores de lavanda que se colocan bajo la cabeza o sobre el pecho. Los aromas se dispersan con el calor y estimulan el sueño.

➤ Aplicar acupresura en el siguiente punto produce alivio:

He 7 Shenmen

Para encontrar los puntos y realizar correctamente la acupresura consulte las tablas y figuras en la pág. 276 y ss.

● Preparados y remedios

Si los preparados fitoterapéuticos no resultan de ayuda solo debería usar los preparados de síntesis química en casos excepcionales.

Fitoterapia

➤ Los remedios a base de plantas que ayudan a conciliar el sueño se pueden administrar en forma de infusión o de preparados listos para usar. Contienen valeriana, avena, lúpulo, semillas de amapola de California, lavanda, melisa o flor de la pasión.

➤ Los aditivos de hipérico o kava-kava en preparados combinados tienen efectos calmantes del miedo y las tensiones. De este modo ayudan a la inducción del sueño.

➤ Especialmente indicadas para los niños son las infusiones de hinojo y manzanilla (para la preparación y dosificación consúltese la pág. 264).

➤ Pruebe con esta mezcla de hierbas medicinales para calmarse y conciliar el sueño:

40 partes de valeriana
20 partes de estróbilos de lúpulo
15 partes de hojas de melisa
15 partes de hojas de menta piperina
10 partes de cáscara de naranja amarga

Consultar las indicaciones para la preparación y dosificación en la pág. 264.

Remedios de síntesis química

Los trastornos del sueño pueden tratarse con diferentes remedios. Si se ha decantado por tomar somníferos de síntesis química tenga en cuenta por norma que no deben tomarse después de haber pasado varias horas en vela, pues su efecto se prolongará más allá del tiempo necesario y seguirá sintiéndolo cuando ya no lo necesite durante la jornada laboral. Este estado se define como resaca y puede afectar a su capacidad de reacción en general.

➤ Entre los medicamentos de síntesis química aplicables que no requieren receta médica se encuentran algunas sustancias que se habían desarrollado inicialmente para el tratamiento de enfermedades alérgicas (antihistamínicos). Entre los medicamentos para el tratamiento de los trastornos del sueño más recientes se encuentran la difenhidramina y la doxilamina.

Homeopatía

Las indicaciones sobre los efectos y la aplicación de los remedios homeopáticos se pueden consultar en la pág. 265 y ss. Los siguientes cuadros clínicos están organizados por síntoma principal (**S**), estado anímico (**A**) y cambios que se producen (**C**):

➤ *Coffea arabica* D4, D6, D12 – gotas/pastillas: **S**: insomne, trastornado, taquicardias, sudoración; **A**: lleno de ideas, nervioso e irritable, tras grandes esfuerzos mentales, agitación, alegría excesiva, demasiados pensamientos, abuso de café; duerme de forma superficial hasta las tres de la madrugada y después solo dormita; **C:** el estado empeora al realizar ejercicio y al comer; mejora al estar sentado.

➤ *Datura stramonium* D12, D30 – glóbulos/gotas: **S:** se da particularmente en niños pequeños, problemas para dormir toda la noche, quiere luz; **A:** temor a la oscuridad, fantasías de miedo; **C:** empeora al realizar ejercicio.

➤ *Passiflora incarnata* tintura madre – gotas: **S:** Problemas de insomnio en general, también tras haber tomado preparados de síntesis química; dosificación: mezclar de cinco a

diez gotas de tintura madre con agua caliente y tomar antes de irse a dormir.

Sales de Schüssler

Las indicaciones sobre los efectos y la aplicación de las sales de Schüssler se pueden consultar en la pág. 268 y ss.

➤ En caso de problemas para conciliar el sueño, tomar n.º 7: *Magnesium phosphoricum* (fosfato de magnesio) D6; si no ayuda, tomar n.º 5: *Kalium phosphoricum* (fosfato de potasio) D6.

➤ En caso de interrupciones del sueño tomar n.º 10: *Natrium sulfuricum* (sulfato de sodio) D6, de cinco a diez pastillas en caliente (pág. 269).

NEURASTENIA

Si se padece de neurastenia, un diagnóstico que suele darse con facilidad, significa que la persona afectada se exalta con facilidad debido a un estado de irritación nerviosa, tras lo cual se siente agotado y cansado. Estos estados de desequilibrio nervioso muestran síntomas muy diversos. Una sudoración exagerada, insomnio, taquicardia (sin que se tengan problemas orgánicos) o inquietud en general así como miedo son en la mayoría de los casos los indicios de un problema de control de los nervios.

Los trastornos del sistema nervioso en estado avanzado indican con claridad que las fuerzas de autocontrol propias no son capaces de afrontar ciertas situaciones.

● Prevención

La medida más eficaz es al mismo tiempo la más difícil: encontrar la causa del desequilibrio, los trastornos del sueño y el desasosiego y eliminarla. No siempre resulta posible o a veces requiere un tiempo poder alcanzar cambios.

Compruebe cuál es su plan diario y semanal. Muchas personas suelen plantearse más

bien demasiadas actividades al día. Controle también sus hábitos alimenticios con mirada crítica, pues la neurastenia y la intranquilidad pueden deberse a un exceso de aditivos químicos en los alimentos de elaboración industrial. Aliméntese siempre que pueda de productos naturales de la región.

● Tratamiento

Debería tomarse en serio el nerviosismo como señal de alarma, pues seguramente su estado anímico está en desarmonía con sus exigencias cotidianas. Prevenir es la medida más importante. Los remedios fitoterapéuticos pueden ser de gran ayuda para tranquilizarle. Para la aplicación de medidas generales y del tratamiento con medicamentos consultar también el apartado relativo a los trastornos del sueño (pág. 175 y ss.).

● Aplicaciones terapéuticas

➤ Para relajarse resulta eficaz tomar un baño de cuerpo entero (pág. 248) con adición de valeriana.

La amapola de California llama la atención no solo por sus bonitas flores de alegre colorido sino también por su efecto calmante en infusión.

➤ También la aplicación de afusiones en la parte inferior del cuerpo (pág. 250) le ayudará a calmarse más fácilmente por las noches.

➤ Aplicar acupresura en el siguiente punto produce alivio: He 7 Shenmen.

Para encontrar los puntos y realizar correctamente la acupresura consulte las tablas y figuras en la pág. 276 y ss.

● Preparados y remedios

Nunca deberá tratar el nerviosismo y la inquietud con medicamentos de síntesis química, porque realmente se puede prescindir de ellos.

➤ Con los siguientes remedios fitoterapéuticos conseguirá disminuir el exceso de excitación nerviosa, podrá conciliar el sueño más fácilmente y logrará un mejor descanso.

Fitoterapia

➤ Las infusiones con efecto calmante contienen valeriana, lúpulo, flor de la pasión, cáscara de naranja amarga y amapola de California. Hay muchas mezclas de hierbas para infusión que son muy eficaces y tienen un sabor aceptable.

➤ Los preparados listos para usar suelen contener el extracto de una sola planta y un elevado contenido en principios activos. Los más conocidos son los extractos de valeriana. Para los niños son adecuados los preparados de amapola de California.

Sales de Schüssler

Las indicaciones sobre los efectos y la aplicación de las sales de Schüssler se pueden consultar en la pág. 268 y ss.

➤ En caso de hiperactividad y posterior agotamiento, n.º 8: *Natrium chloratum* (cloruro de sodio "sal común") D6.

➤ En caso de fácil excitación y acaloramiento, tomar n.º 9: *Natrium phosphoricum* (fosfato de sodio) D6.

HIPERACTIVIDAD / SÍNDROME HIPERQUINÉTICO

Un fenómeno que se observa cada vez más es el síndrome de déficit de atención (SDA), hiperactividad en niños y jóvenes con un comportamiento inquieto, con grandes dificultades para conclcuir una actividad iniciada.

Desde el punto de vista científico, los trastornos hiperquinéticos forman parte de los trastornos del comportamiento que empiezan en la edad infantil. En la actualidad, los científicos consideran que se trata de un fallo en la regulación del metabolismo de las sustancias transmisoras en el cerebro. La consecuencia es que los jóvenes afectados tienen "todas las antenas activadas para la recepción", les resulta más difícil descartar los estímulos que no son relevantes para realizar la tarea y por tanto la interrumpen. Esto conlleva una sobrecarga de estímulos y cuando las tareas son especialmente aburridas y rutinarias se dejan de lado a favor de otras actividades que interfieren. Como consecuencia de esto, surgen con frecuencia dificultades en el colegio y la vida cotidiana.

Las causas han sido objeto de muchos y muy controvertidos debates. Algunos apuntan a que este síndrome se trata de una predisposición genética o a complicaciones durante el embarazo o el parto, a tabaquismo durante el embarazo o a un entorno social inadecuado.

● Prevención

Antes de que un experto señale la posibilidad de que su hijo padezca SDA, debería buscar todas las posibles causas de ese comportamiento anormal y desactivarlas. Muchos niños son inquietos, movidos y les cuesta concentrarse porque no tienen posibilidades de realizar suficiente ejercicio. El consumo ilimitado de televisión produce una sobre-

Si su hijo no es capaz de concentrarse y suele estar nervioso o muy movido, es posible que no tenga bastantes oportunidades de desahogarse físicamente. Procure por ello que haga mucho ejercicio, preferentemente al aire libre, y limite al mínimo el consumo de televisión.

carga de estímulos que el cerebro en fase de crecimiento no es capaz de asimilar.

Un factor fundamental que cada vez adquiere mayor importancia es la alimentación. Los niños y jóvenes que se alimentan fundamentalmente de chucherías, comida rápida y refrescos absorben una cantidad excesiva de azúcar (los niños estadounidenses consumen 146 kilos anuales de azúcar) y una cantidad increíble de sustancias químicas cuyos efectos e interacciones en el organismo ni siquiera los expertos son capaces de comprobar y evaluar.

En cualquier caso, vale la pena cambiar la alimentación a productos naturales sin aditivos químicos y con poco azúcar. Cada vez hay más informes y estudios que avalan que un cambio de alimentación ha mejorado la capacidad de concentración y los comportamientos anómalos de los niños afectados, pues ya se ha reconocido que el glutamato, como componente de casi todos los alimentos precocinados así como los edulcorantes, son dañinos para los nervios si se toman en cantidades excesivas durante un tiempo prolongado o si la persona afectada reacciona de forma especialmente sensible a ellos.

En relación con esta cuestión, lea también el capítulo "Alimentación sana" en la pág. 222 y ss. El aporte de micronutrientes necesarios para la vida y de sustancias protectoras (antioxidantes) puede garantizarse mediante complementos alimenticios de origen natural. Una sustancia antioxidante especialmente importante se considera el OPC (pág. 239).

● Tratamiento

Puede resultar positivo unirse a una asociación de afectados. El mero hecho de intercambiar experiencias con otros padres puede ayudar a resolver muchos problemas o al menos a sobrellevarlos. Además, las terapias conductistas pueden ayudar a superar los problemas del día a día.

⊕ **Consultar al médico**

Si su hijo siempre tiene problemas de concentración y de adaptación a diferentes situaciones cotidianas y ha excluido todas las posibles causas, debería buscar un médico especializado para obtener un diagnóstico e iniciar una terapia.

● Preparados y remedios

No hay medicamentos sin prescripción médica para el tratamiento del SDA. Para empezar, puede intentarlo con un cambio en la alimentación y el aporte de complementos alimenticios.

Los médicos recetan los denominados estimulantes con el principio activo metilfenidato (una sustancia anestésica) o más recientemente con el principio activo atomoxetina (no es un estimulante). Estos remedios son muy eficaces pero tienen efectos secundarios físicos y anímicos considerables. Muchos niños, tras un periodo largo de administración de estos medicamentos, solo se sienten queridos y respetados cuando los toman y desarrollan graves problemas de autoestima. Por ello, hay que valorar con precisión los beneficios y riesgos que supone este tipo de medicación.

Sales de Schüssler

Las indicaciones sobre los efectos y la aplicación de las sales de Schüssler se pueden consultar en la pág. 268 y ss.

➤ En caso de hiperactividad con posterior agotamiento, usar n.º 8: *Natrium chloratum* (cloruro de sodio "sal común") D6.

➤ n.º 7: *Magnesium phosphoricum* (fosfato de magnesio) D6; y si esto no ayuda, n.º 5: *Kalium phosphoricum* (fosfato de potasio) D6.

➤ Plan para el SDA: por las mañanas n.º 5: *Kalium phosphoricum* (fosfato de potasio) D6, a mediodía n.º 2: *Calcium phosphoricum* (fosfato de calcio) D6, por las tardes n.º 7: *Magnesium phosphoricum* (fosfato de magnesio) D6; tomar de una a dos pastillas de cada sal a diario durante ocho a doce semanas.

Disminución del rendimiento y agotamiento

Nuestro bienestar depende del funcionamiento de nuestro metabolismo. Si éste se ralentiza nos sentimos irritables, de mal humor y disminuye nuestro rendimiento. En este capítulo se describe cómo volver a estar en forma rápidamente.

Guía para solucionar la disminución del rendimiento y el agotamiento:

➤ Decaimiento y agotamiento, pág. 182

➤ Astenia, pág. 185

Si el problema que usted padece no aparece en este listado, puede consultar el índice de contenidos (pág. 280 y ss.).

● Prevención

Del mismo modo que un coche necesita combustible y aceite para funcionar, el organismo de las personas requiere vitaminas, minerales y oligoelementos de origen natural para poder afrontar las exigencias del día a día. Sea sincero consigo mismo: ¿Consigue comer a diario al menos cinco raciones de fruta y verdura lo más fresca posible? Si no es así, puede tomar complementos alimenticios. En la pág. 232 y ss. encontrará consejos sobre la calidad de los mismos a la hora de decidir cuál adquirir.

Es muy importante que apunte la cantidad de trabajo que se propone cada día. ¿Son realistas las exigencias que se pone a sí mismo? ¿Todavía le queda tiempo cada día para relajarse y hacer ejercicio?

A veces es difícil evaluar de forma objetiva la propia situación. Pero aún es más difícil cambiarla. Busque ayuda profesional y acuda a un médico especialista en medicina preventiva para que le aconseje.

DECAIMIENTO Y AGOTAMIENTO

Cada uno debe enfrentarse a las exigencias que le plantea el día a día, que pueden ser diferentes en cada caso. La capacidad de rendir es una premisa para llevar una vida feliz. Si las exigencias aumentan en exceso, si surgen demasiadas situaciones complicadas no previstas o si además aparecen enfermedades agudas o crónicas que le exigen un esfuerzo adicional al organismo, se desarrolla el decaimiento y el agotamiento, produciendo la sensación de que ya no se puede afrontar el día a día. Las consecuencias de un agota-miento persistente pueden ser falta de apetito, disminución de la concentración y las defensas, trastornos del sueño y malestar.

● Prevención

Aplique los siguientes consejos a su vida cotidiana y aprenda a evaluar sus capacidades y limitaciones de forma realista. Diga no con mayor frecuencia, esa es la mejor prevención contra el agotamiento. Compruebe si realmente duerme suficiente y ordene su plan diario. Comer a horas fijas, tener un hora-

Poner las piernas en alto y dejar volar los pensamientos sin estrés ni presiones... Disfrutar a diario de ratos muertos es importante para cargar energía y estar en forma pará afrontar nuevos retos.

rio de trabajo y de descanso organizado así como unas actividades de ocio dosificadas con tiempo para uno mismo ayudan a recuperar el equilibrio emocional. El ejercicio físico ayuda a eliminar tensiones. Por ello, realice ejercicios compensatorios a ser posible al aire libre.

Una alimentación equilibrada puede apoyar el bienestar anímico y físico. Coma mucha verdura fresca, productos lácteos e integrales y evite siempre que le sea posible consumir alimentos de elaboración industrial, pues contienen una cantidad considerable de sustancias químicas que pueden ser nocivas para el organismo. Tome micronutrientes de origen natural. Encontrará consejos en la pág. 232 y ss.

● Tratamiento

Es muy importante averiguar la causa del decaimiento y agotamiento. ¿Se trata de las exigencias normales, que le resultan demasiado pesadas y ya no puede hacerles frente como antes? ¿Se trata de una situación temporal especialmente agotadora? ¿Puede cambiar esta situación?

 ### Consultar al médico

Si usted no es capaz de determinar la causa de sus molestias y las medidas mencionadas no le ayudan a corto plazo, debería consultar a un médico para averiguar si padece alguna enfermedad que requiera tratamiento

● Aplicaciones terapéuticas

➤ La hidroterapia, como las afusiones o las humectaciones con agua fría (pág. 250) y los medicamentos fitoterapéuticos son especialmente recomendables si al decaimiento y agotamiento se ha sumado una disminución de las defensas.

● Preparados y remedios

En caso de decaimiento y agotamiento normalmente es innecesario el uso de medicamentos de síntesis química. En la mayoría de los casos es posible descubrir la causa de las molestias y eliminarla. Si el motivo es una enfermedad física, esta deberá tratarse para que las molestias desaparezcan por sí mismas. Evite las sustancias estimulantes y depresoras, pues el uso de estimulantes y el exceso de café, té o tabaco para ponerse las pilas y de alcohol y somníferos para desconectar puede empeorar su estado.

Para estados de agotamiento, al igual que para una fase de convalecencia tras una enfermedad grave, hay un gran número de revitalizantes alternativos que tienen efecto tonificante y reconstituyente.

Fitoterapia

➤ Entre los revitalizantes fitoterapéuticos se encuentran los preparados de ginseng, eleuterococo (también conocido como ginseng siberiano o raíz de la taiga), ajo y germen de trigo.

La raíz de ginseng no solo da fuerza y vitalidad en caso de cansancio y debilidad, sino también aumenta la capacidad de rendimiento y concentración y acelera la recuperación.

➤ Cuando la disminución de rendimiento se debe al envejecimiento, se puede prevenir la falta de irrigación sanguínea y las deficiencias de aporte al cerebro con preparados de ginkgo.

Remedios de síntesis química

➤ Un efecto similar al que producen los preparados de ginkgo se produce al tomar procaína, una sustancia originalmente usada como analgésico local.

Homeopatía

Las indicaciones sobre los efectos y la aplicación de los remedios homeopáticos se pueden consultar en la pág. 265 y ss. Los siguientes cuadros clínicos están organizados por síntoma principal (**S**), estado anímico (**A**) y cambios que se producen (**C**):

➤ *Acidum phosphoricum* D4, D6 – gotas: **S:** apatía, insomnio, dificultades de concentración, dolores de cabeza, dolores generales de las extremidades, trastornos de la concentración y de crecimiento en caso de niños; **A:** apático, obnubilado; **C:** mejora con el ejercicio; empeora al comer y en reposo.

➤ *Acidum picrinicum* D4, D6 – gotas: **S:** mareo, dolor de cabeza; dolores musculares, en las articulaciones, dolores lumbares o de espalda; **A:** no puede dormir de tantas preocupaciones que tiene; **C:** todo empeora con el calor y el sol; mejora con aire fresco.

➤ *Ambra grisea* D4, D6 – pastillas: **S:** decaimiento, insociabilidad, molestias físicas (por ejemplo, pinchazos en el corazón y falta de respiración); **A:** claustrofobia, mala memoria, ligeramente histérico; **C:** empeora al alterarse; mejora al aire libre.

➤ *Kalium phosphoricum* D4, D6 – pastillas: **S:** agotamiento, debilidad, se cansa rápido, dolor de cabeza al realizar trabajo intelectual, debilidad muscular, dolor de espalda, sensibilidad al frío, diarrea nerviosa; **A:** inquieto, irritable, miedoso; **C:** empeora por las mañanas, al realizar esfuerzo intelectual, con la excitación del ánimo y con el frío.

Sales de Schüssler

Las indicaciones sobre los efectos y la aplicación de las sales de Schüssler se pueden consultar en la pág. 268 y ss.
➤ n.º 2: *Calcium phosphoricum* (fosfato de calcio) D6 de forma alterna con n.º 5: *Kalium phosphoricum* (fosfato de potasio) D6 y n.º 3: *Ferrum phosphoricum* (fosfato de hierro) D12, dos pastillas al día de cada sal.
➤ En caso de agotamiento intelectual tras exceso de trabajo n.º 5: *Kalium phosphoricum* (fosfato de potasio) D6.
➤ En caso de debilidad física con sensación de frío y cansancio n.º 8: *Natrium chloratum* (cloruro de sodio "sal común") D6.

ASTENIA

Uno de cada tres pacientes se queja a su médico de cabecera de cansancio como único trastorno o como síntoma adicional a otras enfermedades. Las personas afectadas ya no se encuentran capaces de afrontar las obligaciones cotidianas, pierden el interés por las aficiones y el contacto social. Las causas posibles del cansancio son una falta de micronutrientes, la tensión baja, falta de yodo o hierro, el estrés, las depresiones o el síndrome de fatiga crónica (SFC).

● Prevención

Las diferentes causas de una sensación de fatiga duradera que se siente como enfermedad deben tratarse de forma individualizada. Ciertas causas, como una carencia de micronutrientes, resultan relativamente fáciles de reconocer y solucionar; otras, como la tensión baja hereditaria, son circunstancias con las que hay que convivir. Sin embargo, un programa regular aplicando medidas probadas puede ayudar a alejar el cansancio y conseguir mayor vitalidad.

● Tratamiento

Debería concederse todas esas pequeñas cosas cotidianas que levantan el ánimo, como una alimentación sana, realizar deporte, pasear, etc.

 Consultar al médico

Si se siente constantemente fatigado debería acudir al médico para comprobar cuál es la causa.

● Aplicaciones terapéuticas

➤ Concédase de vez en cuando una taza de té o café, que le espabilará rápidamente. Los refrescos de cola solo deberían tomarse en casos excepcionales, pues tienen un elevado contenido en azúcar y sustancias edulcorantes, así como otras sustancias químicas. También pueden tomarse durante periodos breves preparados con extracto de té verde, guaraná o mate.

En caso de tensión baja

Si los valores de presión sanguínea se encuentran constantemente por debajo de los 100/60 mmHg en el caso de mujeres y 110/60 mmHg en el caso de hombres, decimos que la persona tiene tensión baja. Se dice que estas personas llegan a muy viejas, pero algunas sin embargo padecen de sus efectos negativos, como pies y manos frías, sensibilidad a los cambios de tiempo y mareos al levantarse, entre otros síntomas acompañantes no muy agradables.
➤ Las aplicaciones hidroterapéuticas con agua fría o agua fría y caliente alterna estimulan la circulación sanguínea. Son adecuados las humectaciones con agua fría (pág. 249) y los

Un suave masaje con un cepillo estimula el metabolismo de la piel, activa la circulación sanguínea y aumenta la presión sanguínea demasiado baja.

maniluvios con agua fría sumergiendo los antebrazos cruzados en un lavabo lleno de agua fría a 15º durante cinco minutos. Tras aplicarse afusiones con agua fresca y fría en brazos o en la parte inferior del cuerpo (pág. 250), es conveniente frotarse fuerte hasta secarse.

➤ Los baños con cepillado y los cepillados en seco (pág. 251), la sauna con posterior baño de inmersión frío o caminar dentro del agua son terapias que dan muy buenos resultados.

➤ Para estimular la circulación sanguínea son eficaces los baños con agua fresca con aditivos de acículas de pino, acoro aromático, eucalipto o romero. Realizar ejercicios como dibujar círculos con los brazos estando toda-

vía en la cama puede disminuir la sensación de mareo que se padece al levantarse.

➤ Aproveche cualquier ocasión para realizar ejercicio o deporte al aire libre, como nadar o pasear, no importa el tiempo que haga.

En caso de falta de hierro

El hierro es necesario para que el oxígeno transportado por medio de la hemoglobina pueda llegar a los órganos. Si hay una carencia de hierro en el organismo (debido a una alimentación pobre en hierro, a pérdidas de sangre por operaciones o a un sangrado intenso regular durante las menstruaciones) empeora el aporte de oxígeno.

➤ La falta de hierro se determina mediante un análisis de sangre. El médico le recetará medicamentos que contienen hierro.

En caso de falta de yodo

La falta de yodo puede manifestarse por la incapacidad de concentrarse, un bajo rendimiento y fatiga. Además de estos síntomas, muchas de las personas afectadas tienen además bocio. La glándula tiroides no puede producir suficientes hormonas, responsables de la regulación de la energía en el organismo.

➤ En caso de falta de yodo es conveniente añadir a su dieta, aparte de las pastillas que le recete el médico, pescado de mar y marisco así como sal yodada.

En caso de estrés

Muchas personas se encuentran agotadas porque trabajan constantemente bajo presión, tienen planificado todo su tiempo de ocio y apenas les queda tiempo para dormir. Si el agotamiento dura más de la cuenta hay que tomárselo en serio.

➤ Intente intercalar periodos de descanso de forma consciente en los que no esté disponible para nadie.

➤ Esfuércese en tener un ritmo de vida regular que incluya tanto fases de trabajo como de descanso.

● Preparados y remedios

En general, no se debe tratar el cansancio con estimulantes, sino intentar controlar la causa (una circulación sanguínea lenta y una presión sanguínea baja).

Fitoterapia

➤ Si la fatiga se debe fundamentalmente a un problema de circulación sanguínea, resultan adecuados los preparados fitoterapéuticos listos para usar con extracto de alcanfor, convalaria, muérdago, romero o espino majuelo.

Remedios de síntesis química

➤ Para estimular la presión sanguínea y la circulación son eficaces la química etilefrina, midodrina, oxilofrina y foledrina.

Sales de Schüssler

Las indicaciones sobre los efectos y la aplicación de las sales de Schüssler se pueden consultar en la pág. 268 y ss.

➤ n.º 3: *Ferrum phosphoricum* (fosfato de hierro) D12.

Información

Síndrome de fatiga crónica (SFC)

Apenas realizado el mínimo esfuerzo se siente cansancio y agotamiento acompañado de dolores en los músculos y las articulaciones, hinchazón en los nódulos linfáticos y las amígdalas, un aumento de la temperatura corporal, problemas circulatorios y dolor de cabeza. La causa de esta enfermedad es desconocida, pero parece que el sistema inmunológico tiene que ver, puesto que infecciones normales como un resfriado pueden durar meses en el caso de afectar a estos enfermos y tras curarse de la enfermedad siguen quejándose de cansancio y falta de energía.

➤ No existe una terapia específica. Cuando surgen infecciones tienen que curarse de forma natural.

➤ Lo que sí puede hacerse es reforzar el sistema inmunológico cambiando a una alimentación rica en vitaminas y micronutrientes (pág. 222 y ss.), tomar complementos alimenticios, incluir en su programa de actividades diarias la aplicación de hidroterapias para fortalecer el organismo y pasear mucho.

Problemas otorrinolaringológicos

Para poder hacer frente a las exigencias de nuestra vida, nuestros órganos de la percepción, los ojos, la nariz y los oídos, son de un valor enorme. Nos permiten percibir nuestro entorno, captar la belleza que nos rodea y disfrutar de los placeres que nos brinda la vida.

● Prevención

No debería exponerse a los ojos, la nariz y los oídos a cargas innecesarias. Sus ojos le estarán agradecidos si modera el trabajo delante de la pantalla, los oídos le agradecerán no tener que padecer con frecuencia un nivel elevado de decibelios y la nariz agradecerá no tener que percibir demasiadas sustancias tóxicas o irritantes. Además, estos órganos (aunque no solo) necesitan un aporte suficiente de micronutrientes.

En el ojo se almacena una elevada cantidad de vitaminas y antioxidantes como defensa y para un funcionamiento óptimo. La falta de estos micronutrientes es consecuencia especialmente del envejecimiento, pero aun así es evitable. Seguro que algún familiar o amigo suyo también padece de degeneración macular del ojo, una enfermedad que afecta al 20% de los mayores de 65 años y al 40% de los mayores de 75 años. El punto de máximo enfoque del ojo (mácula) pierde capacidad visual y esto es un defecto que no se puede corregir mediante el uso de lentes.

Los científicos han descubierto que esta lesión puede prevenirse en más del 40% de los casos tomando antioxidantes (pág. 225). Las cataratas afectan a aproximadamente el 99% de los mayores de 65 años. La incidencia de esta enfermedad podría disminuirse en un 80% mediante el aporte de antioxidantes.

Para preservar la vista y evitar los problemas de nariz y oídos se recomienda un aporte óptimo de micronutrientes. Si requiere asesoramiento para saber qué es importante y adecuado para su salud, puede acudir a un médico especialista en medicina preventiva.

Guía de los problemas otorrinolaringológicos

➤ Escozor ocular, pág. 189

➤ Hemorragia nasal, pág. 192

➤ Dolor de oído, pág. 193

➤ Ruido en los oídos, pág. 196

Si el problema que usted padece no aparece en este listado, puede consultar el índice de contenidos (pág. 280 y ss).

ESCOZOR OCULAR

Una de las patologías oculares más frecuentes son las enfermedades oculares no inflamatorias. Con frecuencia se debe su aparición a ciertos avances tecnológicos, pues los aires acondicionados, viajar en coche con la ventanilla abierta así como actividades delante de la pantalla durante mucho tiempo conllevan que el ojo realice un esfuerzo excesivo, lo que produce escozor y molestias oculares.

Otras causas que producen escozor ocular son el polvo y el humo presentes en el ambiente, el aire demasiado seco, el frío, el viento, la radiación UV (también las lámparas de rayos ultravioleta), el ozono, la falta de sueño, los trabajos que implican una distancia visual corta o también una disminución de la capacidad visual relacionada con la edad, como por ejemplo la vista cansada. También pueden ser factores causantes del escozor ocular la conjuntivitis inflamatoria o alérgica. Las inflamaciones alérgicas se producen sobre todo debido a una hipersensibilidad al polen, que muchos afectados conocen como uno de los síntomas de la fiebre del heno.

Las irritaciones y las inflamaciones suelen afectar generalmente a la conjuntiva y con menor frecuencia a la córnea (en la mayoría de los casos causadas por cuerpos extraños). También el uso más frecuente de lentes de contacto ha producido un aumento de irritaciones oculares, como por ejemplo cuando no se extrema la higiene o cuando los ojos reaccionan a sustancias contenidas en los productos de mantenimiento de las lentillas.

• Prevención
El mejor descanso para unos ojos estresados es por ejemplo un largo paseo por el bosque. Procure que haya suficiente aire fresco y húmedo en las habitaciones que ocupa. Especialmente importante es dormir lo suficiente para que los ojos puedan descansar y regenerarse.

Si le producen reacción alérgica las lentes de contacto, lleve gafas durante un periodo y considere la posibilidad de cambiar de productos de mantenimiento y conservación de las lentes.

• Tratamiento
Solo es posible autotratarse las molestias si conoce cuál es su causa. Si las molestias se agravan o alargan, es imprescindible que acuda al médico para evitar complicaciones.

• Aplicaciones terapéuticas
➤ Si las molestias se deben a un sobreesfuerzo de la vista puede probar con unos ejercicios especiales de relajación para la vista. Los ejercicios descritos en la pág. 191 pueden realizarse tanto de pie como sentado; lo importante es mantener la postura corporal relajada.
➤ Si tiene los ojos muy irritados y cansados le procurará alivio ponerse compresas con extracto de manzanilla o eufrasia. Empape un poco de algodón o un paño con el extracto diluido (dilución según las indicaciones del prospecto adjunto) y colóqueselo sobre los ojos cerrados.

• Preparados y remedios
En primer lugar hay que intentar tratar la causa del escozor de ojos o de la inflamación de la conjuntiva. También se pueden aliviar las molestias que produce un exceso de producción de lágrimas con colirios. Los principios activos que se aplica suelen ser de síntesis química. En la pág. 25 encontrará las indicaciones para una correcta aplicación del colirio.

No obstante, no use colirios con sustancias vasoconstrictoras más de uno o dos días porque pueden producir un excesivo resecamiento de la mucosa y producir de nuevo escozor y dolor.

La disminución de producción de lágrimas es normal cuando nos hacemos mayores y en ese caso hay que evitar totalmente ese tipo de preparados. En su lugar se deben usar líquidos de lágrima artificial, que podrá adquirir en la farmacia. Estos productos también son adecuados para el tratamiento del ojo seco.

Los envases de colirios empezados no deben usarse más allá de lo indicado por el fabricante y después se tirarán, pues al cabo de un tiempo puede que en el líquido se encuentren bacterias.

Remedios de síntesis química

➤ Si la causa de la inflamación ocular es una infección puede pedir en la farmacia gotas con antibiótico. Las inflamaciones siempre implican un enrojecimiento del ojo y de la conjuntiva. Por ese motivo muchas gotas para los ojos llevan sustancias vasoconstrictoras, que ayudan a que disminuya el enrojecimiento pero que en el fondo son innecesarias.

⊙ A tener en cuenta

Las gotas para los ojos con efecto vasoconstrictor que contienen las sustancias nafazolina o tetrizolina (denominadas simpatomiméticas) no deben utilizarse si se ha comprobado que padece presión intraocular elevada. Tampoco son en absoluto adecuadas para los bebés ni los niños, pues les pueden producir problemas respiratorios.

➤ Los líquidos de lágrima artificial para el tratamiento del ojo seco contienen como principio activo principal, con frecuencia, el alcohol de polivinilo o la povidona. Además estos preparados contienen con frecuencia dexpantenol, que se añade para calmar las irritaciones de la córnea y la conjuntiva.

➤ Para el tratamiento de inflamaciones alérgicas de la conjuntiva, lo más adecuado son los preparados que contengan ácido cromoglícico, si bien esta sustancia requiere entre 10 y 14 días para producir efectos visibles. Aun así, es recomendable este tipo de preparados, pues se toleran muy bien.

➤ También existen algunos tipos de gotas para los ojos con vitaminas, pero su efecto es solo local. Un aporte de vitaminas para la prevención de estos problemas oculares debe cubrir todo el organismo para que también llegue a los tejidos más profundos del ojo.

La vitamina A crea la denominada púrpura visual en los bastones de la retina, que nos permite tener también visión al anochecer. Además, la vitamina A también hace posible distinguir los colores en los conos de la retina. La vitamina B2 se encuentra en la lente, en la retina y en la córnea del ojo en elevadas concentraciones, si bien su funcionamiento

---

Información

El ojo seco

Además del escozor en los ojos, pueden aparecer síntomas acompañantes como prurito, dolor, fotofobia y la sensación de tener "arenilla" en el ojo.

El ojo seco tiene como causa por ejemplo un elevado índice de ozono en el aire. Se produce una disminución de la proporción de proteínas en la película lagrimal, lo que imposibilita a las proteínas cumplir con su función biológica de ofrecer protección contra las bacterias. Además de esto, el ozono también modifica la naturaleza de la película lagrimal empeorando su capacidad defensiva. De este modo, pueden multiplicarse más fácilmente los gérmenes y provocar inflamaciones. Por ello, cuando aumentan mucho los niveles de ozono, las personas sensibles debería intentar contrarrestar los efectos negativos del ozono utilizando colirios de lágrima artificial.

1 *Para relajarse, tápese los ojos con las manos formando una concavidad que no permita que pase la luz. Abra los ojos, mire a la oscuridad y relájese hasta que deje de ver el centelleo y se hayan calmado los ojos.*
Encuentre los puntos de dolor alrededor de los ojos y masajéelos ejerciendo una leve presión con los dedos.

2 *Uno de los puntos se encuentra a un dedo de las cejas algo por encima de las sienes.*
3 *Otro punto de dolor se encuentra justo en el centro del borde óseo inferior del ojo.*
4 *Si pasa el dedo pulgar desde el nacimiento de la nariz hacia la ceja sentirá un tercer punto que también puede masajear a modo de pequeña hendidura en el hueso.*

no está todavía del todo claro. También está demostrado que las carencias de vitamina A, vitaminas del grupo B, vitamina K y vitamina C producen problemas de vista concretos.

Homeopatía

Las indicaciones sobre los efectos y la aplicación de los remedios homeopáticos se pueden consultar en la pág. 265 y ss. Los siguientes cuadros clínicos están organizados por síntoma principal (**S**), estado anímico (**A**) y cambios que se producen (**C**):

Remedios para el tratamiento de la inflamación de conjuntiva:

➤ *Allium cepa* D4, D6 – gotas: **S:** secreción nasal acre y secreción ocular acuosa; **C:** mejora al aire libre.

➤ *Apis mellifica* D4, D6 – pastillas: **S:** inflamación fuerte del párpado, sensación de tener un objeto extraño en el ojo, dolores de cabeza y garganta, fotofobia; **A:** inquietud nerviosa o somnolencia; **C:** mejora con compresas frías, también en el caso de alergia; empeora a medianoche.

➤ *Euphrasia officinalis* D3, D4 – gotas: **S:** dolores punzantes y con escozor, hipersensibilidad a la luz, también en caso de alergia e irritación de la córnea, lágrimas acres y secre-ción nasal acuosa; **A:** pesadez, poco hablador, introvertido; **C:** empeora al leer.

Remedios para el tratamiento del ojo seco:

➤ *Aluminium oxydatum* (Alumina) D12 – pastillas: **S:** dolores oculares por falta de secreción lacrimal, inquietud motriz, cansado tras poco esfuerzo; **A:** ansiedad, miedo, malhumor; **C:** empeora con el ejercicio.

Sales de Schüssler

Las indicaciones sobre los efectos y la aplicación de las sales de Schüssler se pueden consultar en la pág. 268 y ss.

➤ Tratamiento para las inflamaciones (pág. 269).

➤ En caso de enrojecimiento ligero y sobreesfuerzo de los ojos, n.º 3: *Ferrum phosphoricum* (fosfato de hierro) D12 .

➤ En caso de ojos secos, n.º 8: *Natrium chloratum* (cloruro de sodio "sal común) D6, usar también externamente como pomada.

➤ En caso de inflamación de la conjuntiva con párpados pegados, n.º 4: *Kalium chloratum* (cloruro de potasio) D6.

➤ En inflamación con secreción amarillenta, n.º 6: *Kalium sulfuricum* (sulfato de potasio) D6.

➤ En caso de lagrimeo, n.º 8: *Natrium chloratum* (cloruro de sodio "sal común") D6.

HEMORRAGIA NASAL

La mucosa nasal es alimentada por una gran cantidad de capilares sanguíneos, que pueden sangrar mucho en caso de padecerse una lesión, por ejemplo un golpe, una contusión o simplemente por limpiarse mucho la nariz. Pero también una sequedad crónica de la mucosa nasal produce que la mucosa de la nariz tienda a sangrar. A veces, cuando en invierno se usa la calefacción en exceso y se reseca el ambiente, la mucosa nasal puede no ser capaz de humedecer suficientemente el aire inspirado de camino a los pulmones. En esos casos se hincha como si se tratara de un resfriado pero ya no se produce secreción y se forman costras que saltan a la mínima, llegando incluso a fisurarse y sangrar.

● Tratamiento

Como primera medida, hay que detener la hemorragia. Si padece con frecuencia hemorragias nasales debería hacer algo para evitarlo. Sobre todo, hay que controlar la humedad del entorno: usar humectadores ambientales en invierno y ventilar los espacios cerrados con frecuencia.

⊕ Consultar al médico

Si padece una hemorragia que dura más de 20 minutos o sangra por ambos orificios nasales debería acudir al médico para que detenga dicha hemorragia mediante un tampón nasal o un catéter tipo balón. Si la hemorragia se debe a un accidente, hay que comprobar si existe una lesión en el cráneo.

Si padece con frecuencia hemorragias nasales puede ser un indicio de presión sanguínea elevada, de una enfermedad de los vasos sanguíneos o un problema de coagulación. Este tipo de enfermedades deben ser diagnosticadas por el médico.

● Aplicaciones terapéuticas

➤ Para detener la hemorragia, apriete la aleta nasal ininterrumpidamente durante cinco o diez minutos.

➤ Los capilares se estrechan mucho más rápido si se coloca un compresa fría en la nuca o deja que le corra agua fría por los antebrazos.

➤ Para evitar las hemorragias hay que procurar sobre todo que en el entorno haya un nivel suficiente de humedad. Para ello resulta eficaz ventilar con frecuencia o colocar vaporizadores o humectadores ambientales, que resultan una buena solución, si bien hay que mantenerlos siempre en buen estado de limpieza pues de otro modo se pueden convertir en verdaderos criaderos de bacterias.

➤ Enjuagarse la nariz por las mañanas con agua fría, o aún mejor con una solución suavemente salina, ayuda a mantener las mucosas húmedas y estimula la circulación sanguínea. Para ello, disolver unos granos de sal en un vaso de agua y aspirar esta solución de la cuenca de la mano.

➤ Por seguridad, también puede tenerse en la farmacia en casa un tampón para cortar las hemorragias.

● Preparados y remedios

No existen medicamentos contra la hemorragia nasal, por lo que solo cabe intentar descubrir el motivo y prevenirlo adecuadamente.

➤ Si la causa de las frecuentes hemorragias nasales es la sequedad dentro de la nariz, puede prevenirse usando sales de Bad Ems, pomadas o aceites nasales.

➤ En ningún caso se usarán gotas nasales destinadas a reducir el edema de la mucosa nasal pues aún la resecarán más.

DOLOR DE OÍDO

Los dolores de oído pueden aparecer en el marco de una infección (resfriado, pág. 41 y ss.) y enfermedades dentales, así como debido a corrientes de aire, al frío o a la presencia de un cuerpo extraño en el oído (pág. 210). Cuando se padece otitis, las bacterias se introducen en la piel del conducto auditivo a través de heridas muy pequeñas. La piel se inflama y la presión que se produce es responsable de la aparición de un dolor intenso. Las molestias en el oído también se deben con frecuencia a enfermedades de la cavidad naso-bucal. Esto se debe a que la cavidad bucal y el oído medio están comunicados por medio de un sistema de conductos (trompa de Eustaquio) por el que, a su vez, los agentes patógenos alcanzan el oído medio.

Si tiene hinchadas las mucosas de la nariz y las trompas de Eustaquio, se estanca el pus que se ha formado a causa de la infección en el oído medio y se puede producir rápidamente una inflamación acompañada de fiebre y dolores, que con frecuencia son pulsantes. Las inflamaciones de oído medio suelen afectar con frecuencia a bebés y niños pequeños.

● **Tratamiento**

A veces resulta realmente difícil localizar con precisión el dolor en el oído. El calor casi siempre tiene efecto calmante. En un estado inicial puede aplicarse infrarrojos (pág. 259) o envolturas que calienten el oído (pág. 256). Si además se padece resfriado, es importante reducir el edema de la nariz mediante gotas nasales para impedir que se cierre la salida de la trompa de Eustaquio.

Las gotas para los oídos solo son útiles en caso de inflamación del oído externo. Si la inflamación está en el oído medio no alcanzarán el foco de la inflamación. En la pág. 24 se pueden consultar más detalles sobre la aplicación correcta de las gotas para la nariz y los oídos.

⊕ **Consultar al médico**

En caso de inflamaciones del oído medio, la terapia mediante antibióticos combinados con nebulizadores para reducir el edema nasal resulta la única opción para evitar daños mayores. Por ello es imprescindible acudir al médico si las medidas aplicadas en un principio por uno mismo no resultan eficaces. Si es un niño pequeño el afectado, es imprescindible que sea un médico quien trate el dolor de oído.

● **Aplicaciones terapéuticas**

➤ Un remedio de la abuela en caso de dolor de oído es aplicar cebolla, ya sea colocando rodajas de cebolla detrás de la oreja o preparando cebolla picadita y envolviéndola en un paño, que se colocará sobre la oreja tapándose con algodón o un paño caliente y si cabe, ponerse también un gorro. Dejar actuar unas horas (recetas en la pág. 256).

➤ Untar un algodón con aceite de clavo, hipérico o de árbol del té e introducir con cuidado en el oído anterior.

➤ Los baños de vapor (pág. 246 y ss.) con manzanilla aplicados en la oreja también alivian el dolor de oído.Se pueden colocar compresas con manzanilla (pág. 259) sobre la oreja.

➤ Si el dolor de oído llega acompañado de fiebre es conveniente ponerse envolturas en las pantorrillas (pág. 255). Posteriormente se puede tomar sesiones de infrarrojos (pág. 259) sobre el oído afectado.

● **Preparados y remedios**

➤ Normalmente, se usa el principio activo fenazona para curar el dolor de oído. La concentración de los principios activos es superior en las gotas para los oídos que en los prepara-

La cebolla es un remedio casero de la abuela para aliviar el dolor de oído. Envuelva la cebolla picadita en un paño y aplíquelo sobre el oído afectado.

dos de ingestión oral. Muchas gotas para los oídos contienen además anestésicos locales o excipientes como el glicerol que facilitan el acceso del principio activo al foco del dolor.

➤ La procaína es uno de los anestésicos que pueden contener las gotas para los oídos. Si padece una inflamación más aguda hay que acudir al médico, pues de lo contrario existe el riesgo de producir lesiones en el tímpano o en el nervio auditivo.

➤ Cuando se padece una inflamación aguda del oído medio, los dolores intensos que se irradian desde el tímpano se deben a que este se abomba en el conducto auditivo debido a un aumento de la presión en el oído medio.

⊘ A tener en cuenta

Las gotas deben calentarse en las manos antes de su aplicación, pues el oído es sensible al frío. No calentar nunca en el microondas para evitar el riesgo de explosión.

Información

Las gotas nasales ayudan en caso de inflamación del oído medio

Cuando se padece una inflamación del oído medio también es conveniente aplicarse gotas para disminuir la hinchazón de la nariz, pues de este modo se puede aliviar el dolor.

Introducir las gotas en la fosa nasal del mismo lado que el oído afectado (consultar la técnica adecuada en la pág. 24). Las gotas tienen un efecto antiedemático en la desembocadura de la trompa de Eustaquio en la cavidad nasofaríngea. Esto permite que la secreción acumulada pueda salir del oído medio a la cavidad nasofaríngea.

Esto conlleva en la mayoría de los casos que vuelva a equilibrarse la presión, permitiendo la relajación del tímpano y una disminución del dolor.

Homeopatía

Las indicaciones sobre los efectos y la aplicación de los remedios homeopáticos se pueden consultar en la pág. 265 y ss. Los siguientes cuadros clínicos están organizados por síntoma principal (**S**), estado anímico (**A**) y cambios que se producen (**C**):

➤ *Chamomilla* D2, D3, D4, D6 – gotas: **S:** dolor de oído punzante, especialmente al agacharse, ruidos en el oído, una mejilla sonrojada, la otra pálida; **A:** irritable, intranquilo, los niños siempre quieren que se les lleve en brazos; **C:** empeora por las noches y con calor, cuando se enfada o suena música.

➤ *Ferrum phosphoricum* D4, D6 – pastillas: **S:** inflamación y dolores con aumento de la temperatura e inflamación de los nódulos linfáticos. Este remedio es especialmente eficaz cuando se trata de niños nerviosos.

➤ *Pulsatilla* D3, D4, D6 – gotas: **S:** dolor de oído punzante, sensación de tener el oído taponado, pus, secreción acuosa, escalofríos; **C:** empeora con el calor; mejora con el fresco. También cuando se padece sarampión.

➤ *Verbascum thapsiforme* D4, D6 – pastillas/gotas: **S:** en caso de fuertes dolores de cara y oídos; en caso de infección de las vías respiratorias; **C:** empeora con el frío.

Sales de Schüssler

Las indicaciones sobre los efectos y la aplicación de las sales de Schüssler se pueden consultar en la pág. 268 y ss.

➤ Plan para combatir las inflamaciones (pág. 269).

➤ Al padecer dolor y enrojecimiento en el oído, generalmente en la fase inicial tomar cada cuarto de hora una pastilla del n.º 3: *Ferrum phosphoricum* (fosfato de hierro) D12.

➤ En caso de que el conducto auditivo se haya inflamado e hinchado tomar n.º 11: *Silicea* (dióxido de sílice) D12.

➤ Si tiene catarro de trompa de Eustaquio n.º 4: *Kalium chloratum* (cloruro de potasio) D6.

➤ En caso de padecer de inflamación crónica del oído medio con una segregación frecuente de líquido amarillento del oído, n.º 6: *Kalium sulfuricum* (sulfato de potasio) D6 y de forma alterna n.º 4: *Kalium chloratum* (cloruro de potasio) D6.

RUIDO EN EL OÍDO

El ruido en los oídos o tinnitus se describe como la percepción de pitidos, fragor o tintineo en los oídos sin que exista una fuente externa que los emita. El afectado oye el ruido de forma continua o con interrupciones más o menos cortas, lo que resulta muy molesto. Con frecuencia también es síntoma de una sordera incipiente.

El tinnitus puede deberse a diferentes causas, como por ejemplo la pérdida repentina de la audición acompañada de sensación de ruido en el oído, una lesión del oído interno debida a la exposición a ruido a un volumen elevado (entorno laboral ruidoso, discotecas, el uso de aparatos de audición con auriculares) o a lesiones en la cabeza. Otras causas posibles son la arterioesclerosis, los problemas circulatorios, las afecciones del oído interno, la presión sanguínea elevada, un trauma de la columna cervical o un alto nivel de estrés.

● Tratamiento

Es imprescindible consultar al médico para obtener un diagnóstico que expliquen las causas del tinnitus que padece. Con frecuencia, iniciar a tiempo un tratamiento con medicamentos que estimulen la circulación sanguínea puede hacer desaparecer los ruidos en el oído.

Hay aparatos de audición que pueden ayudar a mejorar la percepción de los sonidos externos y existen los denominados enmascaradores de tinnitus, que tienen un aspecto similar a los audífonos pero producen ellos mismos un ruido de fondo que tapa el tinnitus.

Si todas las medidas aplicadas no obtienen el resultado deseado, no se puede hacer más que convivir con el molesto ruido en el oído. Quizá pueda ayudarle acudir a una asociación de afectados. Intente evitar el uso de somníferos y tranquilizantes de síntesis química, pues conducen a la dependencia.

● Aplicaciones terapéuticas

➤ En muchos casos, los ruidos en el oído se deben a un exceso de estrés o de carga emocional. Intente obtener una mejoría aplicando técnicas de relajación.

➤ Al igual que en las enfermedades relacionadas con los problemas circulatorios, también aquí pueden ser de ayuda las medidas que ejerciten y fortalezcan los vasos sanguíneos. Pruebe las aplicaciones hidroterapéuticas con alternancia de agua fría y caliente (pág. 242 y ss.), las afusiones (pág. 249 y ss.) o sesiones regulares de sauna.

➤ La realización de actividades deportivas suaves, como la gimnasia o la marcha, también es beneficioso para la circulación sanguínea.

➤ Los enjuagues de fosas nasales diarios con una solución débil de sal común en agua fría (disolver un par de granos de sal en un vaso de agua) estimulan la circulación sanguínea interior. Para ello, inspire todo lo que pueda el agua salada para que atraviese la fosa nasal hasta salir por la cavidad bucofaríngea.

• Preparados y remedios

El tratamiento del tinnitus todavía no ofrece resultados satisfactorios. En caso de automedicarse pueden ser eficaces los medicamentos fitoterapéuticos y homeopáticos.

Fitoterapia

➤ Los preparados listos para usar de hojas de ginkgo aumentan la fluidez de la sangre, estimulando así también el riego cerebral. El ginkgo puede ser muy beneficioso para tratar los ruidos de oído.

El estrés es una de las causas principales del ruido de oído. Por eso, procure alcanzar la tranquilidad y descansar de las tensiones cotidianas varias veces al día con la ayuda de entrenamiento autógeno.

Homeopatía

Las indicaciones sobre los efectos y la aplicación de los remedios homeopáticos se pueden consultar en la pág. 265 y ss. Los siguientes cuadros clínicos están organizados por síntoma principal (**S**), estado anímico (**A**) y cambios que se producen (**C**):

➤ *China* D3, D4, D6 – pastillas: **S:** zumbido y tintineo en los oídos, hipersensibilidad del oído, sudoración, cabeza ardiente, extremidades frías, pérdida de peso, ventosidades, como consecuencia de pérdida de sangre, de diarrea, de enfermedades (por ejemplo tras una operación); **A:** hipersensibilidad nerviosa; **C:** el estado empeora por las noches, con el contacto, al comer y al reposar; mejora con calor.

➤ *Glonoinum* D4, D6 – gotas: **S:** zumbido y punzadas en el oído, dolor de cabeza intenso pulsante, cara muy enrojecida; **A:** miedo; **C:** empeora con alcohol, calor, sol y ejercicio; mejora al aire libre.

➤ *Phosphor* D6, D12 (D30) – gotas: **S:** ruidos de oído, hipersensibilidad del oído o sordera, oye las propias palabras con eco dentro del oído, deseo de tomar bebidas frías que sin embargo se vomitan; **A:** gran nerviosismo, miedo a la soledad, miedo a las tormentas, gran debilidad; **C:** empeora cuando hace frío, al aire libre, cuando se excita o hace esfuerzos, por la tarde y noche.

➤ *Secale* D3, D 4, D6 – pastillas: **S:** zumbido de oído con mareo y malestar, dolor de cabeza, sensación de quemazón interna; **A:** miedo, melancolía; **C:** empeora con el ejercicio, el contacto y el calor de la cama; mejora al aplicar frío y al aire libre.

➤ *Tabacum* D 6, D12 – pastillas: **S:** zumbido en el oído con mareos y vómito, hipersensibilidad a cualquier ruido, exceso de salivación, sudores fríos, sensación de mucho frío; **A:** nerviosismo; **C:** empeora con el consumo de tabaco o al inspirar humo de tabaco, al realizar ejercicio y al exponerse al frío; mejora al vomitar y al aire libre.

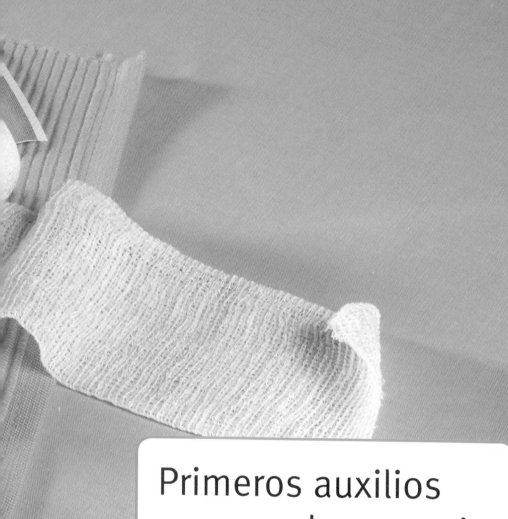

Primeros auxilios en caso de urgencia

Las emergencias, con frecuencia, nos producen desvalimiento o pánico. Ambas reacciones pueden ser fatales para las víctimas, pues las situaciones dramáticas requieren una actuación rápida, decidida y competente. Para que sepa qué hacer en caso de duda, se han resumido en este capítulo los conceptos básicos en relación con los primeros auxilios. Además, dispone de un glosario con 15 conceptos clave ordenados de forma clara por si alguna vez tiene que enfrentarse a un problema serio.

Cuándo se requiere auxilio

Muchos hemos realizado en algún momento un curso de primeros auxilios, en el cual hemos aprendido las normas principales de actuación en caso de emergencia. Normalmente, han transcurrido muchos años y por suerte apenas nadie ha tenido que poner en práctica sus conocimientos acerca de la respiración boca a boca. Sin embargo, los primeros auxilios pueden suponer la única oportunidad de salvar una vida. Según las estimaciones de la Cruz Roja, una de cada cinco víctimas mortales de un accidente podría haber sobrevivido si hubiera recibido primeros auxilios a tiempo por parte de un profano.

Si bien existe un sistema de atención a emergencias eficaz, lo cierto es que en la ciudad una ambulancia requiere al menos diez minutos para llegar al lugar del accidente, pero una parada respiratoria de tres a cinco minutos puede producir lesiones graves en el cerebro.

Por eso es tan importante repasar las normas de actuación en caso de accidente una y otra vez, o aún mejor, participar en cursos de primeros auxilios regularmente. Las siguientes páginas le ayudarán a refrescar o ampliar sus conocimientos sobre la atención básica a accidentados.

ACTUAR DEBIDAMENTE EN SITUACIONES DE EMERGENCIA

Cuando se produce un accidente o una emergencia, las medidas que se adoptan en un primer momento para atender a las víctimas suelen ser de importancia vital o determinantes para conservar la salud de los afectados. Pero ¿cuál es el orden que hay que seguir? ¿Hay que llamar primero a los servicios de emergencia o intentar inmediatamente la reanimación del accidentado? Ante todo, hay que guardar la calma, pues el pánico no ayuda a nadie.

Mantenga el control de la situación
Tenga en cuenta su responsabilidad, pero piense que solo será un breve espacio de tiempo, pues pronto le sustituirán los servicios profesionales de primeros auxilios y los médicos.

➤ En primer lugar, hágase una composición de la situación. ¿De qué tipo de accidente se trata?

➤ Salve a las personas que estén en riesgo de perder la vida (accidente eléctrico, ahogamiento, incendio), pero no se olvide de su propia seguridad en esos momentos de excitación.

➤ Asegure la escena del accidente para que no se produzcan accidentes concatenados.

➤ Compruebe el estado de consciencia y las funciones vitales del accidentado, es decir, la respiración y la actividad cardiocirculatoria.

➤ Pida rápidamente auxilio y a continuación empiece con los cuidados básicos.

Qué hacer en cada caso

Este esquema le ayudará a reconocer enseguida las circunstancias que ponen en peligro la vida de una persona y a reaccionar de forma correcta. En las siguientes páginas se amplía la información relativa a cada uno de estos puntos.
A la hora de ayudar a un herido, el orden correcto de actuación es el siguiente: primero, controlar el estado de consciencia; segundo, controlar la respiración; tercero, controlar el pulso.
Los pasos que deben seguirse engloban las siguientes medidas:
1. Controlar la consciencia
➤ Comprobar si la persona responde, curar las heridas.
➤ Si la persona no responde, controlar la respiración y el pulso
2. Segundo, controlar la respiración
➤ Si la persona respira pero está inconsciente, colóquela en posición ladeada estable. Si el accidentado tiene una respiración regular, cure a continuación sus heridas si es el caso.

➤ Si la persona no respira, compruebe el pulso. Si el pulso se siente, hágale la respiración boca a nariz hasta que vuelva a respirar. Observe si la respiración se mantiene estable. Colocar a continuación en la posición ladeada estable y curar las heridas.

3. Tercero, controlar el pulso
➤ Si se siente el pulso y la respiración es estable, coloque al accidentado en posición ladeada estable y cure las heridas en caso de que las tenga.
➤ Si al accidentado no se le siente el pulso, no respira y no está consciente, empezar inmediatamente con la reanimación cardiocirculatoria hasta que vuelva a tener pulso. Si hay dos personas auxiliando en el lugar del accidente, realizar de forma alterna masaje cardiaco y respiración. Si el accidentado vuelve a tener pulso y respira, comprobar si ambas constantes se mantienen estables. Colocar en posición ladeada estable y curar las heridas.

● **Informar a los servicios de emergencia**
Si tiene un teléfono a mano debería llamar a los servicios de emergencia antes de aplicar los primeros auxilios. Sólo en caso de que el accidente se haya producido fuera de una zona habitada y el teléfono más próximo esté demasiado lejos, es conveniente empezar con los cuidados básicos.

Intente concentrarse cuando esté al teléfono para informar con claridad.

Las cinco preguntas fundamentales
La información más importante que debe transmitir al servicio de emergencia cuando hable por teléfono son las respuestas a las siguientes cinco preguntas fundamentales. Sin estos datos el servicio de emergencias no puede determinar el tipo de ayuda que se requiere.

> ¿Dónde ha tenido lugar el accidente?

Diga el nombre exacto del lugar y explique los accesos con precisión. En caso de un accidente en plena naturaleza, ofrezca puntos de orientación precisos a la persona con la que hable.

> ¿Qué ha ocurrido?

Informe con precisión sobre el tipo de accidente de que se trata: incendio, accidente en el agua, enfermedad o accidente de tráfico. El personal del servicio de emergencia necesita estos datos para preparar el material correspondiente y planificar la acción de socorro.

> ¿Cuántas personas han resultado afectadas?

Es un dato importante para enviar suficientes auxiliares y ambulancias al lugar del accidente.

> ¿Qué tipo de lesiones se han producido?

Debería poder informar al servicio de emergencias sobre las consecuencias del accidente, como paradas cardiorrespiratorias, pérdida de consciencia u otros indicios de enfermedad. De este modo, los auxiliares podrán preparar las medidas urgentes necesarias durante su desplazamiento al lugar del accidente.

> Espere a responder las preguntas

Este es casi el punto más importante, pues, debido a la excitación, a veces los informantes no se expresan con claridad u olvidan detalles importantes. Por ello, espere a que el servicio de emergencia le plantee las preguntas correspondientes y no cuelgue enseguida.

Espere la llegada del médico de urgencias

En el momento del susto inicial puede que algún familiar nervioso o alguna persona que auxilia sin experiencia se plantee llevar al accidentado al hospital para ganar tiempo, pero puede ser arriesgado. No solo porque al actuar de esa manera se está dejando de adoptar medidas de urgencia vitales sino porque hay que tener en cuenta muchos detalles para transportar a un enfermo al hospital dependiendo del tipo de urgencia. Espere a que llegue el médico de urgencias o el personal sanitario a no ser que el centro de emergencias le autorice expresamente a realizar el transporte por sus propios medios.

Poner a salvo al accidentado

Tanto en caso de accidente de tráfico como en otras emergencias, es de importancia vital poner a salvo al accidentado que no pueda moverse por su propio pie llevándolo a un sitio seguro o sacándolo de su coche. Es prácticamente imposible prestar primeros auxilios a una persona inconsciente que se encuentra sentada en un vehículo, por lo que hay que sacarla del mismo. Además, en los accidentes de tráfico graves existe el riesgo de incendio y explosión.

La maniobra de Rautek

Para poner a salvo a un accidentado aplique la maniobra de Rautek. En caso de accidente de tráfico hay que abrir primero la puerta y desabrochar el cinturón de seguridad (cortarlo si es necesario). Si se han enganchado los pies del accidentado, por ejemplo bajo los pedales, intente liberarlos.

> A continuación, gire a la persona accidentada con la espalda hacia usted y colóquese con las piernas flexionadas detrás de ella.

> Luego agárrele con ambos brazos por debajo de las axilas y sujételo de uno de sus antebrazos después de habérselo colocado en ángulo recto sobre el pecho.

> Extráigala del coche levantando el tórax y trasladando el peso hacia atrás. Camine hacia atrás con las rodillas flexionadas colocando al accidentado sobre sus muslos.

> Procure mantener la espalda recta y los brazos estirados, de ese modo aprovechará la fuerza al máximo y no se lastimará.

LAS ATENCIONES BÁSICAS

En la mayoría de los accidentes, las lesiones son por fortuna leves y pueden tratarse con medios sencillos, pero en los casos graves pueden llegar a producirse situaciones en las que peligra la vida del accidentado, como son las paradas cardiorrespiratorias. Por ello, compruebe siempre si el accidentado está consciente y si presenta las funciones vitales, respiración y actividad cardiocirculatoria.

• Comprobar el estado de consciencia

➤ Resulta sencillo comprobar si la persona está inconsciente. Observe si abre los ojos y reacciona cuando le habla o le sacude suavemente. Si el accidentado no reacciona a esos estímulos, seguramente estará inconsciente.

➤ Si el accidentado reacciona de forma limitada o ralentizada, tendrá la consciencia afectada. Posiblemente pierda la consciencia en breve.

➤ Si la pérdida de consciencia solo dura segundos o minutos se trata de un desmayo breve, que con frecuencia se produce a causa de problemas circulatorios.

• Controlar la respiración

Si el accidentado está inconsciente hay que comprobar su respiración.

➤ Observe la caja torácica para ver si realiza movimientos respiratorios.

➤ Acerque el oído a la boca del accidentado para comprobar si escucha ruidos de respiración y si siente el aire que expira.

➤ Otros indicios de un paro respiratorio son las pupilas dilatadas insensibles a la luz, los labios amoratados, las uñas de las manos oscurecidas y un color azulado.

Todo paro respiratorio es un estado de riesgo para la vida. Si se interrumpe el aporte de oxígeno pueden surgir tras pocos minutos lesiones permanentes.

• Comprobar la actividad cardiocirculatoria

En caso de inconsciencia y parada cardiorrespiratoria hay que comprobar la actividad cardiocirculatoria tomando el pulso al accidentado. Un consejo para las personas sin experiencia es que no hay que perder demasiado tiempo, pues con frecuencia el pulso es muy débil y resulta difícil de encontrar. Más vale empezar pronto con la respiración y el masaje cardiaco, que debe realizarse en una relación de 2 a 15, es decir, dos veces la respiración y quince veces el masaje cardiaco. La descripción de estas técnicas se encuentra en la pág. 206.

➤ El lugar más fiable para tomar el pulso es la arteria carótida. Para ello, colocar dos o tres dedos sobre la parte superior de la tráquea de la persona afectada y a continuación deslizar los dedos hacia el lateral. En la hendidura entre la tráquea y la musculatura del cuello se puede percibir el pulso efectuando una breve presión.

➤ Si no se siente el pulso, repetir el mismo procedimiento hacia el otro lado. Si en ambos lados no se siente el pulso esto puede indicar una parada cardiocirculatoria.

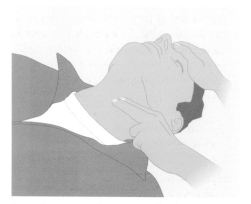

La mejor manera de encontrar el pulso en un accidentado es en la arteria carótida, que transcurre por el hueco al lado de la tráquea.

¿QUÉ HACER EN CASO DE PÉRDIDA DEL CONOCIMIENTO?

En caso de pérdida del conocimiento hay que contar con un fallo de la respiración (parada respiratoria, véase más adelante). Las causas de una pérdida de consciencia pueden ser lesiones craneales o cerebrales (pág. 213), intoxicaciones (pág. 217), hemorragias (pág. 208), un accidente cerebrovascular o un *shock* (pág. 214).

● **Posición ladeada estable paso a paso**

➤ Toda persona inconsciente cuya respiración es estable debe ser colocada lo antes posible en la posición ladeada estable para que no se ahogue por su propia saliva, sangre o vómito.

➤ Arrodíllese al lado del accidentado, que deberá estar acostado sobre su espalda, y levántele un poco la cadera.

➤ Coloque el brazo debajo de la nalga elevada y doble la pierna del mismo lado acercando el pie hasta la mano.

➤ Empuje al accidentado en bloque cogiéndole del hombro y la cadera opuestos y gírelo despacio sobre la mano colocada debajo de la nalga.

➤ Recoloque el brazo que estaba debajo del cuerpo al lado del mismo y tome la mano opuesta para colocarla a modo de apoyo debajo de la mejilla que está en contacto con el suelo.

➤ La posición será correcta cuando la boca se encuentre en un plano inferior más próximo al suelo permitiendo que la saliva, la sangre y el vómito se puedan expulsar fácilmente. Por ello nunca hay que poner un cojín o una manta debajo de la cabeza del afectado.

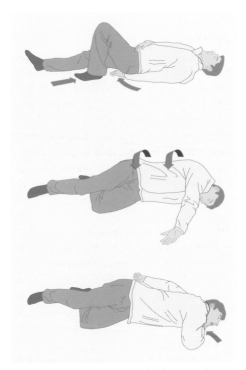

Una persona inconsciente puede ahogarse si está acostada de espaldas. Mediante la posición ladeada estable pueden mantenerse despejadas las vías respiratorias.

¿QUÉ HACER EN CASO DE PARADA RESPIRATORIA?

En la mayoría de los casos una parada respiratoria coincide con una parada cardiocirculatoria (pág. 206). En ambos casos hay que iniciar inmediatamente la reanimación. Las causas de una parada respiratoria pueden ser, entre otras, una sobredosis de estupefacientes (intoxicación, pág. 217), una accidente eléctrico (pág. 214), una lesión grave en la cabeza o un ictus. Pero a veces solo están bloqueadas las vías respiratorias, como cuando cae hacia atrás la lengua.

Esquema de reanimación

Para iniciar una reanimación hay que seguir el siguiente esquema:

➤ Despejar las vías respiratorias.

➤ Iniciar la respiración artificial.

➤ Garantizar la circulación sanguínea.

➤ El paso más importante es la respiración inmediata. Proceda según el siguiente esquema.

Despejar las vías respiratorias

➤ Extraer de la cavidad bucofaríngea cualquier objeto obstaculizante, como prótesis dentales o chicles. Si en esta cavidad hubiera restos de vómito, límpielos con un pañuelo o con un trozo de tela limpio.

➤ Gire la cabeza del accidentado cogiéndole de la nuca. De este modo la lengua volverá a caer hacia delante y se liberarán las vías respiratorias. Con frecuencia, al girar el cuello del accidentado, este vuelve a respirar.

Iniciar la respiración artificial

➤ Insufle el aire que usted expulsa al accidentado, pues contiene suficiente oxígeno. Hágalo de forma regular según su propio ritmo respiratorio. No finalice la ventilación hasta que le releve el servicio de emergencias o hasta que el accidentado vuelva a respirar por sí mismo.

La ventilación puede realizarse mediante la respiración boca a nariz o boca a boca. A continuación se describen ambas técnicas paso a paso.

Garantizar la circulación sanguínea

➤ Si la persona inconsciente carece de todas las constantes vitales, es decir, no respira y tampoco se le nota el pulso, padecerá además una parada circulatoria. En ese caso, además de la ventilación habrá que realizar inmediatamente un masaje cardiaco (*véase* la pág. 206).

Respiración boca a nariz

➤ Arrodíllese situando ambas piernas a un lado de la cabeza del accidentado y apoye una mano sobre el límite de la frente con el cuero cabelludo y la otra mano sobre la barbilla. Con el pulgar de la mano que está en la barbilla empuje el lado inferior hacia arriba, de este modo la boca se mantendrá cerrada. Eche la cabeza del accidentado despacio hacia atrás manteniéndola en esta posición. Si el paciente no inicia la respiración por sí mismo, inspire profundamente.

➤ Abra la boca y colóquese sobre la nariz del accidentado. Sople su aliento de forma tranquila y regular a los pulmones del accidentado.

➤ A continuación, observe el tórax del accidentado. La ventilación será correcta si ve que la caja torácica desciende y se escucha la salida del aire.

➤ Vuelva a inspirar y ventile de nuevo. Este proceso deberá repetirse aproximadamente de doce a dieciséis veces por minuto. Tenga en cuenta que la cabeza del accidentado debe mantenerse en la misma postura muy inclinada hacia atrás.

➤ Si la caja torácica del accidentado no se eleva y desciende a pesar de la respiración artificial, puede deberse a que la posición de la cabeza no es la adecuada porque no despeja las vías respiratorias.

Suelte un momento la cabeza y vuelva a realizar el movimiento de inclinación hacia atrás. Retome la ventilación.

Respiración boca a boca

Si no ha dado resultado la respiración boca nariz hay que pasar a la respiración boca a boca.

➤ La posición de la persona que auxilia al accidentado sigue siendo la misma: arrodillado a un lado de la cabeza del accidentado. Sin embargo, ahora la mano que se encuentra sobre la frente de la persona inconsciente se utiliza para obstruirle las fosas nasales con el dedo pulgar y el índice. Con la mano posicionada en la barbilla se separan los labios del accidentado.

➤ Apoye la boca muy abierta sobre la boca del accidentado con presión y proceda del mismo modo que en la respiración boca a nariz.

¿QUÉ HACER EN CASO DE PARO CARDIACO?

Hay variadas causas que pueden producir un paro cardiaco, entre ellas se encuentra el infarto (véase más adelante), el accidente eléctrico (pág. 214), la pérdida de sangre (hemorragia, pág. 208), la sobredosis de medicamentos (intoxicación, pág. 217) o un *shock* (pág. 214).

● Esquema de reanimación

Cuando se produce un paro cardiaco hay que tomar las mismas medidas ya descritas en el esquema de reanimación en caso de parada respiratoria (pág. 204), incluso si no está seguro, porque el riesgo de hacer algo mal es pequeño. No actuar puede suponer la muerte del afectado.

● Masaje cardiaco

➤ El paciente debe estar acostado en plano boca arriba sobre una superficie dura. En el caso de adultos, se presionará de forma rítmica sobre el tercio inferior del esternón, y si el afectado es un niño se apretará aproximadamente sobre el centro del esternón.

➤ Busque el final del esternón. Dos dedos más arriba se encuentra el punto de presión para los adultos.

➤ Coloque una mano sobre la otra acercando las articulaciones. De este modo tendrá fuerza suficiente para realizar la compresión mecánica del corazón mediante movimientos regulares.

➤ En el caso de adultos, se realizarán unas 60 (hasta 90) compresiones por minuto, y en el caso de niños 80 por minuto.

➤ No hay que olvidar que hay que continuar con la ventilación. Si se puede contar con otra persona, uno de los dos realizará el masaje cardiaco mientras el otro se ocupará de la respiración artificial.

La norma que se debe seguir es cinco compresiones de corazón seguido de una ventilación.

● Infarto

Un infarto puede llevar, aunque no siempre, a un paro cardiaco. La persona afectada siente uno o varios de los siguientes síntomas: sensación de presión detrás del esternón, dolor de pecho, irradiación del dolor con frecuencia al brazo izquierdo, sensación fuerte de miedo, pulso débil y acelerado, palidez y sudores fríos.

En caso de darse los primeros indicios de un infarto, hay que reaccionar con presteza:

➤ En primer lugar, avisar al médico de urgencias.

➤ Mantener un entorno de máxima tranquilidad.

➤ Acostar al paciente dejando el torso elevado para facilitar la respiración.

➤ Si está en un espacio cerrado, abrir las ventanas. Aflojar aquellos elementos de la ropa que puedan oprimir, como el cuello o el cinturón.

➤ No dejar al enfermo solo e intentar tranquilizarlo.

➤ Si el paciente padece de angina de pecho, adminístrele los medicamentos a base de nitrato que suele usar en la dosis habitual.

LESIONES OCULARES

Las lesiones oculares pueden producirse cuando se introduce un cuerpo extraño en el ojo, cuando se recibe un golpe (por ejemplo con un corcho de una botella de champán, una bola de nieve, un puñetazo, un chorro de agua con mucha presión) y por quemadura química.

Síntomas típicos
- ➤ Enrojecimiento.
- ➤ Dolor con ardor.
- ➤ Lagrimeo.
- ➤ Edemas.

Primeros auxilios

Cuerpos extraños, blandos y superficiales
➤ Los cuerpos extraños, como polvo, carbonilla o insectos, suelen ser inocuos y pueden eliminarse pasando la punta de un pañuelo limpio desde el borde exterior del ojo hacia la nariz.

➤ Si el cuerpo extraño se encuentra debajo del párpado inferior estírelo hacia abajo y pida al afectado que mire hacia arriba. De este modo podrá extraer el cuerpo extraño con cuidado.

➤ Si el cuerpo extraño se encuentra debajo del párpado superior. estire este por encima del párpado inferior. De este modo, se consigue con frecuencia que la partícula se quede enganchada en las pestañas del párpado inferior.

➤ Si la partícula no se puede eliminar acuda a un oftalmólogo.

Cuerpos extraños duros y adheridos
➤ Si se han introducido en el ojo cuerpos extraños de metal o madera solo deben ser extraídos por un oftalmólogo debido al riesgo de lesión que esto supone. Incluso los rasguños más leves en la córnea pueden producir ulceraciones de córnea y lesiones permanentes.

➤ Tapar el ojo afectado con un paño opaco o un vendaje.

Contusiones
➤ En caso de contusiones producidas por un golpe en el ojo, se debe acudir a la consulta del médico para que este realice una exploración del ojo y compruebe si hay posibles lesiones internas.

Quemaduras químicas
➤ Las quemaduras producidas por sustancias químicas requieren atención inmediata. Se debe lavar el ojo durante aproximadamente 15 minutos bajo un chorro de agua tibia vertida con cuidado a unos diez centímetros de distancia.

➤ El agua deberá escurrirse hacia el borde exterior del ojo para no dañar también el ojo ileso.

➤ Si no se dispone de agua para realizar el lavado, se puede usar también una infusión pero en ningún caso leche.

➤ Tras un lavado intenso se tapará el ojo con una tela estéril y el paciente será llevado de urgencias al oftalmólogo.

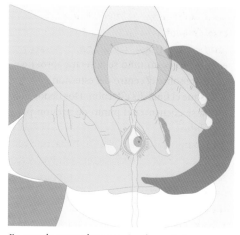

En caso de quemadura química, lavar el ojo con mucha agua dejándola escurrir hacia el borde exterior.

HEMATOMA

Cuando recibimos un impacto externo, como el causado por un golpe o una caída, apenas se lesiona la piel, pero debajo de ella se rompen pequeños vasos sanguíneos que derraman sangre a los tejidos circundantes.

● Síntomas típicos
➤ Una moradura bien visible a través de la piel que pasado un tiempo se torna de color amarillo-verdoso debido a la reabsorción de la hemoglobina.
➤ Resulta a veces muy doloroso, sobre todo cuando se encuentra en capas musculares más profundas aunque externamente no sea apenas visible.

● Primeros auxilios
➤ Siempre que sea posible, aplicar un chorro fuerte de agua sobre el hematoma recién producido.
➤ Si los hematomas son de tamaño considerable y van acompaños de un edema deben ser tratados por un médico. Si no se han producido heridas abiertas tratar el hematoma con compresas frías hasta acudir a la consulta médica.
➤ Si trascurridas algunas horas tras una lesión (por ejemplo, un niño recibe un golpe en la barriga mientras está jugando) el accidentado empalidece y se queja de dolores puede que se trate de una lesión en la cavidad abdominal (una ruptura de vasos sanguíneos mayores en el vientre) con una importante pérdida de sangre. En este caso hay que acudir al médico de urgencias.

HEMORRAGIAS

A veces es necesario detener una hemorragia de forma rápida, pues la pérdida de sangre puede tener consecuencias graves para la actividad circulatoria de la sangre. La pérdida de simplemente un litro de sangre ya produce un *shock* en el caso de un adulto. Por ello tenga también en cuenta la aplicación de las medidas en caso de *shock* (pág. 214).

● Síntomas típicos
➤ Una o varias heridas grandes que sangren con profusión.

● Primeros auxilios
En la mayoría de los casos puede detenerse una hemorragia mediante la aplicación de presión, por ejemplo, aplicando un vendaje de compresión. Si esta medida no resulta eficaz deberá detener la hemorragia apretando usted. En cualquier caso, hay que llamar al médico de urgencias.

Aplicar un vendaje de compresión
Si la hemorragia está localizada en brazos y piernas, colocarlos en alto suele detener la hemorragia.

Información

¿Qué hacer cuando hay un cuerpo extraño en la herida?

Si ha penetrado un cuerpo extraño en la herida, deberá permanecer en la herida en una primera instancia e incluirse en el vendaje. Coloque un acolchamiento anular en torno al cuerpo extraño y cubra la herida con una gasa estéril. Coloque un vendaje con cuidado y espere a que llegue el médico.

➤ En primer lugar cubrir la hemorragia. Colocar encima un acolchamiento (a ser posible un paquete de gasas) y sujetarlo con una venda enrollada con presión.

➤ Si la sangre también traspasa este vendaje, colocar otro vendaje compresivo hasta que la hemorragia se haya detenido.

Detener hemorragias mediante compresión

Si una arteria sangra a chorro y no resulta posible detener la hemorragia, se debe realizar una compresión arterial entre el corazón y la herida presionando sobre el hueso subyacente. No se dejará de realizar la compresión hasta que un vendaje compresivo pueda detener en gran medida la hemorragia o hasta que el médico de urgencias se haya hecho cargo.

➤ Si la hemorragia es en el antebrazo o la mano, apriete con una mano la parte inferior de la superficie interior del brazo. Apriete con los dedos juntos la arteria humeral contra el húmero, que en este punto se nota fácilmente.

➤ Si la hemorragia procede de heridas en las piernas, arrodíllese al lado de la cadera del lesionado. En la zona inguinal, rodee con ambas manos el muslo. Apriete con los pulgares sobre el centro de la ingle comprimiendo la arteria femoral contra la pelvis. Si la persona que está auxiliando al accidentado no tiene experiencia puede resultarle difícil encontrar la arteria. No se demore demasiado con esta maniobra e intente detener la hemorragia mediante un vendaje de compresión.

AHOGAMIENTO Y REANIMACIÓN

El peligro de un accidente de este tipo reside en la falta de oxígeno, que puede conducir fatalmente a la muerte por asfixia. Sin embargo, en caso de hipotermia, el organismo disminuye el consumo de oxígeno en un ambiente frío, por lo que puede soportar una falta de oxígeno durante mucho más tiempo sin sufrir lesiones. Por este motivo, deben realizarse las maniobras de reanimación durante un espacio de tiempo más prolongado, puesto que hay constancia de casos que en principio parecían perdidos y sin embargo se ha podido reanimar al paciente.

● Síntomas típicos

➤ Pérdida de la consciencia
➤ Parada respiratoria
➤ Piel azulada
➤ Con frecuencia sale por la boca y la nariz una espuma teñida de sangre.

● Primeros auxilios

➤ Avise al médico de urgencias
➤ No intente extraer el agua de los pulmones y el estómago. El agua que ha penetrado en los pulmones no la podrá extraer.
➤ Si la persona ahogada ya está padeciendo una parada circulatoria, inicie inmediatamente las maniobras de reanimación. En primer lugar, y tras el despeje de las vías respiratorias, debe realizarse la respiración boca a nariz (pág. 205), apoyándola si se puede con un masaje cardiaco (pág. 206). Se continuará aplicando estas medidas hasta que llegue el médico de urgencias.
➤ Para evitar la hipotermia, quítele al accidentado la ropa mojada y tápelo para que entre en calor.

CUERPOS EXTRAÑOS Y ASFIXIA

Los cuerpos extraños pueden introducirse sin querer o de forma intencionada en las aberturas del cuerpo. La mayoría de las veces los objetos extraños se alojan en la nariz, el oído, el esófago y las vías respiratorias.

● Síntomas típicos
> Nariz: respiración por la nariz obstaculizada, hinchazón y dolor.
> Oído: líquido sanguinolento en el pabellón auricular.
> Esófago: dificultad de tragar, tos, puede aparecer un vómito sanguinolento.
> Tráquea: ruido silbante al respirar, tos, la piel se torna azul, ataque de pánico al aumentar la imposibilidad de respirar.

● Primeros auxilios
Dependiendo de dónde se encuentre el cuerpo extraño, habrá que adoptar diferentes medidas.

Cuerpo extraño en la nariz
> Si se aloja un cuerpo extraño en la nariz (por ejemplo una canica en la nariz de un niño pequeño) puede intentar expulsarlo sonándose. Para ello, mantenga cerrado el orificio nasal que no esté afectado y expulse el aire inspirado por la boca con presión a través del orificio nasal obstruido.
> También puede expulsarse el cuerpo extraño provocando de forma artificial un estornudo. Para ello, haga que el afectado aspire pimienta negra o hágale cosquillas en la fosa no obstruida.
> Si no se puede eliminar el cuerpo extraño de este modo, acuda al médico.

Cuerpo extraño en el oído
> No intente jamás extraer un cuerpo extraño que se haya alojado en el oído con pinzas, palitos de algodón o similares, pues si se usan de forma incorrecta pueden producirse lesiones graves en el tímpano. Acuda directamente al médico.

Cuerpo extraño en el esófago
> Si un objeto se ha quedado atravesado en el esófago (por ejemplo, una espina de pescado, cacahuetes o caramelos), dele al afectado un alimento espeso (miga de pan o puré de patatas), que envolverá el cuerpo extraño y permitirá su deglución.

Cuerpo extraño en la tráquea
> Si un cuerpo extraño se encuentra en la tráquea y el afectado muestra síntomas de asfixia, llame al médico de urgencias. Intente extraer el cuerpo extraño lo más rápido posible mientras espera al médico.
> En caso de tratarse de cuerpos extraños de tamaño grande, puede intentarse liberar el espacio nasofaríngeo con un dedo, aunque existe el peligro de empujar el objeto más adentro de la garganta.
> Golpear con la palma de la mano entre los omóplatos produce tos, que puede hacer expulsar el cuerpo extraño.
> A ser posible, el afectado deberá inclinarse hacia delante. Los niños pequeños pueden ponerse boca abajo o sobre la barriga apoyándose sobre el muslo de la persona que le auxilia. Los jóvenes y adultos se inclinarán sobre el respaldo de una silla o el canto de una mesa, o también sobre la rodilla inclinada de la persona que le auxilia.

GOLPE DE CALOR E INSOLACIÓN

Normalmente, el cuerpo compensa el exceso de calor ensanchando los vasos sanguíneos y aumentando la sudoración. Un golpe de calor se produce cuando el organismo está expuesto durante un tiempo prolongado a temperaturas extremas y el propio mecanismo regulador del organismo se descompensa.

Por otro lado, la insolación se produce cuando se recibe demasiado sol en la cabeza. Con frecuencia afecta a personas que no se percatan de la intensidad del sol debido al efecto refrescante del viento.

● Síntomas típicos
➤ Dolor intenso de cabeza y nuca.
➤ Malestar, fiebre, mareo y zumbido en los oídos.
Además, en caso de golpe de calor:
➤ Malestar hasta la pérdida de conocimiento.
➤ Aceleración del pulso.
➤ Aumento de la temperatura corporal con frecuencia por encima de los 40 ºC.
➤ Piel enrojecida, caliente y seca.

● Primeros auxilios
Preste atención, pues ambos cuadros clínicos incluyen el peligro de muerte.
➤ En caso de golpe de calor hay que refrescar al afectado. Aplíquele paños fríos y húmedos alrededor de la cabeza y las pantorrillas. Avise al médico de urgencias.
➤ En caso de insolación, hay que llevar inmediatamente al afectado a la sombra y enfriarle la cabeza con paños mojados y fríos. Si la persona está consciente hay que llevarla al servicio médico y si no, llamar al médico de urgencias.

FRACTURA ÓSEA

Se diferencia entre fracturas óseas cerradas (sin herida en la piel por encima del hueso fracturado) y fracturas abiertas (con heridas en la piel y los tejidos, dejando a veces visible el hueso). Las fracturas abiertas son especialmente peligrosas, pues pueden penetrar organismos patógenos en la herida y en los huesos produciendo infecciones óseas que requieren una curación larga.

● Síntomas típicos
➤ Dolores.
➤ Hinchazón.
➤ Deformación.
➤ Postura incorrecta.
➤ Postura "de prevención".
➤ Huesos que sobresalen de la herida en caso de fractura abierta.
➤ Falta de respiración patente y dolores punzantes en cada respiración cuando se trata de una fractura de costillas.

● Primeros auxilios
En caso de sospecha de fractura ósea hay que realizar un estudio radiológico acudiendo a la consulta del médico. Las fracturas sencillas de brazo o tobillo deben inmovilizarse y estabilizarse previamente.

Todas las fracturas abiertas, fracturas de piernas y de costillas con sospecha de lesiones pulmonares deben ser tratadas por el médico de urgencias.

Fracturas de brazos
➤ Todas las fracturas óseas de brazos deben inmovilizarse antes de acudir al médico de modo que el afectado padezca el mínimo dolor posible. Para ello, fijar el brazo doblado en ángulo recto sobre el pecho y sujetarlo con un pañuelo doblado en forma triangular y atado a la nuca. De este modo

se procura una disminución de movimientos del brazo, evitando en gran medida un desplazamiento de los huesos fracturados. También puede fabricarse un cabestrillo con cualquier tipo de prenda si no tiene un pañuelo a mano.

➤ Una fractura del brazo o la clavícula puede fijarse además con uno o dos cabestrillos alrededor del brazo o el tórax.

Fracturas de pierna

➤ En caso de fractura de pierna hay que dejar al accidentado sin cambiarle de postura hasta que llegue el médico.

➤ Rodee la pierna rota con prendas de ropa mullidas, mantas o similares. A continuación

Mediante un cabestrillo realizado con un pañuelo doblado en triángulo o doblando hacia arriba la parte baja de la chaqueta y sujetándola puede inmovilizarse un brazo roto hasta que llegue el médico de urgencias.

aproxime objetos a ambos lados de la pierna de modo que esta quede fijada en su posición hasta que llegue el médico de urgencias.

Fracturas de tobillo

➤ En caso de fractura de tobillo, enrolle una manta o una toalla formando un rulo largo.

➤ Coloque este rulo como si fuera un estribo alrededor del pie y la pierna y fíjelo con paños o vendas hasta que llegue el médico.

Fracturas abiertas

➤ En caso de fracturas abiertas, aplique un vendaje estéril para evitar una infección ósea. Llame inmediatamente al médico de urgencias.

Fracturas de costillas

➤ En caso de fracturas de costillas, coloque al accidentado en posición semisentada y llame al médico de urgencias.

➤ No inmovilice las costillas fracturadas mediante vendajes, es mejor esperar a que llegue el médico.

➤ Si cree que debido a dificultades respiratorias el accidentado tiene lesiones pulmonares, llame inmediatamente a los servicios de urgencias.

Fractura de maxilar

➤ Si no puede moverse el hueso maxilar tras una caída fuerte o un accidente de tráfico, puede tratarse de una fractura. Otros indicios son dientes sueltos o dolores intensos en el maxilar superior o inferior.

➤ Aunque el accidentado tenga una hemorragia considerable, déjelo sentado de momento para que no se trague astillas de hueso o dientes sueltos. El paciente puede sujetarse él mismo la cabeza. Deberá ser transportado boca abajo.

➤ Si el paciente pierde la consciencia, colóquelo lo antes posible en la posición ladeada estable (pág. 204).

LESIONES EN LA CABEZA

Entre las lesiones de la cabeza y el cráneo más frecuentes se encuentran la conmoción cerebral, las heridas en la cabeza y la fractura de la base del cráneo. Las lesiones de cráneo son especialmente peligrosas por dos motivos: por un lado, porque en el cráneo se encuentran todas las conexiones y puntos de coordinación que controlan el funcionamiento de todos los órganos y sus lesiones o destrucción pueden resultar un peligro mortal; por otro lado, si las heridas son abiertas (con hemorragia) pueden introducirse infecciones en el cerebro, que normalmente está protegido, produciendo inflamaciones que ponen en peligro la vida del accidentado.

• Síntomas típicos

Tras la caída sobre una superficie dura (por ejemplo, al montar a caballo o en bicicleta, o en caso de resbalón sobre hielo) o al colisionar con objetos duros y en accidentes de tráfico.

Conmoción cerebral
➤ Dolor de cabeza.
➤ Generalmente pérdida de la consciencia solo breve.
➤ Malestar hasta vomitar.
➤ Pérdida de memoria de lo que ha causado la conmoción cerebral.

Herida en la cabeza
➤ Heridas abiertas: lesiones en la piel relativamente pequeñas pero profundas con hemorragia considerable.
➤ Heridas de abrasión: lesiones superficiales que abarcan superficies mayores de la piel, con hemorragia moderada.

Fractura de la base del cráneo
➤ Tras un impacto fuerte en la cabeza, por ejemplo tras un accidente de tráfico o una caída grave, fluye sangre de la nariz, la boca y a veces del oído.
➤ Hematomas azulados alrededor de los ojos.

• Primeros auxilios

Conmoción cerebral
➤ Deje al accidentado en la postura en que lo ha encontrado. Si el accidentado ha perdido el conocimiento llévelo con cuidado a la posición ladeada estable (pág. 204). Llame a un médico o al servicio de emergencias, pues el accidentado deberá permanecer al menos una noche para su observación en el hospital.
➤ También en caso de conmoción cerebral leve debería reposar al menos durante dos días. De otro modo, se arriesga a padecer durante bastante tiempo dolores de cabeza recurrentes.

Herida en la cabeza
➤ Cubra con un apósito estéril el lugar de la hemorragia y sujételo con una venda o un pañuelo doblado en triángulo. Si las heridas abiertas sangran mucho, aplique un vendaje compresivo (pág. 208).
➤ En cualquier caso llame a un médico o a los servicios de emergencias, que le relevarán en el cuidado del accidentado.

Fractura de la base del cráneo
➤ Si sospecha que un accidentado inconsciente puede haber sufrido una fractura en la base del cráneo, colóquelo en primer lugar en la posición estable lateral (pág. 204) y llame de inmediato al médico de urgencias.
➤ Cubra la herida sangrante con un apósito estéril. Procure que el accidentado sea transportado al hospital lo antes posible.

SHOCK

Por *shock* se entiende un fallo de funcionamiento de la circulación sanguínea que pone en riesgo la vida, pues se produce una reducción del riego sanguíneo en los órganos, lo que conlleva una disminución del aporte de oxígeno hasta tal punto que puede temerse que se produzcan lesiones permanentes.

Posibles causas del shock
➤ Pérdida de líquido debido a hemorragia, quemadura, vómito o diarrea.
➤ *Shock* cardiógeno debido a infarto, fallo de corazón, fallo de las válvulas cardiacas o embolia pulmonar.
➤ *Shock* séptico causado por las toxinas de las bacterias.
➤ *Shock* alérgico (anafiláctico) causado por incompatibilidad con medicamentos, por reacción al veneno de insectos y serpientes así como a vacunas.

● Síntomas típicos
➤ Presión sanguínea muy baja y respiración acelerada
➤ Inquietud, miedo, falta de comunicabilidad en caso de *shock* incipiente
➤ Pulso muy acelerado, apenas perceptible
➤ Extremidades húmedas y frías de color grisáceo (excepto si el *shock* es séptico)

● Primeros auxilios
➤ Si el paciente sufre una parada respiratoria procédase a la respiración artificial (pág. 204).
➤ Si padece una hemorragia procure detenerla lo antes posible (pág. 208 y s.).
➤ Háblele al accidentado para calmarle y evite que se ponga a dar vueltas.
➤ Acueste al paciente y levántele las piernas a unos 30 cm (por ejemplo sobre un cajón).
➤ Cubra con una manta al paciente hasta que llegue el médico de urgencias.

ACCIDENTE ELÉCTRICO

La mayoría de los accidentes eléctricos se sigue produciendo en el hogar. A pesar de las advertencias, muchas personas no pueden prescindir de secarse el pelo en la bañera o de colocar la radio en el borde de la bañera.

● Síntomas típicos
➤ Quemadura.
➤ Fallo cardiaco.
➤ Sacudida (los accidentados se quedan con frecuencia pegados por una contracción muscular a las líneas eléctricas).
➤ Malestar y pérdida del conocimiento.
➤ Existe peligro de parada circulatoria hasta 24 horas después del accidente eléctrico.

● Primeros auxilios
➤ Desconecte la corriente eléctrica lo antes posible.
➤ Tenga cuidado de no formar parte del circuito eléctrico. Si no puede desconectar el interruptor principal ni desenchufar el aparato debe separar al afectado de la fuente de corriente de otra manera.
➤ Colóquese sobre una base aislada seca de madera, goma, vidrio, una capa gruesa de periódicos o ropa. Intente separar al afectado de la fuente de corriente utilizando un objeto no conductor, como por ejemplo el palo de una escoba de plástico o de madera.
➤ Una vez separado el accidentado de la fuente de electricidad a una distancia segura, deben comprobarse las funciones cardiocirculatorias y respiratorias (pág. 203), curarse las heridas producidas por las quemaduras (pág. 216) y avisar inmediatamente al médico de urgencias.

HIPOTERMIA Y CONGELACIÓN

Hipotermia

Se habla de hipotermia cuando la temperatura corporal descendiendo por debajo de los 35 ºC. Si la temperatura baja aún más la vida corre serio peligro puesto que el corazón ya no puede trabajar. Una hipotermia puede producirse cuando, por ejemplo, se permanece demasiado tiempo en agua fría, de forma voluntaria o involuntaria, o también en un entorno frío. También permanecer mucho tiempo en la nieve debido a un accidente de esquí o por un alud produce en la mayoría de los casos una hipotermia.

Tienen un riesgo mayor de hipotermia las personas mayores y muy delgadas, las personas con lesiones cerebrales, los neonatos y bebés así como las personas con enfermedades del metabolismo como por ejemplo el hipotiroidismo, pues en estos casos existe una menor capacidad de compensación de la temperatura corporal. También algunos medicamentos, como tranquilizantes y somníferos, así como el alcohol, pueden llevar a una hipotermia de forma considerablemente más rápida si la persona que las ha tomado se expone a temperaturas exteriores muy bajas.

Congelación

La congelación es una lesión de alguna parte del cuerpo producida por el frío sin la presencia de una hipotermia.

En particular, afecta a los dedos de manos y pies, a la nariz y las orejas o a otras partes del cuerpo demasiado ceñidas por la ropa, como por ejemplo los pies.

● Síntomas típicos

En caso de hipotermia
➤ Palidez.
➤ Cara hinchada.
➤ Apatía.

➤ En caso de hipotermia grave, respiración ralentizada y superficial.
➤ Rigidez muscular.
➤ En algunos casos, pérdida del conocimiento.
➤ Latido débil e irregular.

En caso de congelación
➤ Piel fría y blanca, a veces aparición de ampollas.

● Primeros auxilios

En caso de hipotermia
En caso de hipotermia, en primer lugar hay que intentar mantener la circulación y respiración en funcionamiento. La temperatura corporal debe aumentarse de forma muy lenta y con cuidado (aproximadamente un centígrado por hora).
➤ Como primera medida, es suficiente tapar al paciente con una manta de lana y si es posible llevarle a un lugar caliente (de 25 a 30 grados).
➤ Si el paciente está consciente, dele bebidas calientes azucaradas. Advertencia: en caso de hipotermia está totalmente prohibido tomar alcohol, puesto que el alcohol dilata los vasos sanguíneos y produce una disminución adicional de la temperatura corporal.

En caso de congelación
➤ En caso de congelación hay que calentar lentamente la parte del cuerpo afectada, por ejemplo en un baño de agua. Comience con agua tibia y vaya añadiendo lenta y gradualmente agua más caliente.
➤ Hasta que acuda el médico o se llegue al hospital, hay que cubrir con apósitos estériles las zonas congeladas.
➤ Si la congelación es grave, el calentamiento solo deberá realizarse bajo supervisión médica.

QUEMADURAS Y ESCALDADURAS

Las quemaduras se producen fundamentalmente por contacto directo con objetos calientes, fuego y corriente eléctrica. Las escaldaduras se producen por líquidos hirviendo o por vapor.

● Síntomas típicos

La intensidad de las quemaduras puede clasificarse en diferentes grados.

➤ Grado I: enrojecimiento, hinchazón, dolor. Sólo afecta a la capa superior de la piel. Las quemaduras se curan sin producir cicatriz (por ejemplo quemaduras del sol).

➤ Grado II a: las quemaduras producen ampollas. También están afectadas las capas de piel profundas. Sin embargo, se curan sin formar cicatriz.

➤ Grado II b: los capilares de la piel también se han lesionado. Quedan cicatrices.

➤ Grado III: la piel tiene manchas de color gris a blanco y está totalmente dañada. Los afectados no sienten dolor pues los nervios cutáneos también se han destruido. La quemadura requiere tratamiento clínico. Con frecuencia hay que realizar trasplantes de piel.

Si se ha quemado más del 15% de la superficie de la piel o si las quemaduras son muy profundas, existe peligro de *shock*. Cuantos menos dolores sientan las personas quemadas tanto peor es su pronóstico.

● Primeros auxilios

Quemaduras y escaldaduras de menor grado

➤ Enfríe la zona de la piel quemada inmediatamente bajo agua fría o mediante compresas frías hasta que desaparezca el dolor.

➤ No abra las ampollas, pues ejercen de vendaje propio y limpio.

➤ Es importante tener en cuenta que nunca debe aplicarse sobre las heridas de quemaduras ni harina ni otros productos secos. Tampoco son adecuados los geles, las cremas ni las pomadas. Se emplastan en el tejido y dificultan el trabajo de curación del médico.

Quemaduras y escaldaduras de mayor grado

➤ Si la ropa de una persona se ha prendido fuego, apague las llamas con una manta o haga rodar a la persona afectada por el suelo.

➤ Las heridas producidas en la piel deben mojarse lo antes posible bajo un grifo de agua fría y mantenerse así durante quince minutos. Enfriar las quemaduras hasta que el dolor deje de ser constante.

➤ Sólo podrá quitarse la ropa al accidentado si todavía no está pegada sobre la herida. Si éste fuera el caso, el herido deberá colocarse debajo de la ducha con la ropa.

➤ En caso de escaldamiento hay que quitar al accidentado la ropa de forma rápida y con cuidado. Quitar inmediatamente las joyas pues la piel quemada o escaldada se hincha al cabo de un rato.

➤ A continuación, cubra las heridas con apósitos estériles para evitar el riesgo de infección.

➤ Hay que tener también en cuenta la posibilidad de que se produzca un *shock* debido a la pérdida de líquido de los vasos sanguíneos y a los intensos dolores (pág. 214).

➤ Llame a un médico o en casos graves acuda al servicio de urgencia.

INTOXICACIÓN Y QUEMADURAS POR CONTACTO CON SUSTANCIAS QUÍMICAS

Las intoxicaciones se producen al ingerir alimentos en mal estado, hongos y plantas venenosas pero también por medicamentos y alcohol en exceso. Las quemaduras químicas internas pueden producirse por ingerir lejía y ácidos. El riesgo más frecuente procede de productos de limpieza del hogar, como el desinfectante del baño y el detergente del friegaplatos.

Síntomas típico
➤ Malestar, vómitos.
➤ Diarrea.
➤ Dolor de barriga espasmódico y repentino.
➤ Dolores de vientre, mareos.
➤ Pulso acelerado o ralentizado.
➤ Leve pérdida o pérdida total de la consciencia.
➤ Problemas respiratorios hasta la parada respiratoria.
➤ Síntomas de *shock*

Primeros auxilios
Cuando tenga lugar un accidente producido por sustancias tóxicas piense en primer lugar en protegerse usted mismo. Póngase guantes de protección para que no le afecten las sustancias tóxicas.
➤ Llame al médico de urgencias.
➤ En el servicio de información toxicológica puede informarse sobre las medidas urgentes que debe aplicar.
➤ Asegure la respiración y la función cardiaca regular hasta que llegue el médico (según el esquema de reanimación, pág. 205).
➤ Si el accidentado está inconsciente colóquelo en la posición ladeada estable (pág. 204).
➤ Si la sustancia tóxica se ha ingerido y no se trata de una sustancia corrosiva, y si el accidentado está consciente, indúzcale al vómito, lo

> ## Información
>
> ### El teléfono de urgencias toxicológicas
>
> El servicio de información toxicológica atiende las 24 horas del día. Apunte el número y téngalo a mano en la farmacia en casa.

que puede conseguir dándole de beber medio litro de agua tibia o de zumo (no administrar agua salada a niños, ya que pueden padecer una intoxicación debido a la sal) o introduzca los dedos en el fondo de la cavidad bucal.
➤ Si el afectado está consciente y no se trata de una quemadura interna por sustancia química, no debe administrarle medicamentos u otros remedios tras haber vomitado sin consultar previamente al centro nacional de toxicología.

A tener en cuenta en caso de quemaduras por sustancias químicas
En ningún caso se inducirá al vómito, pues las sustancias corrosivas pueden producir nuevas quemaduras al atravesar el esófago.
➤ En caso de quemaduras por sustancias químicas, debe lavarse a fondo la cavidad bucofaríngea. Si el afectado está consciente y las sustancias corrosivas han alcanzado el esófago o el estómago, hágale beber agua (fría) en abundancia para disminuir el grado de concentración.
➤ Para un tratamiento rápido en caso de intoxicación, es importante conocer la causa de la intoxicación o la quemadura por sustancia química a fin de poder realizar un análisis. Una vez estabilizado el estado del paciente deberá guardarse los restos de comida, las pastillas y los vasos relacionados con el accidente.

ESGUINCE Y LUXACIÓN

Una luxación es la lesión que padece la articulación cuando, tras un movimiento determinado (caída, golpe o similar), no vuelve a su posición normal. En el caso de los esguinces, los huesos que forman la articulación se trasladan pero vuelven a su posición de origen. En este caso se lesionan en particular los ligamentos y los tendones de la zona, pues se sobretensan y pueden llegar a romperse.

- Síntomas típicos
Luxación
➤ Dolores insoportables en el momento de producirse la lesión.
➤ La articulación no puede ya moverse o si se mueve produce dolores muy intensos.
➤ Posición anormal así como edema en la articulación.

Esguince
➤ Dolor, edema y dificultad de movimiento de la articulación.

- Primeros auxilios
Luxación
➤ En caso de una luxación, coloque en alto la articulación lesionada y manténgala inmovilizada para que no se produzcan lesiones adicionales de nervios y vasos.
➤ Bajo ningún concepto intente volver a colocar la articulación en su sitio. Solo un médico deberá recolocar la articulación dislocada.

Esguince
➤ En caso de esguince aplicar un gel o una pomada analgésica y antiinflamatoria. Son principios activos de síntesis química adecuados el ácido salicílico o el sulfóxido de dimetilo. Como principios activos fitoterapéuticos, se recomiendan los extractos de árnica, castaño de Indias, consuelda mayor o hipérico.

Información

Curarse requiere su tiempo

Aunque le resulte difícil, tómese el tiempo necesario para curarse. Todas las lesiones de ligamentos requieren un periodo de curación bastante largo. Si esto no se tiene en cuenta, los ligamentos pueden no recuperar su resistencia anterior y la articulación se tornará inestable y más propensa a volverse a lesionar.

Lea con atención la información del fabricante en relación con el ámbito de aplicación y las contraindicaciones (hipersensibilidad) que encontrará en el folleto adjunto.
Coloque un vendaje elástico y deje en reposo la articulación uno o dos días.
➤ Para disminuir el edema, pueden aplicarse bolsas con cubitos de hielo o compresas de frío especiales.
➤ Si continúan las molestias, acuda a la consulta del médico para realizar un estudio radiológico.

Un tobillo con esguince se inmoviliza mediante un vendaje elástico.

CURACIÓN DE HERIDAS

El objeto de los primeros auxilios en caso de heridas es evitar una penetración mayor de cuerpos extraños y gérmenes en la herida así como detener la hemorragia. Las heridas cotidianas más frecuentes son los cortes, las abrasiones, las heridas por punción y las heridas abiertas.

● Síntomas típicos

➤ Cortes: heridas de diferente profundidad, con frecuencia con hemorragia intensa y bordes de la herida lisos.

➤ Abrasiones: heridas superficiales con pérdida de la capa exterior de la piel, con secreción de líquido tisular y generalmente escasa hemorragia.

➤ Herida por punzamiento: heridas en las que se encuentran cuerpos extraños (como astillas).

➤ Heridas abiertas: son heridas de bordes irregulares que con frecuencia tienen un tono azulado debido a hemorragias.

● Primeros auxilios

➤ Los cortes pequeños se limpian solos dejándolos sangrar durante unos minutos. En caso de hemorragias mayores puede aplicarse un apósito. A continuación, colocar una tirita de forma oblicua al corte.

➤ Es conveniente que un médico cosa las heridas mayores con importante hemorragia para que no queden cicatrices feas.

Información

Peligro de tétanos

No importa qué tipo de herida sea. Tenga en cuenta que cualquier herida puede suponer un riesgo de contraer una infección tetánica. Por ello, compruebe si está protegido.

➤ En caso de heridas por abrasión con frecuencia se introduce suciedad en la herida. Por ello, límpiela primero con un desinfectante, pues no se produce una limpieza natural por medio del sangrado. A continuación, cubra la herida con un vendaje elástico transpirable.

➤ En caso de que en la herida se hayan introducido astillas se pueden eliminar con unas pinzas. Tenga cuidado de no romper la punta de la astilla. Acuda al médico para que compruebe que en la herida no quedan restos extraños.

➤ Si los objetos extraños alojados en la herida son mayores, se deberán dejar donde están y acolchar el entorno de los mismos. A continuación, aplicar un vendaje estéril y ligero. Acudir al médico. Las heridas causadas por objetos oxidados tienen un alto riesgo de infección. Compruebe si todavía es efectiva su vacuna contra el tétanos.

➤ Aplicar un vendaje estéril sobre las heridas abiertas. Puesto que con frecuencia es necesario coserlas, deberá acudir a un médico para que se haga cargo de la cura.

Siempre que uno sufra una herida, es importante estar protegido contra el riesgo que supone el tétanos estando vacunado.

Prevención
y autoayuda

Todos sabemos que prevenir es mejor que curar. La información, los consejos y las indicaciones sobre alimentación y aporte de micronutrientes ayudan a preservar la salud. Si aun así padece alguna dolencia puede obtener alivio de forma rápida mediante aplicaciones con agua y calor o mediante acupresura. Pero ¿sabe realmente cómo aplicar una envoltura, preparar una infusión o un baño de vapor? Este cursillo le ofrecerá toda la información importante sobre la forma en que actúan las medidas recomendadas y el modo de aplicarlas puntualmente. Además, encontrará en el apartado de autoayuda indicaciones de cómo aplicar remedios fitoterapéuticos y homeopáticos así como las sales de Schüssler

Comer sano previene las enfermedades

La alimentación y el estilo de vida influyen en gran medida en nuestra vida.
Ambos factores son la condición básica para tener salud y longevidad.
Y lo mejor es que cada uno puede determinar por sí mismo estos factores.

En nuestra sociedad la mala alimentación produce un elevado número de enfermedades. Comer en exceso, los alimentos demasiado grasos, demasiado dulces, demasiado salados, el aporte insuficiente de micronutrientes y fibra y el exceso de aditivos químicos tienen unas consecuencias terroríficas. Casi un 50% de los españoles tiene sobrepeso y más del 70% de todas las enfermedades están relacionadas con la alimentación. Ahora vivimos más tiempo pero también estamos cada vez más enfermos.

En una lista con las principales enfermedades relacionadas con la alimentación, el primer lugar lo ocupa el sobrepeso, la presión sanguínea elevada y los índices elevados de grasa en sangre y de ácido úrico; además, suelen aparecer de forma conjunta. La pérdida de peso reduce de forma considerable la aparición y la gravedad de estas enfermedades. Cada kilo que se pierde disminuye la presión sanguínea y alarga la vida de tres a cuatro meses.

COMER Y BEBER MANTIENE EL EQUILIBRIO ENTRE CUERPO Y ALMA

La alimentación es necesaria para el crecimiento del cuerpo, para la obtención de calor y energía, para la regulación de los procesos vitales y para la protección contra enfermedades. Nuestra alimentación la conforman a modo de "materiales de construcción" las proteínas, el agua y los minerales; a modo de "combustibles", las grasas y los hidratos de carbono, y como sustancias de defensa y regulación, las vitaminas, los enzimas, las sustancias vegetales secundarias y la fibra.

● Proteínas

Las proteínas son los elementos constructivos fundamentales de todo ser vivo: su estructura es responsable de la formación de las células, los órganos y los tejidos; como enzimas, activan las reacciones químicas del cuerpo y transportan el oxígeno y el hierro; como hormonas, son determinantes para importantes fases del ciclo vital. Además, transmiten impulsos nerviosos como neurotransmisores, son responsables de la actividad muscular, dirigen la circulación sanguínea y a modo de anticuerpos defienden al organismo de agentes patógenos. Las proteínas están formadas por 20 aminoácidos diferentes, de los que ocho (la valina, la leucina, la isoleucina, la treonina, la metionina, la fenialanina, el triptófano y la lisina) se deben obtener a través de la alimentación. Los restantes los produce el propio organismo. Entre el 10 y el 15% del aporte energético diario debería provenir de las proteínas (aproximadamente un gramo por kilogramo de peso corporal). Se encuentran en alimentos de procedencia animal y vegetal.

Grasas

Las grasas son paquetes de energía y a su vez suministradores de vitaminas. Deben consumirse en cantidades razonables (30% del aporte calórico diario, entre 70 y 80 g diarios). Muchos de los productos de elaboración industrial contienen con frecuencia grasas saturadas enmascaradas, que resultan de difícil digestión además de elevar el nivel de colesterol en la sangre. Solo deben consumirse muy de vez en cuando, sumando como mucho el 30% de las grasas asimiladas diariamente.

Son de importancia vital los ácidos grasos insaturados (por ejemplo, el ácido linoico; una cucharada de aceite de germen de maíz o de girasol equivale a los 10 gramos diarios recomendables) pues entran a formar parte de la estructura de las células y son necesarios para la producción de sustancias transmisoras y hormonas. Disminuyen el nivel de colesterol. Los ácidos grasos Omega-3, cuya estructura es una cadena larga, disminuyen el riesgo de trombosis, ayudan a la coagulación de la sangre, son esenciales para el funcionamiento del cerebro humano y además tienen importantes propiedades preventivas.

La mayor cantidad de grasas Omega-3 se encuentra en el pescado. Pero la masiva producción moderna de animales disminuye la cantidad de estas grasas. Los peces de acuicultura contienen hasta un 30% menos de grasas Omega-3 que los animales de la misma especie en libertad. También hay que indicar que los peces con frecuencia están contaminados con sustancias tóxicas como mercurio, bifenilo policlorado y compuestos orgánicos de cloro. El pescado de acuicultura suele tratarse además con antibióticos. Tomar complementos alimenticios depurados tiene por lo tanto ventajas obvias (pág. 234 y ss.).

Hidratos de carbono

Los hidratos de carbono están compuestos de carbono y de agua (hidratos) y suponen una fuente de energía importante para el organismo. Los azúcares simples o monosacáridos como la glucosa, la fructosa y la galactosa los puede fabricar el propio organismo, mientras que los disacáridos como la sacarosa (se encuentra en la remolacha azucarera o la caña de azúcar), la maltosa (en la malta), la lactosa (en la leche) y los polisacáridos como el almidón (en las patatas, los cereales y las legumbres) y el glicógeno (en los músculos y el hígado) deben ser suministrados a través de la comida. Los alimentos ricos en hidratos de carbono, como los productos integrales de cereales, las patatas, las legumbres y la fruta, contienen además importantes micronutrientes y fibra. Hay que tomar al día al menos 100 g de estos productos.

Fibras

Los componentes similares a los hidratos de carbono que hay en los alimentos no pueden ser digeridos por las personas, si bien son esenciales para la vida. Se diferencia entre fibras no solubles, como la celulosa y las hemicelulosas, y

Los productos integrales son ricos en fibras y ayudan a la limpieza de los intestinos.

las fibras solubles, como las pectinas, el guar, el carrageno y el agar-agar (alga roja), que pueden ligar una cantidad de agua hasta cien veces su peso. Se encuentran cada vez más en alimentos de elaboración industrial, con frecuencia para ligar productos caros y darles más volumen, como por ejemplo la nata en productos lácteos.

Las fibras sacian y aumentan el volumen y la viscosidad del contenido intestinal, previniendo un taponamiento, pues mantienen tonificados los músculos intestinales, y permiten la formación de una flora intestinal saludable. Se recomienda consumir diariamente de 30 a 40 g. Entre los alimentos ricos en fibras se encuentran los productos de cereal integral, los frutos secos, la verdura, la fruta y las patatas. El aporte de fibras en suficiente cantidad previene las enfermedades benignas y malignas de los intestinos, los cálculos biliares, los valores elevados de grasa en la sangre, la diabetes y la adiposidad.

Si hasta el momento su alimentación ha sido más bien pobre en fibras y cambia sus hábitos alimenticios, las bacterias intestinales deberán atravesar un periodo de adaptación a las nuevas condiciones. Una mayor formación de gases intestinales es normal y también pasajera.

● Micronutrientes

Los micronutrientes son sustancias vitales para el organismo puesto que este no es capaz de fabricarlos por sí mismo o solo lo hace en cantidades pequeñas. Entre los micronutrientes se encuentran las vitaminas, los minerales y los oligoelementos así como sustancias secundarias que se encuentran en las plantas. Aunque parezca una paradoja, cada vez más personas obesas y de peso normal padecen importantes carencias de micronutrientes, con las graves consecuencias que ello acarrea.

Esto se debe a que la cantidad de vitaminas que se encuentra en frutas y verduras disminuye considerablemente debido a que estas se recolectan prematuramente cuando todavía están inmaduras, a los largos trayectos de transporte y a su conservación inadecuada. Además, los terrenos de cultivo se encuentran cada vez más carentes de minerales y oligoelementos debido a su sobreexplotación y a que las plantas ya no son capaces de asimilar los oligoelementos debido a los efectos de su interacción con abonos e insecticidas. Además, durante la elaboración industrial se eliminan por ejemplo las capas superiores del cereal, que contienen los micronutrientes. También una larga cocción de la verdura le quita nutrientes. Por ello, intente evitar una carencia de micronutrientes en su dieta. La mejor manera de conseguirlo puede consultarla en la pág. 233 y ss.

Nuestro organismo es una increíble fábrica bioquímica. En los 70 billones de células que forman el organismo de un adulto tienen lugar varios miles de millones de reacciones bioquímicas, y eso cada segundo de la vida. Los micronutrientes son los responsables de que estas reacciones sean posibles y tienen que ser constantemente asimilados a lo largo de la vida. Los procesos del metabolismo están ligados entre sí a modo de una retícula. La simple falta de un micronutriente en la cadena influye en todas las reacciones, produciendo una ralentización del metabolismo, una disminución de la capacidad de rendimiento y una disminución de la capacidad de defensa del sistema inmunológico. Muchas enfermedades se deben a una carencia de micronutrientes.

Las vitaminas son sustancias proteicas vitales que el organismo no puede elaborar o solo puede elaborar en parte. Por ello, dependemos de su aporte externo. Aparte de sus importantes funciones para el metabolismo, las vitaminas protegen a modo de antioxidante las células corporales de los ataques del agresivo oxígeno (para ello, consúltese también "Aporte de micronutrientes mediante complementos alimenticios", pág. 232 y ss.).

Los científicos han descubierto que en el organismo humano se encuentran más de 80 sustancias minerales diferentes. 60 de ellas tienen alguna función en el metabolismo según las investigaciones. Las sustancias minerales, cuyo aporte diario total está en torno a los 100 mg, son elementos inorgánicos, como el calcio, el cloro, el potasio, el magnesio, el sodio y el fósforo. También son elementos inorgánicos los oligoelementos que se requieren en menor cantidad, como el cobalto, el hierro, el flúor,

el yodo, el cobre, el manganeso, el molibdeno, el níquel, el selenio, el vanadio y el cinc. Los oligoelementos del organismo humano caben en una cucharilla de café y, sin embargo, nada funciona sin ellos. Por ejemplo, el calcio sirve de elemento constructivo de los huesos, y el cinc y el magnesio participan en la formación de numerosos enzimas que actúan en el metabolismo. Otras sustancias minerales se ligan con metales pesados para que estos puedan ser expulsados a través de los riñones, crean impul-

Información

Los antioxidantes combaten los radicales libres

Durante mucho tiempo los científicos han estado intentando encontrar un denominador común para causas muy diferentes de enfermedades. Parece ser que en el denominado estrés oxidativo se ha encontrado un nexo de unión importante. Esto significa que se forman radicales libres tanto en los procesos relacionados con la energía como en los procesos defensivos del organismo, así como cuando se soporta una carga importante de radiación, contaminación electromagnética y sustancias químicas. Los radicales libres son una especie de oxígeno agresivo.

Su funcionamiento químico es como el de un conquistador soltero: quieren retirar a la fuerza un electrón que les falta de otras relaciones de dos electrones (a este robo de electrones se le denomina oxidación). Los que se han quedado desparejados, a su vez, inician la búsqueda de otro electrón libre, de modo que se pone en marcha una reacción en cadena.

Todos conocemos cómo funciona este proceso: cuando dejamos una manzana cortada por la mitad al aire se vuelve marrón. Sus sustancias de protección se gastan al aire libre. El zumo de limón, que tiene vitamina C, puede evitar esta oxidación. Del mismo modo ocurre con el aceite, pues sin sustancias de

protección se volverá rápidamente rancio (se oxida). Si añadimos vitamina E, el aceite estará protegido contra la oxidación.

El organismo humano se protege de los radicales libres mediante los denominados antioxidantes, siempre que haya suficiente cantidad de estas sustancias y que no se consuman en exceso debido a enfermedades o cargas ambientales.

Entre los antioxidantes, también denominados neutralizadores de los radicales libres, se encuentran las vitaminas liposolubles A y E, la vitamina hidrosoluble C, el coenzima Q10, los oligoelementos cobre, manganeso, selenio y cinc, enzimas como la superoxidodismutasa y sustancias vegetales secundarias. Si el organismo dispone de una cantidad insuficiente de antioxidantes debido a una alimentación pobre en micronutrientes, o si requiere más antioxidantes de los que hay disponibles debido a la presencia de una enfermedad o a cargas ambientales, se desarrollan enfermedades en todos los sistemas orgánicos. Están relacionadas con el estrés oxidativo las alergias, las enfermedades de la piel, las enfermedades cardiocirculatorias, el cáncer, la diabetes mellitus y las cataratas seniles.

sos eléctricos en los nervios, forman parte de las hormonas, apoyan al sistema inmunológico y coordinan el transporte de los micronutrientes así como su eliminación.

Las sustancias vegetales secundarias son desarrolladas por las plantas para su propia protección. Sirven para ahuyentar a posibles depredadores o protegen contra los efectos nocivos de la radiación ultravioleta. Algunas son colorantes y tienen la función de atraer. En el organismo humano las sustancias vegetales secundarias tienen múltiples funciones defensivas. Pueden:

➤ proteger del efecto perjudicial de los radicales libres (efecto antioxidante),

➤ reducir las inflamaciones (efecto antiinflamatorio),

➤ fortalecer el sistema inmunológico (efecto inmunomodulador),

➤ disminuir el riesgo de enfermedades cancerígenas (efecto anticancerígeno),

➤ proteger contra las afecciones bacterianas, de hongos y virus (efecto antimicrobiano).

Toda persona debería asimilar a través de la alimentación diariamente alrededor de 1,5 g de estas sustancias. Entre las sustancias vegetales secundarias más conocidas, de entre alrededor de 30 000 que se han descrito, se encuentran por ejemplo los carotinoides (que se encuentran sobre todo en las zanahorias), los glucosinolatos (sobre todo se encuentran en la mostaza, el ajo y el berro), las lectinas (se encuentran sobre todo en las legumbres), las fitosterinas (sobre todo en las semillas, como las pipas de girasol, la soja o el sésamo), los flavonoides (se encuentran en casi todas las plantas) y las saponinas (sobre todo en los guisantes, las judías y las espinacas).

Las sustancias estrella de este grupo son los polifenoles (se encuentran especialmente en el vino tinto y en la corteza de pino). Entre los polifenoles destacan las procianidinas oligoméricas (un consejo: recuerde simplemente sus siglas, OPC). Pueden ser eficaces, entre otras afecciones, contra alergias y neurodermitis, pueden reducir las inflamaciones y disminuir el riesgo de infarto y cáncer (pág. 239).

● Agua

Una persona adulta está constituida por entre un 50 y un 70% de agua; un bebé por un 70%. El agua se encuentra principalmente en la musculatura y los vasos sanguíneos. Sirve de medio diluyente y de transporte y regula la temperatura corporal. Es muy importante su efecto depurativo, pues disuelve toxinas, que se dirigen al riñón, donde serán eliminadas.

Se debe tomar al menos 2,5 l de agua diarios, de ellos 1,5 en forma de bebida. A mayor esfuerzo físico, temperatura ambiente o en caso de enfermedades, se requerirá un mayor aporte de líquido.

El agua del grifo solo se recomienda de forma condicional, pues con frecuencia contiene insecticidas, pesticidas, restos de medicamentos, cobre y plomo. Para mayor seguridad, mande analizar la calidad del agua en su domicilio por un perito independiente.

También hay que valorar de forma crítica ciertas aguas minerales que se encuentran en el mercado. A veces contienen una cantidad demasiado elevada de sodio, nitratos y arsénico. Para que el agua sea apta para beber existe el límite de 10 microgramos de arsénico por litro; para las aguas minerales el límite de arsénico es de 50 microgramos por litro. Tampoco es recomendable tomar agua con ácido carbónico, pues contiene muchos minerales y su eficacia para la eliminación de toxinas se ve reducida.

Para ir sobre seguro, puede utilizar filtros de agua de alta calidad, por ejemplos filtros de bloqueo con carbono o instalaciones de ósmosis inversa. Esto incluso le permitirá ahorrar, pues amortizará los filtros en poco tiempo ya que no necesitará comprar agua mineral ni otras bebidas.

COMER Y BEBER HOY: LO QUE NO SE DEBE COMER

Los medicamentos son sustancias químicas que se administran al organismo en caso de enfermedad y generalmente durante periodos relativamente breves (cuando son eficaces). Siempre vienen acompañados de un prospecto que, entre otras cosas, informa sobre los riesgos y los efectos secundarios. Sin embargo, los alimentos los tomamos a diario y la cantidad cada vez mayor de sustancias químicas que contienen se menciona en parte en sus envases, pero el consumidor no recibe datos sobre lo que éstas suponen para su salud. En este caso debe ser cada cual el que tome la iniciativa y se informe. Hay que tener en cuenta que si prescindimos de los aditivos químicos en la alimentación, pasando al consumo de productos naturales y a la preparación cuidadosa de los alimentos, a la vez que optimizamos el aporte de micronutrientes, pueden mejorar o desaparecer totalmente (entre otras) las siguientes afecciones:

Las chucherías, en especial, contienen gran cantidad de sustancias colorantes y aromatizantes.

➤ Sobrepeso y enfermedades relacionadas.
➤ Alergias y neurodermitis.
➤ Inflamaciones de las articulaciones.
➤ Hiperactividad y otras alteraciones de la conducta.
➤ Nerviosismo y alteraciones del sueño.
➤ Migraña.

• Sustancias aromatizantes y otros aditivos en los alimentos

Actualmente se utilizan en la UE 2700 sustancias aromatizantes y la tendencia va en aumento. El consumo total anual para personas y animales según estadísticas es de 170 000 toneladas. A esto se suman 95 000 toneladas de glutamato. Y a esto hay que añadir colorantes, conservantes, acidulantes y muchos más.

➤ Los aromatizantes simulan un sabor no existente en los alimentos (de este modo, una bolsa de sopa con 2 g de pollo deshidratado tiene, para envidia del ama de casa, un intenso sabor a pollo); al vino se le da más *bouquet* añadiéndole aroma de barrica de madera (4 g por cada 100 l); el aroma de corteza de pan blanco permite a los panaderos conseguir pingües beneficios, y un uso muy extendido del aroma de fresa nos hace olvidar que la cosecha mundial de fresas solo consigue cubrir apenas el 5% de la demanda estadounidense de productos de fresa.

➤ El sabor originalmente no tiene la función de producir placer, sino la de avisar al organismo de la presencia de una sustancia venenosa o indigesta en el alimento. Las sustancias aromatizantes engañan a este sistema de alerta innato para percibir compuestos de los alimentos indigestos enmascarando notas de sabor desagradables de los alimentos modificados industrialmente. De este modo, los alimentos que han pasado por muchos procesos y por tanto son insípidos solo resultan comestibles añadiéndoles aromas artificiales, y sustancias residuales incomibles (como el surimi) se reciclan convirtiéndose en alimentos. Se ha conseguido igualmente que al ganado vacuno le resulte "apetecible" la harina animal (lo que desató el escándalo de la EEB).

➤ Las sustancias aromatizantes "naturales" o "idénticas a las naturales" no proceden en ningún caso de la fuente supuesta, pues el aroma "natural" de fresa, así como el de frambuesa, cacao, chocolate o vainilla se obtiene de serrín (al menos se trata de una fuente natural, si bien ninguna persona se lo tomaría voluntariamente). Por ejemplo, también es "natural" el aroma a melocotón, que procede del aceite de ricino, o el aroma de coco, que se obtiene de un tipo de hongo; y así podríamos continuar la enumeración indefinidamente.

➤ Las sustancias aromatizantes producen "adicciones beneficiosas para la industria". Cada vez más personas, sobre todo niños y jóvenes, rechazan el sabor de alimentos naturales, pues son menos intensos que los de los alimentos industriales, a los que se han acostumbrado gracias a las ingentes campañas publicitarias.

➤ El espesante carrageno, que se usa casi en todos los alimentos de elaboración industrial –incluso en la nata montada–, produce a la larga (y por lo tanto consumido en grandes dosis) que las paredes del intestino se hagan permeables: el sistema de defensa deja evitar que sustancias potencialmente tóxicas se introduzcan en la circulación sanguínea y se ve dañado.

➤ El ácido cítrico E330 se encuentra actualmente en prácticamente todos los alimentos de elaboración industrial –también en productos para niños–, lo que facilita la absorción en el cuerpo y en el cerebro de metales pesados, como el plomo (que produce daños cerebrales) y el aluminio (considerado factor de riesgo para la enfermedad de Alzheimer).

Información

Las dos caras del azúcar

El azúcar es la fuente de energía más importante para las células cerebrales y nerviosas. Tomado en su justa medida permite mantener la capacidad de atención y concentración. Los niños estadounidenses consumen anualmente en torno a 146 kg de azúcar (sería suficiente con 10 kg) y también los niños de otros países se están acercando a este nivel.

Un exceso de consumo de azúcar produce trastornos del comportamiento, hiperactividad y problemas de concentración. El nivel de azúcar en la sangre fluctúa al ingerir alimentos con alto contenido en azúcar y, tras un aumento de la capacidad de concentración inicial, produce somnolencia y letargo. Además, puede producir una verdadera adicción. Los científicos han descubierto que el sistema de recompensas estimula el cerebro de forma similar a las drogas.

Las hormonas de la felicidad producidas por el propio organismo (endorfinas) y la sustancia transmisora del organismo serotonina influyen sobre el estado de ánimo de las personas. Estimulan el sueño, disminuyen la sensación de dolor y aumentan el deseo de comunicarse así como la sensación de satisfacción. Para poder producir serotonina el organismo necesita triptófano y este se asimila especialmente bien a partir de la alimentación si el organismo segrega mucha insulina. Los hidratos de carbono, en especial los azúcares, aumentan el nivel de insulina. Eso explica también por qué nuestro organismo tiene apetencia de alimentos con un alto contenido en grasas e hidratos de carbono cuando se encuentra en una situación de estrés o en fase depresiva.

● **Sustancias tóxicas (insecticidas, pesticidas, hormonas, toxinas industriales)**

➤ Los alimentos de elaboración convencional cada vez contienen más sustancias tóxicas. Sin embargo, no todas se registran en los análisis, puesto que los laboratorios no siempre están suficientemente equipados para poder identificar las nuevas toxinas que van apareciendo.

➤ También es habitual la práctica de corregir hacia arriba los valores límite de las sustancias tóxicas en los alimentos para que los productos puedan ser comercializados.

ENFERMEDADES RELACIONADAS CON LAS SUSTANCIAS QUÍMICAS EN LOS ALIMENTOS

➤ Se fomenta el sobrepeso de la siguiente manera: las sustancias aromatizantes simulan una alimentación completa que en realidad contiene una cantidad demasiado baja de micronutrientes vitales (vitaminas, sustancias minerales y oligoelementos) y demasiadas calorías debido a su alto contenido en grasas y azúcar. El organismo se da cuenta del engaño reclamando más micronutrientes mediante la emisión de señales de hambre. Al recibir cada vez más calorías "vacías", se genera un círculo vicioso. En la alimentación animal se añaden sustancias edulcorantes y aromatizantes, como el glutamato. Puesto que el sabor dulce indica un alto valor nutritivo, resulta atractivo e invita a comer. También las personas usuarias de productos *light*, que contienen edulcorantes y están elaborados, suelen engordar en vez de adelgazar.

➤ El glutamato se encuentra prácticamente en todos los platos preparados, con indicaciones como "aroma", "sazonador", "E621" a "E625", o "potenciador del sabor". A nivel mundial, se producen y consumen 1,5 millones de toneladas de glutamato; incluso el carrageno, la maltodextrina, la proteína del trigo así como productos lácteos deshidratados y el extracto de levadura también lo contienen. Se trata de una sustancia producida por el organismo humano que, entre otras funciones, actúa como transmisora del dolor y transmisora intestinal. También hay alimentos naturales que contienen glutamato en pequeñas cantidades. Como aditivo para sopas y platos de carne, fideos y arroz de elaboración industrial se permiten cantidades de glutamato por ración que corresponderían en una comida con alimentos tradicionales por ejemplo a 12 kilogramos de espinacas o 500 huevos. La sobredosificación de esta sustancia clasificada como estimulante neurológico aumenta la posibilidad de padecer enfermedades neurodegenerativas como el Alzheimer, la epilepsia, el Parkinson y la esclerosis múltiple. También se debate que provoque dolores de cabeza, migraña, vómitos, diarrea, desvanecimiento, *shock* anafiláctico y muerte súbita por fallo cardiaco.

➤ Los edulcorantes, como el aspartamo, el acesulfamo, el ciclamato y la sacarina, han suscitado polémica, como muchas otras sustancias aditivas. Se está debatiendo la posibilidad de que las sustancias edulcorantes sean potenciales agentes cancerígenos, aparte de producir otros trastornos de la salud. Numerosas líneas aéreas así como revistas para el personal aeronáutico y marítimo avisan a pilotos y capitanes de las consecuencias de tomar aspartamo, como mareo y ataques epilépticos. Incluso si los edulcorantes tomados en pequeñas cantidades de vez en cuando resultan ser inocuos, nadie puede evaluar lo que puede ocurrir al ingerir grandes cantidades a través de una alimentación poco variada o cuáles son las interacciones entre las diferentes sustancias químicas asimiladas a través de la alimentación. A los medicamentos químicos se les exige amplios estudios, pero desgraciadamente este no es el caso para las sustancias químicas contenidas en los productos alimentarios, que se aplican en cantidades mucho mayores.

➤ Las sustancias aromatizantes pueden resultar mortíferas: si una persona con alergia al pescado se toma por ejemplo un producto de pollo aromatizado puede ser que la sustancia aromatizante utilizada provenga de restos de pescado, lo que puede conducir a la muerte del consumidor. Incluso las galletas de limón pueden contener alergénicos del pescado si por ejemplo contienen huevos de una granja de gallinas alimentadas con harina de pescado.

➤ Cada vez se da con mayor frecuencia la diabetes mellitus en niños. La alimentación de elaboración industrial, que abusa del azúcar y los edulcorantes, produce un estrés constante del páncreas, que deja de producir insulina.

➤ La osteoporosis en niños, debida a carencias en la alimentación, por ejemplo debido a un consumo elevado de "ladrones de calcio", como los refrescos de cola y otros con un alto contenido en fósforo, ya se conoce desde 1997 y sin embargo sigue aumentado.

➤ Ya en 1999 los cardiólogos descubrieron en EE UU, donde los niños se alimentan casi exclusivamente de productos industriales, que uno de cada tres niños menores de cinco años tenía calcificaciones en las paredes de los vasos sanguíneos.

COMPRAR Y COCINAR COMIDA SANA

La práctica habitual de nuestras madres y abuelas de comprar productos frescos de temporada procedentes de la región en los mercados o directamente a los productores de la zona adquiere actualmente de nuevo un gran valor. Sobre todo si los productos correspondientes son de cultivo biológico y producción ecológica podemos estar relativamente a salvo de sustancias tóxicas. Prescindir gradualmente de los alimentos de elaboración industrial supone un aumento del sabor de la comida y de la vitalidad de las personas. La preparación cuidadosa de los platos conservando las vitaminas, las ensaladas verdes y con hortalizas frescas y la verdura preparada al vapor resulta creativo, divertido y saludable, y además sabe bien. Por otra parte, debe consumirse pescado y carne en cantidades moderadas.

Además, con frecuencia, los productos frescos de agricultura biológica resultan incluso más baratos que los productos de elaboración industrial, que deben añadir al coste de los productos en sí el de las sustancias químicas, la elaboración, la conservación, el transporte y la publicidad. Congelar en casa alimentos y prepararlos con el microondas (cuyo aporte a la salud es discutido) requiere adquirir los aparatos correspondientes, que cuestan energía

A la hora de comprar fruta y verdura es recomendable adquirir los productos de cultivo biológico, pues no contienen rastros de pesticidas.

para su funcionamiento, además del tiempo invertido en obtener el dinero para pagarlo. Incluso en hogares con muchas personas muy ocupadas al menos sobra el microondas.

La cocina al vapor permite elaborar platos variados, patatas, verduras, pescados y carnes en apenas pocos minutos y sin perder sus propiedades nutritivas. Si dispone del apa-rato adecuado, podrá tener la comida lista en apenas 25 minutos y sin necesidad de darle la vuelta y controlar la cocción, y sin ensu-ciar más que un único recipiente. Además ahorrará energía eléctrica y mucho tiempo de fregar. Recalentar la comida tampoco su-pone un problema con este tipo de aparatos; es cómodo y probadamente saludable.

Información

Necesidades diarias de micronutrientes

Micronutriente	Ingesta diaria recomendada
biotina	30–60 mg
cromo	30–100 µg
hierro	10–15 mg
ácido fólico	400 mg
yodo	180–200 µg
potasio	2000 mg
calcio	1000–1200 mg
cobre	1,0–1,5 mg
magnesio	350–400 mg
manganeso	2–5 mg
molibdeno	50–100 mg
selenio	30–70 mg
vitamina A (betacaroteno)	0,9–1,1 mg
vitamina B1 (tiamina)	1,0–1,3 mg
vitamina B2 (riboflavina)	1,2–1,5 mg
vitamina B5 (ácido pantoténico)	6 mg
vitamina B6 (piridoxina)	1,2–1,5 mg
vitamina B12	3 mg
vitamina C	100 mg
vitamina D	5–10 mg
vitamina E	12–15 mg
vitamina K	60–8 mg
cinc	7–10 mg

Nota: estas recomendaciones son aplicables a adultos sanos y no tienen en consideración la necesidad de un aporte mayor en caso de enfermedad, ingesta de medicamentos y sustancias tóxicas, así como situaciones de desgaste físico y mental. En estos casos suele requerirse un mayor aporte real de micronutrientes.

Aporte de micronutrientes mediante complementos alimenticios

El organismo necesita micronutrientes, que son las vitaminas, los minerales y las sustancias vegetales secundarias, así como los aminoácidos, los ácidos grasos y los enzimas, para mantener el funcionamiento de todos los órganos. Si todas estas sustancias se encuentran en la cantidad óptima en el organismo, este podrá defenderse muy bien.

En principio, se pueden asimilar estas sustancias mediante una alimentación suficiente y equilibrada rica en micronutrientes. Sin embargo, es un fenómeno de la sociedad industrial moderna el hecho de que, a pesar de contar con una suficiente oferta de alimentos, muchas personas padezcan carencias de micronutrientes y las consecuencias que ello acarrea, ya que no alcanzan ni siquiera las dosis diarias recomendadas.

Actualmente hay datos contrastados que demuestran que la toma regular de micronutrientes de alta calidad por medio de complementos alimenticios previene las enfermedades, pudiendo, en concreto, disminuir el riesgo de padecer las enfermedades de la civilización.

LA NECESIDAD DE MICRONUTRIENTES AUMENTA CON LAS EXIGENCIAS DE LA VIDA MODERNA

En caso de esfuerzos físicos e intelectuales intensos, por ejemplo en periodo de convalecencia tras una enfermedad u operación, durante el embarazo y la lactancia así como durante el crecimiento, aumenta la necesidad de micronutrientes, en especial de antioxidantes. También nuestro modo de vida nos exige cada vez más esfuerzo: por un lado, estamos expuestos a una absorción cada vez mayor de sustancias tóxicas a través de las sustancias químicas que contienen los alimentos y el entorno así como debido a la radiación radiactiva y la contaminación electromagnética, y por otro lado, con frecuencia, ya no somos capaces de aportar al organismo los micronutrientes vitales debido a la alimentación "moderna".

● Alimentación

El progreso tiene sus inconvenientes: debido al crecimiento de la productividad de la agricultura, los suelos se encuentran tan esquilmados en comparación con épocas anteriores que los minerales y los oligoelementos contenidos en los cereales, la fruta y la verdura son menores. Como eslabón final de la cadena alimenticia, las personas padecemos esta carencia por partida doble, porque también los herbívoros, como las vacas y las ovejas, asimilan una cantidad insuficiente de sustancias minerales y oligoelementos y su carne llegará en algún momento a nuestro plato.

Los largos trayectos de transporte y un almacenamiento inadecuado de los alimentos provocan una pérdida de micronutrientes adicional. También se pierden muchos micronutrientes por la cocción, la conservación química y la alimentación enlatada. A esto hay que añadir los aditivos, como los potenciadores del sabor, los conservantes químicos, los colorantes y los aromatizantes, que también pueden producir una disminución del contenido de micronutrientes (pág. 222 y ss.).

● Enfermedades y medicamentos

Es sabido que una carencia de micronutrientes puede producir enfermedades (la falta, por ejemplo, de vitamina C produce escorbuto y la falta de vitamina, B12 anemia). Actualmente también se sabe que las enfermedades de la civilización, como la obesidad, la presión sanguínea elevada, la diabetes, las afecciones cardiocoronarias y los infartos de miocardio, se deben en gran medida a una carencia de micronutrientes vitales. A la inversa, una carencia de micronutrientes también puede surgir por enfermedades o agravarse, por ejemplo padecer de diarrea continua puede producir una carencia de minerales.

Los medicamentos pueden tener un efecto similar y sustraer al cuerpo micronutrientes. Por ejemplo, los diuréticos producen a veces carencia de magnesio, lo que conduce a alteraciones del ritmo cardiaco o a espasmos musculares. Para la eliminación de muchos medicamentos o para evitar efectos secundarios muchos órganos requieren antioxidantes adicionales.

● Estimulantes

Otra posible causa de una carencia de micronutrientes es el consumo regular de estimulantes:

➤ Cuando se consume importantes cantidades de alcohol se produce una carencia de vitamina B1, B6, B12, niacina, ácido pantoténico, ácido fólico y magnesio. El hígado trabaja revolucionado y requiere ante todo antioxidantes.

➤ Tomar cafeína aumenta la eliminación de potasio y magnesio a través de los riñones.

➤ Fumar conlleva una necesidad mayor de vitamina C y de cinc, que ayudan a eliminar parcialmente los efectos nocivos del cadmio que contiene el humo. Los fumadores tienen generalmente una necesidad mayor de antioxidantes.

SÍNTOMAS DE LA CARENCIA DE MICRONUTRIENTES

Por desgracia, los síntomas de la carencia de micronutrientes son muy poco específicos. En primer lugar, disminuye la cantidad de micronutrientes dentro de las células aunque el nivel en sangre se mantiene normal. El sistema inmunológico pierde capacidad de defensa, el metabolismo se ralentiza, las membranas celulares sufren con mayor frecuencia lesiones por los radicales libres y disminuye la densidad ósea. Las siguientes cifras demuestran esto de forma patente:

➤ Los antioxidantes han permitido reducir el riesgo de contraer 13 diferentes tipos de cáncer en un 50%, de acuerdo con 129 investigaciones.

➤ La frecuencia de aparición de cataratas seniles puede disminuirse en un 80%.

➤ La predisposición a padecer infecciones puede disminuirse en un 50%.

➤ Se ha podido reducir el número de infartos de miocardio anuales mediante el aporte de ácido fólico.

Los síntomas de una carencia de micronutrientes suelen iniciarse de forma sigilosa y el afectado con frecuencia no es consciente de ello. Disminuye la capacidad de esfuerzo, de concentración y memoria y se limita la capacidad de quemar grasas. Muchas personas asocian estos síntomas de forma errónea con el estrés o los procesos de envejecimiento. Cuando se demuestra una carencia en la sangre, ya está muy avanzada, y aun así los síntomas perceptibles no suelen ser específicos.

Si aumenta la carencia de micronutrientes pueden producirse estados depresivos, agotamiento crónico, síntoma de estar quemado, presión sanguínea elevada, valores elevados de grasa y de azúcar en la sangre, así como transformaciones celulares. Los daños irreversibles producidos por una carencia de micronutrientes son la modificación de la carga genética, las células y los órganos así como enfermedades por estrés oxidativo, como el cáncer, el infarto de miocardio, la diabetes y muchas otras. No permita que esto llegue hasta ese punto.

● Prevención y tratamiento

Consulte a un médico generalista o a un especialista en medicina preventiva si sospecha que padece una carencia de micronutrientes. Mediante las analíticas de sangre, orina y pelo pueden descubrirse posibles carencias e iniciar el tratamiento correspondiente. Normalmente se observa una carencia de diferentes micronutrientes a la vez cuando se realiza un chequeo de este tipo, en especial de antioxidantes. Es recomendable que se administren en sus compuestos naturales mediante productos combinados y no de forma aislada. También puede tomar estos productos sin haberse realizado una analítica previa, simplemente para prevenir.

ELECCIÓN ACERTADA DE LOS PREPARADOS DE MICRONUTRIENTES

Puede consultar la dosis diaria de micronutrientes recomendada en la tabla que se encuentra en la pág. 231. Estas recomendaciones son válidas para adultos sanos.

No incluyen situaciones en las cuales las necesidades de micronutrientes son superiores y por ello existen recomendaciones internacionales cuyo valor es considerablemente mayor, pues tienen en consideración en la medida de la posible, las circunstancias de la vida actual.

No tiene mucho sentido utilizar preparados de vitaminas y minerales aislados para los complementos alimenticios diarios. Nuestro organismo requiere un suministro básico de todas las sustancias que se encuentran en la fruta y verdura de calidad. Cada una de las sustancias contenidas se complementa no solamente en su efecto sino también a la hora de ser asimiladas por el organismo.

Hay algunas excepciones a esta regla, como por ejemplo el OPC, el antioxidante más potente de la naturaleza, que se toma aisladamente para obtener una prevención de alto espectro, la vitamina C, para evitar las infecciones durante la temporada de los resfriados, la vitamina E, para el tratamiento de apoyo de las enfermedades inflamatorias de las articulaciones así como el coenzima Q10 para prevenir cardiopatías.

● Elegir complementos alimenticios de calidad

Los micronutrientes aislados y los combinados de micronutrientes adecuados se reconocen según los siguientes criterios:

➤ Proceden de forma probada de fuentes naturales y no son una mezcla de sustancias elaboradas mediante síntesis química (a estas no solamente les faltan las importantes sustancias vegetales secundarias sino que su eficacia y tolerabilidad suscitan una gran controversia). Las materias primas de calidad se diferencian de los productos baratos, evidentemente, por su precio más elevado.

➤ Las materias primas se cosechan en su punto óptimo de madurez y se elaboran mediante procesos en frío para preservar los micronutrientes.

➤ Los productos buenos contienen muchas sustancias vegetales secundarias.

➤ A ser posible, no contienen conservantes, colorantes, aromatizantes ni excipientes artificiales.

➤ Es conveniente que las combinaciones de micronutrientes contengan fibras beneficiosas para el intestino.

➤ La dosificación debe corresponderse al menos con la recomendada en la tabla o mejor aún corresponderse con las recomendaciones internacionales.

➤ Los complementos alimenticios adecuados proceden de empresas con renombre que trabajan en la investigación científica y cuyos preparados se elaboran según los últimos avances científicos. También hay empresas con amplia experiencia en la comercialización por Internet que también suelen ofrecer máxima calidad.

Es importante informarse para encontrar fabricantes de complementos alimenticios de origen natural.

➤ Los productos que se pueden obtener en supermercados y mediante venta a distancia no suelen cumplir estos criterios.

● Suplementos dietéticos importantes

A continuación obtendrá información más detallada sobre alguno de los complementos alimenticios mejor documentados. Para un aporte básico de amplio espectro de aplicación diaria son adecuadas las combinaciones de micronutrientes de origen natural. En este apartado no se detalla en particular cada una de las vitaminas, minerales y oligoelementos necesarios para el organismo.

Aloe vera

El aloe vera ayuda a conseguir una digestión regular, fortalece el sistema inmunológico, previene las enfermedades de las vías urinarias y aporta energía. Su nombre científico es *Aloe vera barbadensis*. Es una planta subtropical que lleva utilizándose desde hace siglos y sus propiedades estimuladoras de la curación se han probado científicamente. En los productos de alta calidad se ha eliminado las antraquinonas, que producen diarrea. Este gel contiene fibras solubles (pectina) y no

Los preparados de aloe vera tienen propiedades curativas. Además fortalecen el sistema inmunitario y tienen un efecto vigorizante y estabilizador en todo el organismo.

solubles (celulosa) así como muchas otras sustancias. Las propiedades curativas del aloe se atribuyen al hecho de que contiene una sustancia denominada acemanan. Infórmese a la hora de comprar aloe vera para adquirir productos con alto contenido en acemanan.

Antioxidantes

Los antioxidantes protegen al organismo del estrés oxidativo (consultar recuadro en la pág. 225), considerado responsable de un gran número de enfermedades. Los productos adecuados para una protección más allá del aporte básico mediante micronutrientes, por ejemplo en caso de sobreesfuerzos o para ralentizar los procesos de envejecimiento, contienen sustancias vegetales secundarias además de vitamina E y vitamina C. Para ello consúltese también el apartado sobre el OPC (pág. 239).

Arginina

Los científicos obtuvieron el premio Nobel por el descubrimiento de que el aminoácido arginina participa en la formación de la sustancia monóxido de nitrógeno con la fórmula química abreviada NO. Esta sustancia tiene, entre otros, un efecto dilatante de los vasos sanguíneos (también el corazón) y mejora por tanto su irrigación. Esto explica su eficacia en caso de presión sanguínea elevada y problemas de potencia. La arginina tiene un efecto antioxidante y se encuentra en numerosas células del sistema inmunológico.

A modo de profilaxis ante posibles problemas circulatorios se recomienda la ingesta diaria de unos 3000 mg.

Fibra

Estas sustancias son imprescindibles para una digestión impecable, pues limpian mediante un proceso mecánico la parte interior de los intestinos, ligan sustancias tóxicas para su mejor eliminación y son a su vez alimento para bacterias beneficiosas. La mayoría de las personas ya no consume suficientes fibras, por lo que su aporte por medio de suplementos dietéticos resulta razonable. Las combinaciones de micronutrientes de calidad también contienen fibra. Para ello, consulte también el apartado relacionado en la pág. 223 y ss.

Bebida de pan fermentado

La bebida de pan fermentado se elabora mediante la fermentación de pan biológico de trigo, avena y centeno, filtrado y preparado con agua pura de manantial. Su capacidad de fortalecer el sistema inmunológico y sus propiedades depurativas se basan supuestamente en la particular composición de las sustancias que contiene: por un lado, contiene numerosas vitaminas, sustancias minerales, oligoelementos, enzimas y sustancias bioactivas. Además, durante la fermentación se forma un gran número de lactobacterias dextrogiras, que también forman parte de nuestra flora intestinal. Son capaces de frenar el crecimiento de bacterias nocivas, producir por sí mismas vitaminas y además mantienen saludables el intestino y las mucosas.

La bebida de pan fermentado es tanto de aplicación interna como externa. Si realizamos una cura basada en beber este producto se refuerza el sistema inmunológico y se consigue la creación de una flora intestinal sana. Esto no solo conduce a una buena digestión, sino que también mejora las enfermedades cutáneas, como el acné, la neurodermitis y la psoriasis.

Su aplicación externa, a modo de baños, envolturas y masajes, produce alivio en caso de enfermedades cutáneas y dolores articulares.

La dosificación es muy sencilla: para la cura se bebe un vaso de bebida de pan fermentado de una a tres veces al día tras las comidas. Para un baño completo se vierte una botella de bebida de pan fermentado en el agua; en caso de baños parciales, la cantidad correspondiente. Para la aplicación de envolturas y fricciones se aplica directamente el jugo sobre las zonas de la piel afectadas.

Coenzima Q10

También conocido como ubiquinona, este enzima liposoluble es necesario para el 95 % de todos los procesos proveedores de energía en el organismo. Además, también actúa como antioxidante en el tejido graso. La cantidad total de coenzima Q10 en el organismo es igual a la de vitamina C. Llama la atención el hecho de que su concentración disminuye en todos los órganos, sobre todo en el corazón, a medida que aumenta la edad. Pero es precisamente el corazón el que necesita mucha energía.

Los estudios clínicos realizados en Japón e Italia, donde se utiliza el coenzima Q10 como medicamento, demuestran que una ingesta diaria de 50 a 150 mg mejora la capacidad de realizar esfuerzos incluso en pacientes con cardiopatías graves en un 60 a 75% de los usuarios y normaliza la presión sanguínea. Las personas delgadas tienen un nivel superior de coenzima Q10 en los tejidos en relación con las personas gruesas. El aporte de este enzima puede ser de ayuda a la hora de adelgazar.

Enzimas

Los enzimas son proteínas que dinamizan reacciones químicas. Especialmente importantes son los enzimas que dividen las proteínas, cuyo nombre científico es proteasas. Estimulan la división de las proteínas en el estómago y el duodeno. En el sistema sanguíneo tienen efecto antiinflamatorio y antiedematoso. Mejoran la fluidez de la sangre y refuerzan las funciones inmunológicas. Se en-

cuentran en muchos tipos de fruta y verdura; sin embargo se destruyen durante la cocción o la congelación. El flúor, el cloro y el cobre contenidos en el agua potable que se utiliza para la preparación de alimentos o que sirve como bebida desactivan muchos enzimas.

Como profilaxis, se combinan enzimas como por ejemplo la bromelaína (antiedematosa) y la papaína (antiinflamatoria) así como las enzimas tripsina y quimotripsina (que disuelven la fibrina y estimulan la circulación sanguínea). Los productos convenientes contienen enzimas con un manto de protección a prueba de ácidos para evitar que se disocien por medio de los ácidos del estómago. Advertencia: si padece alergias o problemas de coagulación, si está tomando sustancias que diluyen la sangre o si está a punto de ser intervenido quirúrgicamente no debería tomar preparados enzimáticos.

Glucosamina y sulfato de condroitina

La glucosamina y el sulfato de condroitina estimulan la formación de glucosamino glicanos, que son los elementos constructivos del cartílago y los tejidos conjuntivos. Hay

Información

La directiva de la UE

Desde agosto de 2005 existe una directiva de la UE que incluye una lista con las vitaminas y minerales que pueden ser comercializados. Para los restantes complementos alimenticios, como por ejemplo los enzimas y otras sustancias vegetales, está pendiente de elaboración una norma por parte de los Estados miembros. Estos productos siguen estando permitidos.

(Directiva 2002/46/UE, publicada en el DOCE)

estudios que han demostrado que las personas con artrosis sufren menos dolores y mejoran su movilidad tras tomar estas sustancias, que disminuyen las inflamaciones articulares y desaparecen parcialmente. Además, este efecto se mantiene en aproximadamente el 20% de los pacientes tras finalizar la ingesta.

Se recomienda una ingesta diaria de 1000 a 1500 mg de glucosamina y de 100 a 200 mg de sulfato de condroitina (para un peso corporal medio de 70 kg). En caso de un peso superior o de molestias graves, puede aumentarse normalmente la dosis, pues se trata de preparados de elevada tolerancia.

Sustancias minerales

Las sustancias minerales participan en innumerables procesos del metabolismo del organismo. La importancia que suponen para la salud se pone de manifiesto actualmente debido a las muchas enfermedades que están surgiendo causadas por las carencias de estas sustancias.

El doctor Wilhem Schüssler fue un pionero en este campo, pues se percató del beneficio para la salud que suponen las sales minerales. Como base para una vida sana se conocen actualmente más de 60 minerales.

Para evitar un estado de carencia, es adecuado tomar productos combinados. Los productos de alta calidad se elaboran a partir de fuentes naturales y contienen los minerales en su forma natural y coloidal. Solo de este modo pueden ser asimilados y utilizados de forma óptima por el organismo.

Los minerales metálicos, también denominados quelatos, no se absorben o solo lo hacen en cantidades insuficientes. Para prevenir, en particular, una osteoporosis son adecuados los productos que contienen calcio, que en el caso ideal se encuentran combinados con magnesio, boro y vitamina D.

El pescado contiene muchos ácidos grasos Omega-3, que resultan beneficiosos para los valores de grasa en la sangre.

Ácidos grasos Omega-3 (EPA, DHA)

Estos ácidos grasos no pueden ser elaborados por el organismo, debiendo aportarse a través de la alimentación. Destacan el ácido eicosapentaenoico (EPA) y el ácido docosahexaenoico (DHA), que se encuentran fundamentalmente en el pescado de aguas frías (sobre todo en el hígado), pero también en los frutos secos, los cereales y la verdura de color verde oscuro. Su eficacia para prevenir las enfermedades fue observada por científicos que realizaban un estudio sobre la vida de los esquimales y descubrieron que estos tenían valores de grasa en la sangre muy buenos a pesar de tomar mucho pescado con alto contenido en grasa y que apenas padecían enfermedades cardiocirculatorias. Para evitar enfermedades cardiovasculares es importante tener un nivel bajo de colesterol en los valores de grasa en la sangre, lo cual se alcanza mediante los ácidos grasos Omega-3. Los ácidos grasos son importantes para las membranas celulares en todo el organismo. En particular, refuerzan el sistema cardiocirculatorio, el cerebro, el sistema nervioso central y el estado anímico, así como la vista. Hay estudios que indican que tienen un efecto beneficioso para prevenir las alteraciones del ritmo cardiaco, las enfermedades coronarias, los problemas de memoria, la depresión, la diabetes mellitus, la artritis reumatoides, la psoriaris y la esclerosis múltiple.

Este complemento alimenticio tiene un considerable nivel de calorías. En los productos óptimos se han eliminado las sustancias tóxicas que puede contener el aceite de pescado puro (el mercurio, el bifenilo policlorado o los compuestos organoclorados) y las elevadas dosis de vitamina A y D que no son aptas para el consumo humano. La dosificación recomendada de productos de alta calidad se encuentra entre 1 y 4 g diarios, en algunos casos también algo más.

Procianidina oligomérica (OPC por sus siglas en inglés)

Se conoce como "paradoja francesa" el fenómeno de que el riesgo de enfermedades cardiocirculatorias presenta los valores más bajos en la población que habita en zonas en que se bebe de forma regular vino tinto. Este hecho despertó el interés de los científicos, que se preguntaban qué contenía el vino tinto que no estuviera en otras bebidas. La respuesta es que contiene gran cantidad de OPC (abreviatura de procianidina oligomérica, en sus siglas en inglés).

El profesor Jacques Masquelier y su equipo estudiaron a lo largo de un estudio desarrollado durante décadas los efectos de estas sustancias y obtuvieron resultados sorprendentes en exploraciones clínicas. Frena la degradación del colágeno, la piel se torna más tersa, las paredes de los vasos sanguíneos se refuerzan. La falta de estas sustancias se supone la causa de edemas, acumulaciones de linfa, varices, varicosis, problemas de circulación sanguínea y sus consecuencias, entre las que se encuentra el infarto de miocardio y el ictus. También llama la atención un aumento de la vitalidad.

La OPC actúa en el organismo humano y animal como antioxidante de gran alcance, neutraliza los radicales libres y es más eficaz que las vitaminas C y E, cuyo efecto se ve reforzado por la OPC. Los radicales libres son corresponsables de las alergias, las inflamaciones de órganos, articulaciones y vísceras, las enfermedades cardiocirculatorias, los problemas de cicatrización, los eccemas, las enfermedades

---

Información

Efectos beneficiosos de la OPC

La OPC puede acelerar los procesos curativos en las siguientes situaciones, evitar los procesos dañinos o ralentizarlos:

➤ Globalmente
 – Daños producidos por los radicales libres.
 – Inflamaciones (en todo el cuerpo).
 – Heridas, lesiones (en todo el cuerpo).
 – Alergias (como fiebre del heno, asma e intolerancia a alimentos).
 – Inmunodeficiencia.

➤ Vasos sanguíneos, sistema cardiocirculatorio
 – Problemas de circulación arterial y venosa (también en caso de varicosis, tendencia a edemas y úlcera crónica de la pierna).
 – Acumulaciones de linfa.

➤ Piel y tejido conjuntivo
 – Debilidad del tejido conjuntivo.
 – Envejecimiento de la piel, formación de arrugas.
 – Quemaduras.
 – Enfermedades inflamatorias y alérgicas.

➤ Cerebro
 – Dificultades de concentración.
 – Problemas de memoria.

del metabolismo, como la diabetes, y muchas otras. La OPC puede ser muy beneficiosa para prevenir así como para ralentizar procesos dañinos y para acelerar procesos curativos.

No se conocen efectos secundarios incluso en caso de ingesta prolongada. A modo de profilaxis, se recomienda una ingesta diaria de 100 a 200 mg (de uno a dos miligramos por kilogramo de peso corporal); en situaciones especiales puede aumentarse la dosis.

Atención a la hora de la compra. Los extractos de pepitas de uva no tienen los mismos efectos que la OPC que se obtiene como medicamento en Francia. Los resultados citados de los estudios se refieren exclusivamente al extracto desarrollado por el profesor Masquelier a partir de pepitas de uva y corteza de pino con un contenido del 90% de sustancias bioactivas y una asimilación del 100%. Asegúrese de que elige un producto con autenticidad certificada. Una mención en el envase, como por ejemplo según el profesor Masquelier, no es lo mismo.

Extracto de pepita de uva
Véase OPC

Combinaciones de micronutrientes
El aporte de combinados de micronutrientes para reforzar el bienestar, prevenir a tiempo las enfermedades y curarlas mediante combinados de micronutrientes se basa en los descubrimientos del premio Nobel Linus Pauling. Se le considera el fundador de la medicina ortomolecular, que defiende que la asimilación de micronutrientes adecuados permite complementar la concentración de micronutrientes en el organismo de tal modo que beneficia a la salud.

La ingesta de muchos micronutrientes de forma aislada no resulta de provecho y puede conllevar en casos aislados riesgo de sobredosis.

El organismo requiere cierta cantidad de micronutrientes de una forma combinada equiparable a la que se halla en los alimentos de alto valor nutritivo. De este modo se facilita y posibilita su asimilación.

Los productos recomendados contienen, en el caso ideal, vitaminas, minerales y oligoelementos, así como sustancias vegetales secundarias de origen natural en dosis suficientes. Los combinados de micronutrientes suelen tolerarse bien pero obviamente este tipo de productos no debe ser tomado en sustitución de una alimentación equilibrada, sino de forma complementaria para garantizar un aporte suficiente.

Consultar los criterios para decidirse por el producto adecuado (pág. 234 y ss.).

Vitamina C
La vitamina C tiene un efecto antioxidante y es beneficiosa para los sistemas cardiocirculatorio e inmunológico (fortalece las defensas y se liga a las sustancias tóxicas). Si tiene un aporte básico adecuado por medio de una alimentación sana y rica en micronutrientes, y toma además otros micronutrientes naturales, solo se recomienda un aporte adicional de vitamina C en situaciones concretas.

Algunas personas tienen una necesidad mayor de vitamina C; entre ellos se encuentran, por ejemplo, los fumadores, que inspiran en cada bocanada del cigarrillo radicales libres, que atacan a las células del cuerpo; lo mismo ocurre con las personas que consumen mucho alcohol. También requieren más vitamina C aquellas personas que están sometidas a sobreesfuerzos físicos y anímicos continuados o que padecen estrés, las mujeres embarazadas o en periodo de lactancia, así como las personas enfermas. Si usted pertenece a este grupo de personas, consulte preferentemente a su médico de cabecera o al especialista en medicina preventiva para que le indique sus necesidades de vitaminas.

Se recomienda la ingesta de uno a tres gramos de vitamina C al día. Los preparados de liberación retardada sientan mejor al estómago y son bien tolerados

Vitamina E

La vitamina E de origen natural se encuentra sobre todo en las plantas. Los aceites vegetales, en particular el aceite de germen de trigo, de girasol y de nuez, contienen mucha vitamina E. También los gérmenes de cereales, los frutos secos y las semillas son alimentos que ofrecen una cantidad valiosa de vitamina E. A la hora de cocinar es recomendable utilizar preferentemente aceites prensados en frío, pues solo estos nos aportarán una cantidad significativa de vitamina E. Los aceites refinados han perdido la vitamina E.

La vitamina E tiene efecto antioxidante. Refuerza y protege las paredes celulares de todos los órganos y actúa como antiaglomerante de los eritrocitos. La carencia de esta vitamina puede producir una anemia hemolítica, en la que los corpúsculos sanguíneos se disuelven.

La vitamina E puede ser eficaz para prevenir las enfermedades cardiocirculatorias y mejorar el aporte de oxígeno a los tejidos.

● Prevención y coste

La Organización Mundial de la Salud indica que "la salud es más que la mera ausencia de enfermedad". La sanidad pública y las mutuas son responsables en primera instancia del tratamiento de las enfermedades de una forma asequible. El sistema sanitario ha alcanzado su límite en cuanto a su capacidad de rendimiento. Ahora resulta más importante que nunca procurar uno mismo la prevención de las enfermedades, si bien esto supone un coste para cada individuo. Un aporte básico de productos que contengan micronutrientes de alta calidad de origen natural se puede conseguir por unos dos euros diarios –los cigarrillos cuestan el doble.

Además, algunos sistemas de comercialización modernos permiten incluso obtener de forma gratuita complementos alimenticios de máxima calidad en el marco de la venta a amistades.

Tomar alimentos ricos en micronutrientes de forma regular a base de verdura fresca a ser posible de cultivo ecológico de la región debe ser primordial para toda persona. Sin embargo, muchas personas no lo consiguen. En ese caso puede resultar razonable tomar complementos alimenticios.

Curar con agua

La aplicación de agua en forma de baños, afusiones o inhalaciones se denomina hidroterapia. Ya las culturas antiguas conocían esta forma de curación natural y su eficacia no ha variado hasta la actualidad. Son particularmente apreciadas las aplicaciones con agua del cura Kneipp (1821-1897), que también se conocía como el curandero del agua de Wörishofen.

● Eficacia

La aplicación del agua no solo la siente la piel. Cuando tomamos un baño de agua caliente, en un primer momento aumenta la circulación sanguínea de las partes del cuerpo sumergidas. Puesto que los nervios cutáneos están conectados con los nervios que alimentan los órganos internos, éstos también mejoran su circulación sanguínea. Si se prolonga el baño, finalmente es toda la superficie del cuerpo la que disfruta de un calor placentero.

Las aplicaciones con agua fría producen una contracción inicialmente muy rápida de los vasos sanguíneos superficiales para reducir al máximo la pérdida de calor. Una vez finalizada la aplicación, se produce de forma refleja un aumento de la circulación sanguínea en las zonas tratadas y como consecuencia de ello una sensación de calor.

● Normas básicas para el uso del agua

Hay numerosas aplicaciones con agua. Para los tratamientos que se realizan en casa solo se han elegido aquellos que no requieren mayor infraestructura, como los siguientes:

➤ Baños y baños de vapor.
➤ Humectaciones.
➤ Afusiones.

Para realizar estos tratamientos es conveniente tener en cuenta algunas normas básicas. Es muy importante tener siempre en cuenta el estado de calor en todo el cuerpo. Es decir, no realice tratamientos con aplicación de agua fría si tiene los pies o las manos frías o si en general tiene escalofríos o tiene frío. Los pies deben estar al menos igual de calientes que la frente. En ningún caso deberá tratarse los pies fríos con agua muy caliente o en general cualquier parte del cuerpo que esté fría. El calentamiento deberá realizarse de forma lenta y progresiva.

Información

La hidroterapia resulta beneficiosa para los siguientes casos:

➤ Problemas circulatorios, pues ejercita los vasos sanguíneos.

➤ Espasmos y dolores.

➤ Ayuda a las funciones del metabolismo y a la eliminación de toxinas por medio del sudor.

➤ Problemas respiratorios con dolor.

➤ Enfermedades de los tejidos conjuntivos: aumenta la irrigación sanguínea y el calentamiento mejorando la tensión y elasticidad del tejido.

➤ Alteraciones de la producción de hormonas.

➤ Regula el metabolismo.

Sin embargo, las extremidades calientes o muy calientes soportan formidablemente una afusión o una envoltura con agua fría.

(!) **A tener en cuenta**

Una aplicación caliente o de calor progresivo, como por ejemplo un baño, requiere que se termine con una aplicación fresca (por ejemplo una afusión), pues los vasos sanguíneos que se han dilatado con el calor deben contraerse de nuevo. Solo podrá prescindirse de un enfriamiento final si a continuación se aplica una envoltura (pág. 253 y ss.) o una ducha. Los tratamientos con agua caliente o muy caliente no deben aplicarse si el cuerpo está muy acalorado o en caso de fiebre.

● **¿Cuándo está indicada la hidroterapia?**

La hidroterapia está indicada en muchos tipos diferentes de molestias. Sin embargo, en caso de malestar, dolor de cabeza, molestias cardiacas o mucho cansancio tras una noche sin dormir, no deben aplicarse terapias que sometan al cuerpo a un esfuerzo, como los baños de cuerpo entero (pág. 248) o envolturas grandes (pág. 253).

BAÑOS

Un baño caliente no solo es una diversión o un acto de la higiene corporal, sino que puede resultar curativo para numerosos problemas de salud. Puede elegir entre diferentes formas de aplicación: los baños parciales o completos pueden tomarse solo con agua fría, tibia o caliente, o aumentando la temperatura del agua.

En el agua de los baños de agua caliente o de temperatura ascendente suelen añadirse aditivos curativos. En la tabla de la pág. 252 obtendrá información rápida sobre los aditivos a base de plantas que pueden aplicarse en cada caso. Antes de lanzarse al agua, tenga en cuenta las siguientes normas:

Descanse siempre entre dos tratamientos al menos durante dos horas para permitir al cuerpo reponerse. Cuando tenga la menstruación no se someta a tratamientos de baños o aplicación de calor en la mitad inferior del cuerpo. A partir del segundo día podrá volver a realizar, al menos, tratamientos en la mitad superior del cuerpo (maniluvios, afusiones en los brazos y envolturas).

● **Accesorios y preparación**

Antes de iniciar la terapia con agua, es recomendable preparar todos los accesorios necesarios, los posibles aditivos de plantas, el termómetro para el baño, las manoplas, las toallas o los paños para las envolturas.

➤ La habitación deberá estar bien ventilada pero también lo suficientemente caliente.

➤ Si el tratamiento va a ser mayor, es conveniente vaciar la vejiga y el intestino. Puesto que los baños pueden resultar agotadores para el cuerpo, pueden surgir dolores de cabeza, molestias cardiacas y aturdimiento.

➤ Además, deberían haber pasado dos horas después de la última comida.

➤ Los baños no son adecuados para todo el mundo. Si padece de problemas circulatorios o si su presión sanguínea es demasiado alta o demasiado baja, o si ha padecido recientemente un infarto de miocardio, es recomendable que consulte primero a su médico para que le diga si está en condiciones de tomar las aguas.

➤ Los baños de agua fría son a la temperatura del agua del grifo, los baños de agua tibia a 34-35 ºC, los baños de agua caliente a 36-38 ºC y los baños con temperatura ascendente pueden llegar hasta 41 ºC.

➤ Lo más fácil es usar un termómetro de baño. La duración del baño dependerá de la temperatura del agua: cuanto más caliente esté más corto será el baño. Siga la duración indicada.

➤ Descanse después de un baño durante un rato. Lo más indicado es acostarse bien tapado en una tumbona o en la cama. El cansancio placentero que seguramente sentirá le ayudará a eliminar tensiones y contracturas.

Maniluvios con temperatura ascendente

Los maniluvios con temperatura ascendente pueden aplicarse en uno o ambos brazos. Pueden realizarse sentado o de pie delante del lavabo, o usando bañeras especiales para maniluvios, que se pueden ubicar de forma que resulte cómodo para el cuerpo.

Los maniluvios con temperatura ascendente estimulan la irrigación sanguínea del corazón y los brazos y refuerzan además la circulación. También son beneficiosos para los ataques de angina de pecho, las enfermedades de las vías respiratorias y los problemas de irrigación sanguínea.

Coloque los brazos en un recipiente adecuado de modo que los codos estén bien cubiertos de agua.

ⓘ A tener en cuenta

No deben utilizarse en caso de problemas de venas en los brazos, acumulación de linfa, linfedema en los brazos o parálisis en los brazos.

Procedimiento

La temperatura ambiente deberá estar en torno a 19 ºC y la del agua a unos 33 ºC.

Coloque un brazo o ambos brazos en la bañera para maniluvios o en un lavabo grande, de modo que los codos estén suficientemente cubiertos con agua. Añada lentamente agua más caliente y aumente la temperatura a 39-41 ºC. La duración del baño es de 15-20 minutos. A continuación, aplíquese una afusión de agua fría en los brazos (pág. 250) y descanse a continuación 30 minutos.

Elementos necesarios

➤ A ser posible una bañera para maniluvios.
➤ Un termómetro de baño.

Maniluvios con agua fría y caliente alterna

Esta variante es beneficiosa en caso de problemas de circulación en las manos y brazos (también en combinación con una presión sanguínea demasiado baja), dolores leves de cabeza, problemas circulatorios, así como decaimiento y agotamiento.

ⓘ A tener en cuenta

No deben utilizarse en caso de problemas de venas en los brazos, acumulación de linfa, linfedema en los brazos o parálisis en los brazos, así como enfermedades orgánicas del corazón.

Procedimiento

Llene un lavabo de agua caliente (36-38 ºC) y otro lavabo con agua fría (como máximo a 18 ºC), alcanzando el nivel suficiente para que los brazos estén cubiertos hasta la mitad. Empiece siempre con el agua caliente.

La aplicación de agua caliente debería durar de 5 a 8 minutos; la aplicación de agua fría, unos 10 segundos. Vuelva al agua caliente y repita todo el proceso de nuevo. Para finalizar, es importante, como en el caso de todos los baños, que descanse tapándose con una manta para volver a entrar en calor.

Elementos necesarios

➤ A ser posible dos bañeras para maniluvios; también resulta ideal un lavabo de dos senos.
➤ Un termómetro de baño.

• Baño parcial con temperatura ascendente

Los baños parciales se aplican de modo similar y sus efectos son parecidos a los baños de asiento y los baños completos (pág. 247 y ss.), con la diferencia de que en este caso el agua solo llega hasta la altura de la cadera. Al no cubrir con agua la caja torácica, el baño parcial no agota tanto a las personas con dificultades circulatorias como un baño completo.

Los baños parciales con temperatura ascendente son adecuados para aliviar las molestias de infecciones incipientes y en fase de remisión, dolores de nervios (isquialgias) y tensiones musculares.

① A tener en cuenta

Un baño parcial con temperatura ascendente tiene un efecto más intenso que un baño parcial normal y por eso resulta más agotador. Si se encuentra en un estado de debilitamiento general no debería realizarlo a solas.

Procedimiento

Siéntese en una bañera con un palmo de agua a temperatura corporal (36º) y añada lentamente agua más caliente hasta llegar al ombligo. La temperatura final deberá alcanzar de 39-40 ºC y la duración del baño no excederá de 15 a 20 minutos.

Un baño parcial con temperatura ascendente se tomará, como mucho, tres veces a la semana. Si se acostumbra, puede aplicar a continuación una afusión de agua fría (pág. 249 y ss.). Luego envuélvase en una manta y descanse un rato.

• Pediluvios

Los pediluvios son un remedio casero realmente completo: estimulan la irrigación de todo el cuerpo y estabilizan la circulación sanguínea. Es especialmente beneficioso para las personas muy estresadas, pues produce una relajación placentera. Los pediluvios con agua caliente o temperatura ascendente todavía resultan más beneficiosos si a ello se añade los aditivos de plantas medicinales adecuados. Puede consultar las recetas en la pág. 252 o pedirle al farmacéutico extractos listos para usar.

① A tener en cuenta

Si padece de varices o linfedemas no tome pediluvios con agua caliente.

Los pediluvios con agua caliente resultan especialmente reconfortantes cuando se añaden aditivos de plantas.

• Pediluvios con agua caliente

Los pediluvios con agua caliente son relajantes y ayudan a conciliar el sueño si se tienen los pies fríos. Además, estimulan la circulación sanguínea de los órganos del bajo vientre.

Procedimiento

Vierta agua caliente (36-38 ºC) en la bañera o el lavapiés, añada si lo desea los aditivos (pág. 252) e introduzca los pies. La duración del baño será de 10 a 15 minutos. A continuación, apliquese una afusión breve con agua fría (pág. 245 y ss.), séquese los pies y manténgalos calientes poniéndose calcetines o zapatillas de casa.

Elementos necesarios

➤ Lavapiés o barreño de plástico alto.
➤ Calcetines gruesos o zapatillas de casa.

• Pediluvio con temperatura ascendente

Este tipo de pediluvio consigue el calentamiento de todo el cuerpo y estimula la circulación sanguínea de las mucosas de la nariz y la garganta. Así, actúa contra agentes patógenos, lo que es de agradecer en caso de un resfriado incipiente.

Procedimiento

Coloque los pies en una bañera para pediluvios con aproximadamente 1 1/2 l de agua caliente (35 ºC) y añada lentamente agua caliente hasta alcanzar una temperatura final entre 39-40º. La duración del baño será de 15-20 minutos. A continuación, secar los pies y ponerse calcetines gruesos o zapatillas de andar por casa para mantenerlos calientes. El pediluvio con temperatura ascendente puede tomarse a diario. Si consigue habituarse también puede finalizar el baño enjuagándose los pies con agua fría.

Elementos necesarios

➤ Bañera para pediluvios o un barreño de borde alto.
➤ Calcetines gruesos o zapatillas de casa.

• Pediluvio con agua fría y caliente alterna

Un baño con agua fría y caliente alterna es beneficioso en problemas de circulación (particularmente también cuando se padece de presión sanguínea baja), resfriados crónicos, dolor de cabeza, problemas para conciliar el sueño y pies fríos (problemas de circulación sanguínea).

Procedimiento

Llene un recipiente de agua caliente y el otro de agua fría, de modo que alcance al menos por encima de los tobillos y como mucho hasta la mitad de la pantorrilla. Siéntese en un taburete y coloque en primer lugar los pies durante cinco minutos en el agua caliente.

A continuación, cambie al recipiente de agua fría y mantenga allí los pies durante medio minuto. Vuelva a repetir una vez más la secuencia, después séquese los pies y póngase calcetines gruesos o zapatillas de andar por casa para mantenerlos calientes.

Elementos necesarios

➤ Dos lavapiés o dos barreños de plástico altos
➤ Calcetines gruesos o zapatillas de casa
➤ Un taburete

• Inhalaciones de vapor

Las inhalaciones de vapor de agua, al que se puede haber añadido aditivos de plantas, tienen efectos curativos sobre las mucosas de las vías respiratorias superiores, aportándoles una mejor circulación, humectándolas y limpiándolas.

 A tener en cuenta

Las inhalaciones no deben realizarse en caso de inflamaciones cutáneas, enfermedades de los ojos o de los vasos sanguíneos o debilidad generalizada del sistema cardiocirculatorio.

Procedimiento

Lo más conveniente es realizar las inhalaciones en una habitación donde la temperatura ambiente sea de al menos 19 ºC. Añada un manojo de hierbas (por ejemplo manzanilla, pág. 252) o un preparado listo para usar dosificado según las indicaciones a un recipiente y llénelo aproximadamente con un litro de agua hirviendo.

Coloque el recipiente sobre una base encima de la mesa y siéntese delante del mismo. Mantenga la cara cerca del vapor ascendente teniendo cuidado de no acercarse demasiado y cúbrase la cabeza y el tórax con una manta o una toalla. Respire profundamente por la nariz y la boca durante unos diez minutos.

A continuación, lávese la cara con agua caliente. Durante la siguiente hora no debería salir a la calle, es mejor que se acueste en la cama.

Elementos necesarios

- ➤ Un recipiente grande (3-5 litros)
- ➤ El aditivo a base de hierbas elegido
- ➤ Una toalla grande o una manta

● Baños de asiento

Los baños de asiento estimulan la circulación sanguínea y tienen efecto antiinflamatorio. Pueden tomarse tanto con agua caliente como con agua a temperatura ascendente.

Ⓘ   A tener en cuenta

No tomar baños en caso de hemorroides.

Procedimiento

Antes de tomar el baño, caliente previamente los pies (por ejemplo con un pediluvio con agua caliente, pág. 246). A continuación llenar la bañera con agua caliente (36 a 38º) hasta alcanzar la altura del ombligo, añadir aditivos para el baño si así se desea (pág. 252) y tomar asiento.

Coloque los pies en alto sobre un taburete y tápese las piernas y la parte del tórax descubierta con toallas grandes para que no pase frío durante la aplicación. La duración del baño será de 10 a 15 minutos. A continuación séquese y descanse.

Elementos necesarios

- ➤ Una bañera de asiento especial o un taburete de plástico que pueda meter dentro de la bañera para poder poner los pies en alto.
- ➤ Toallas gruesas y grandes para las piernas y el tórax.

● Baños de asiento con agua a temperatura ascendente

Tras este baño de asiento se siente uno más agotado; es eficaz para molestias en el bajo vientre.

Información

Duchas de agua caliente y fría alterna

Se trata de la hidroterapia más eficaz, no es de extrañar que muchas personas hablen maravillas de este tratamiento. Las duchas de agua caliente y fría alterna son tonificantes. Estimulan la circulación sanguínea y el metabolismo, despejan por la mañana y activan la presión sanguínea baja. Asimismo, relajan los nervios y regulan los estados de ánimo depresivos, el decaimiento y los problemas para conciliar el sueño.

Procedimiento

- ➤ En primer lugar, ducharse de uno a tres minutos con agua caliente. Estírese a gusto bajo el chorro de agua caliente. A continuación cambie la temperatura de tibia a fría dependiendo de lo que aguante. Dúchese la pierna derecha, primero la cara anterior y luego la posterior, y a continuación la pierna izquierda. Siguiendo el mismo esquema dúchese los brazos. A continuación dúchese el pecho, el vientre, la nuca y la cara. Vuelva a repetir todo el proceso con agua caliente y agua fría. Otro consejo: antes de acostarse, es conveniente moderar las temperaturas y aplicar el proceso de forma más breve.

ⓘ A tener en cuenta

No deben tomarse en caso de problemas cardiovasculares y enfermedades del corazón.

Procedimiento

Proceda del mismo modo que en el baño de asiento caliente. La temperatura debería ser de 33 ºC. Durante los siguientes 15-20 minutos añada agua más caliente hasta que alcance una temperatura de 39 ºC. A continuación, séquese y descanse media hora en la cama.

● **Baños de asiento con fricciones**

Este baño de asiento con agua caliente tiene efecto tonificante y estimulante del metabolismo de los órganos del vientre y la pelvis.

Procedimiento

Siga los mismos pasos que en el baño de asiento con agua caliente. Friccione durante el baño toda la piel con fuerza con la mano extendida dentro de la manopla. La duración del baño deberá ser de 15 a 20 minutos.

● **Baños completos**

Los baños completos son beneficiosos en caso de exceso de excitabilidad, agotamiento y estrés; dilatan los vasos sanguíneos de la piel, aumentan la sudoración y relajan las contracciones de la musculatura.

También las molestias de los resfriados incipientes pueden aliviarse considerablemente mediante un baño completo. En la pág. 252 pueden consultarse las recetas para los aditivos vegetales para el baño así como las recomendaciones para su aplicación.

ⓘ A tener en cuenta

No tomar baños completos con el estómago lleno. En caso de padecer problemas en las venas debería prescindir totalmente de los baños calientes. Las inflamaciones agudas de la piel pueden empeorar si se toma un baño completo muy caliente. En caso de tener alguna enfermedad cardiocirculatoria debería consultar previamente a su médico para que le indique si es recomendable tomar baños completos.

Procedimiento

La temperatura ambiente debería estar entre 18 y 21 ºC, y la temperatura del agua del baño entre unos 35 y 38º. La duración del baño no será superior a 10-20 minutos.

Tras haberse secado, es imprescindible descansar durante una hora en la cama para que el baño completo con agua caliente pueda ofrecer un efecto duradero.

Elementos necesarios
➤ Si se desea, aditivos para el baño
➤ Un termómetro de baño
Es importante no secarse después, sino ponerse una camiseta o una camisa y calentarse dentro de la cama.

HUMECTACIONES

Las humectaciones con un paño empapado en agua fría o templada son particularmente adecuadas para fortalecer a los dormilones, ya que despejan y producen una agradable sensación de calor. Según se desee en cada ocasión, pueden realizarse de pies a cabeza o solamente por partes.

El procedimiento es sencillo: introducir una toalla de hilo o una manopla en agua fría (de 12-16 ºC o templada (20-23 ºC), escurrirla y lavarse el cuerpo rápidamente dejando una fina película de agua sobre la piel. Puesto que el paño se calienta rápido por el calor corporal, deberá darle la vuelta con frecuencia y mojarse de nuevo.

Humectación de cuerpo entero con agua fría

La humectación de cuerpo entero se compone de la humectación de la parte superior y la parte inferior del cuerpo, que pueden realizarse según se desee en ambas partes del cuerpo o solo en una. También estimula la circulación sanguínea y refresca a los pacientes que deban estar en cama.

 A tener en cuenta

No debe aplicarse si se tienen los pies o las manos fríos o si tiene frío o escalofríos.

Procedimiento

Puede realizar una humectación de cuerpo entero con agua a temperatura ambiente o fría delante del lavabo.

➤ **Humectación de la parte superior del cuerpo**
Empiece por la mano derecha y ascienda por la cara exterior del brazo hasta el hombro. Descienda por la cara interior hasta la mano. Luego vuelva otra vez al punto de origen. Realice lo mismo en el otro brazo, a continuación lave también el cuello, el pecho y el vientre, después la espalda.

➤ **Humectación de la parte inferior del cuerpo**
Ahora le toca a la pierna derecha: empiece por la cara anterior del pie y ascienda hasta la cadera. Descienda por la cara posterior de la pierna hasta el pie. Realice la humectación del mismo modo en la pierna izquierda. Para terminar aplique una afusión en las plantas de los pies.

No se seque, póngase algo inmediatamente y descanse en la cama 30-60 minutos o realice una actividad física, por ejemplo, gimnasia matutina.

Fricciones con agua fría

Las fricciones con agua fría son una variante de la humectación de cuerpo entero limitada a la espalda. Las fricciones con agua fría también estimulan la circulación y fortalecen contra las enfermedades de las vías respiratorias. Para ello se necesita una persona que le ayude.

 A tener en cuenta

No debe aplicarse si se tiene los pies o las manos fríos o si tiene frío o escalofríos.

Procedimiento

Esta aplicación solo puede realizarse con ayuda. Empapar una toalla en agua fría, escurrir y colocar sobre la espalda del paciente en posición sentada. Mientras éste sujeta los extremos del paño por los hombros la persona que le ayude friccionará la espalda con la palma de la mano de arriba abajo y viceversa hasta que se haya calentado.

Para terminar, se frotará la espalda con una toalla seca. No olvidar reposar a continuación.

AFUSIONES: EL TRATAMIENTO TONIFICANTE

Para ejercitar los vasos sanguíneos y conseguir una agradable sensación de calor en músculos tensos y doloridos lo más adecuado es la aplicación de afusiones, si bien también se requiere acostumbrarse a ello, pues el agua no deberá superar una temperatura de alrededor de 15º. Es importante que el chorro de agua se dirija sobre el cuerpo sin presión, de modo que el agua caiga sobre la zona a tratar como una cortina.

¿Le parece demasiado complicado? Inténtelo desenroscando el cabezal de la ducha o si es posible, ajuste la ducha de modo que el agua no salpique sino que alcance la piel con suavidad a modo de haz.

La temperatura ambiente debería ser de al menos 19 °C, si no el tratamiento resultará demasiado frío. Finalizada la aplicación no secarse, sino eliminar los restos de agua con las manos y ponerse ropa cómoda para calentarse.

• Afusión en los brazos

La afusión en los brazos estimula la circulación sanguínea de los brazos, pero también del corazón. El pulso se regula y la respiración se hace más profunda.

Procedimiento

Desnúdese la parte superior del cuerpo y apóyese sobre el borde de la bañera. Empiece por el brazo derecho. Lleve el chorro de agua por encima del dorso de la mano hacia arriba pasando por la cara anterior del antebrazo y el brazo hasta llegar al hombro. Permanezca ahí unos segundos. A continuación, baje el chorro de agua dirigiéndolo por la cara interior del brazo y el antebrazo hasta la muñeca. Luego realice lo mismo con el otro brazo. Esta aplicación no debería durar más de 20 segundos. Para terminar, retirar el agua con la mano, vístase y repose.

• Afusión en los brazos con agua caliente y fría alterna

En este tipo de afusión se aplica de forma alterna agua caliente y fría. El agua caliente debería tener de 36 a 38°; el agua fría se aplicará tal como sale del grifo. Proceder fundamentalmente del mismo modo que se ha descrito previamente, pero empezar siempre con agua caliente y terminar la aplicación con agua fría. La aplicación con agua fría no deberá durar más de 20 segundos. Repetir una vez más la aplicación de agua caliente y fría.

• Afusión en las rodillas

Las afusiones en las rodillas estimulan la circulación y la irrigación sanguínea, en particular de los órganos que se encuentran en la cavidad pélvica y los órganos sexuales femeninos y masculinos.

ⓘ **A tener en cuenta**

No aplicar la afusión en las rodillas durante la menstruación, en caso de dolores de ciática o de infecciones de las vías urinarias.

Procedimiento

Empezar con la pierna derecha, conduciendo el chorro de agua por la parte exterior de la pierna hacia arriba empezando en el dorso del pie hasta llegar a un palmo más arriba de la rodilla. Detenerse brevemente en ese punto y descender el chorro por la cara posterior de la pierna.

Proceder del mismo modo con la pierna izquierda. Para finalizar, aplicar el chorro brevemente en ambas plantas de los pies. Escurrir el agua con las manos y ponerse inmediatamente calcetines de lana calientes. Reposar de 20 a 30 minutos.

• Afusión sobre las rodillas con agua caliente y fría alterna

El efecto aumenta si la aplicación se utiliza con agua caliente y fría alterna. El agua caliente debería estar entre 36 y 38 °C; el agua fría se aplicará tal como sale del grifo.

Realizar la aplicación del modo descrito anteriormente empezando siempre con agua caliente y terminando la aplicación con el agua fría. La aplicación de agua fría no durará más de 5-10 segundos. Repetir una vez la aplicación de agua caliente y fría.

• Afusión en la parte inferior del cuerpo

La afusión con agua fría de la parte inferior del cuerpo puede resultar beneficiosa para tratar las obstrucciones y los problemas gastrointestinales.

(!) A tener en cuenta

Si padece una inflamación de vejiga o riñones o de una ciática aguda, deberá evitar las afusiones en la parte inferior del cuerpo con agua fría.

Procedimiento

Los pies y las piernas deberán estar bien calientes. La afusión con agua fría consta de una afusión sobre el muslo y una afusión sobre el bajo vientre.

➤ Conduzca el chorro de agua desde el dorso del pie por la parte exterior de la pantorrilla ascendiendo hasta la pelvis y de ahí hasta debajo de las clavículas. A continuación, descienda el chorro por la espalda pero esta vez por la cara posterior de la pierna.

➤ Ahora aplíquese por la cara anterior conduciendo el chorro por el lado externo de la espinilla y del muslo hasta el vientre. Deténgase por debajo del diafragma y descienda de nuevo por el lado interno del vientre y de la pierna.

A continuación, escurra el agua de las piernas con las manos. Vístase y realice ejercicio o acuéstese para reposar durante media hora en la cama.

● Caminar dentro del agua

Aparte de fortalecer el cuerpo, caminar dentro del agua tiene efectos similares a los de la afusión en las rodillas (pág. 250).

Procedimiento

Llene la bañera o el lavapiés hasta 3/4 partes de su capacidad con agua fría o fresca (máximo 18º). A continuación entre dentro y dé pasos de forma regular quedándose en el mismo sitio. Para ello, levante los pies a cada paso por encima del nivel del agua y manténgalos en alto durante 20 a 60 segundos.

A continuación simplemente escurrir el agua, ponerse calcetines gruesos y meterse en la cama bien tapado. Como alternativa, puede realizar gimnasia hasta que vuelva a entrar en calor.

Consejo

Fricciones en seco o baños con fricciones

Las fricciones en seco tonifican la piel, estimulan la circulación e irrigación sanguínea y resultan vivificantes. Un ligero enrojecimiento de la piel es una reacción normal. Sin embargo, si aparecen síntomas extraños en la piel interrumpa la aplicación. Si padece inflamaciones o lesiones cutáneas, enfermedades del metabolismo de la piel, varices inflamadas o úlceras en las piernas debería prescindir de las fricciones en seco.

Procedimiento:

Comience con un cepillo de fibras naturales o un guante de esparto friccionando el dorso del pie. A continuación, friccione la pierna hasta alcanzar la cadera realizando movimientos circulares, primero por la parte exterior y luego por la interior. Luego friccione las nalgas y la parte superior del cuerpo y los brazos. Realice las fricciones en la parte superior del cuerpo en dirección al esternón, después cepille el vientre en el sentido de las agujas del reloj y la nuca en dirección a los hombros. Para finalizar, realice las fricciones en la espalda.

Alternativa: baño con fricciones

Si las fricciones en seco le resultan demasiado intensas, pruebe el baño con fricciones. Para ello, tome un baño completo con o sin aditivos (pág. 248) y realice los movimientos tal como se han descrito con la manopla de esparto o el cepillo, simplemente debajo del agua. Alcanzará los mismos beneficios pero si su piel es sensible ésta no se irritará tanto.

Aditivos para el baño y sus efectos

Aditivo	Preparación y dosificación	Propiedades	Aplicaciones	Zona de aplicación
Árnica (*Arnica montana*)	Baño completo: 2 a 4 cucharadas de extracto de árnica para baño. Envolturas: 1 a 3 cucharadas de tintura de árnica por 1 l de agua	Estimula la resorción, calmante	Baño completo, baños parciales, envoltura, friegas	Heridas, hematomas, tipos leves de reuma, dolor en articulaciones tras sobreesfuerzo, insomnio, hipertiroidismo, inquietud nerviosa
Valeriana (*Valeriana officinalis*)	Aplicar el extracto para baño listo para usar según las instrucciones	Tranquilizante	En la mayoría de los casos baño completo	Eccemas húmedos
Corteza de roblee (*Cortex quercus*)	1 a 3 kg de corteza de roble por 5 l de agua, decocción durante media hora, filtrar y añadir al baño	Contiene taninos, efecto astringente	Baño completo, baños parciales, enjuagues	Eccema en el ano, quemaduras, inflamaciones de la vagina, hongos cutáneos
Acículas de pino (*Pinus silvestris*)	150 g de extracto de pino para un baño completo	Tranquilizante, estimulante de las secreciones, desodorante	Baños completos, menos frecuente baños parciales	Nerviosismo, excitabilidad
Flores de heno (*Semina graminis*)	Baño completo: 1 a 1,5 kg de flores de heno por 5 l de agua fría. Decocción durante media hora, filtrar y añadir al baño	Estimula la circulación sanguínea, antiespasmódico	Baños completos y parciales, envolturas, aplicaciones (saquitos de heno)	Molestias reumáticas de las partes blandas, inflamaciones en las articulaciones, bronquitis crónica, inflamaciones purulentas
Manzanilla (*Matricaria chamomilla*)	Baño completo: infusión de 0,5 a 1 kg de flores de manzanilla con 5 l de agua hirviendo, dejar reposar media hora, filtrar y añadir al baño	Antiinflamatorio, desodorante	Lavado de cavidades del cuerpo (baño de asiento, cuidado de las mucosas), para empapar paños para envolturas	Eccemas agudos, húmedos, heridas purulentas, inflamaciones de la piel y las mucosas
Salvia (*Salvia officinalis*)	Baño completo: 250 g de hojas de salvia por 5 l de agua, verter el agua hirviendo sobre las flores y dejar reposar 20 minutos, filtrar y añadir al baño	Contiene aceites esenciales, resinas, sustancias amargas y taninos	Baños completos, baños parciales, lavado de cavidades del cuerpo, cuidado de las mucosas, compresas	Eccema con prurito en el ano (baño de asiento, compresas), lavados en caso de afecciones de las mucosas y heridas
Cola de caballo (*Equisetum arvense*)	Baño parcial: 100 a 200 g de cola de caballo por 2 l de agua, decocción durante una hora, filtrar y añadir al baño	Contiene ácido silícico, ácido oxálico, sustancias amargas; estimula la formación de tejido nuevo	Baños parciales, compresas, con menos frecuencia baños completos, envolturas	Eccema húmedo, úlceras en las piernas y otras heridas de difícil curación, reuma, gota

LA APLICACIÓN DE PAÑOS

El proceso curativo en el que se utilizan paños húmedos, compresas y envolturas, particularmente para estimular la sudoración, se atribuye al naturópata Vinzenz Prießnitz (1799-1851). Actualmente, las envolturas se utilizan con frecuencia, e incluso se consideran por parte de la medicina escolástica aplicables para el tratamiento de ciertas enfermedades.

ENVOLTURAS

Las envolturas son una terapia de acompañamiento eficaz para aliviar las inflamaciones locales y la fiebre, tal como usted mismo recordará de su infancia.

Las envolturas se aplican en dos o tres capas. La capa interior consta de un paño de hilo húmedo y frío que también puede estar empapado con extractos de hierbas, y la siguiente capa está formada por otro paño de hilo o algodón. La capa exterior es una manta o un paño de lana que cubre a las anteriores.

Siga siempre las indicaciones relativas a la duración de la aplicación, que solo podrá sobrepasarse una hora en casos excepcionales.

Observe al mismo tiempo la temperatura corporal. Las envolturas se aplican normalmente frías pero deben producir siempre una sensación de calor a los 5 a 15 minutos, en caso contrario hay que aportar calor al cuerpo (por medio de una infusión o una bolsa de agua caliente).

La habitación en la que se encuentre durante la aplicación de la envoltura deberá estar suficientemente ventilada pero también caliente. Durante la aplicación de la envoltura se pueden dejar las ventanas abiertas.

Si siente malestar interrumpa el tratamiento inmediatamente.

● Envolturas de pecho

Las envolturas de pecho pueden aplicarse en frío, en caliente o con aditivos como requesón batido, patata o mostaza (recetas en la pág. 256).

Información

Zonas de aplicación de las envolturas

Envolturas de cuello ➤	faringitis
Envolturas de pecho ➤	bronquitis, asma bronquial, pleuritis, neumonía e inflamaciones del corazón
Envolturas de abdomen ➤	enfermedades inflamatorias de la región epigástrica, estreñimiento, problemas de vesícula biliar, diarrea e inflamación de los intestinos
Envolturas de pantorrilla ➤	fiebre, flebitis, celulitis, úlceras de las piernas, por las noches, en caso de insomnio

A tener en cuenta

No deben usarse las envolturas de pecho frías si se tiene frío, ni las envolturas de pecho calientes en caso de fiebre.

Procedimiento

Humedecer un paño de lino con agua caliente o fría, escurrirlo dejándolo bien liso, y envolver con él el pecho; la envoltura debe situarse entre las axilas y cubrir las costillas. Luego, envolver nuevamente el pecho con el paño de algodón o de lana.

La envoltura fría se dejará sobre el cuerpo del paciente hasta que éste vuelva a sentir calor (aproximadamente de 45 a 70 minutos); la envoltura de pecho caliente se mantendrá mientras se sienta caliente (unos 30 minutos).

Elementos necesarios

➤ Un paño de hilo.
➤ Un paño de algodón.
➤ Un paño de lana.
Medidas: aproximadamente de 40 x 190 cm.

● **Envolturas de cuello**

Se aplican calientes o frías, con frecuencia añadiendo *quark* o mostaza (pág. 256).

Procedimiento

Humedecer un paño pequeño de hilo con agua fría o caliente. Doblarlo a la medida y envolver el cuello con él. Rodear la primera capa con el segundo paño de hilo y, a continuación, con el paño de lana o la bufanda.

La envoltura de cuello se renovará entre cada media hora y dos horas. Si se aplica antes de dormir puede dejarse durante toda la noche.

Elementos necesarios

➤ Un paño de hilo.
➤ Un paño de algodón.
➤ Un paño de lana más estrecho, una bufanda.
Medidas: aproximadamente de 10 x 70 cm

Las envolturas de cuello son fáciles de aplicar y son muy útiles en caso de inflamaciones de garganta y faringe.

● **Envolturas de cuerpo**

Mejoran el riego sanguíneo de los órganos situados en el abdomen, resultando por tanto beneficiosas para eliminar las tensiones y desintoxicarse. Las envolturas de cuerpo cubren desde las axilas hasta por encima del vientre. Alivian sobre todo las enfermedades del epigastrio, la vesícula biliar, el estreñimiento, la diarrea y las enteritis.

 A tener en cuenta

No aplicar en caso de úlceras o sangrado de estómago.

Procedimiento

La aplicación solo puede realizarse con ayuda, pues el tronco del paciente debe ser totalmente envuelto en un paño.

Empapar un paño estrecho y largo en una infusión de hierbas, escurrir bien, doblar y dejar que se enfríe en el lavabo.

Extender en la cama la toalla de ducha más grande, desnudar la parte superior del cuerpo, sentarse y dejar que le apliquen la envoltura húmeda para cubrir completamente el órgano afectado. A continuación acostarse. Colocar una bolsa de agua caliente sobre el paño húmedo y encima las dos toallas de ducha grandes estirándolas y envolviendo con ellas el cuerpo. La otra bolsa de agua caliente se coloca en los pies. Tapar al paciente y dejar que repose una hora. Después de retirar la envoltura, reposar media hora más.

Elementos necesarios
➤ Un paño estrecho y largo para aplicación húmeda
➤ Dos toallas de ducha anchas y largas
➤ Dos bolsas de agua caliente
➤ Dos o tres litros de infusión de hierbas recién preparada

• Envolturas de pantorrillas
Las envolturas frías de pantorrillas reducen la fiebre. Si la duración de la aplicación supera los 20 minutos resultan beneficiosas en problemas de insomnio, presión alta, nerviosismo y dolores de cabeza, además de prevenir la flebitis.

ⓘ **A tener en cuenta**
No usar envolturas frías de pantorrillas si tiene el nervio ciático irritado, padece infecciones de las vías urinarias o siente frío en general.

Procedimiento
Sumergir el paño de hilo en agua fría, escurrirlo y envolver con él la pantorrilla estirando bien. Envolver la pantorrilla con el paño de algodón y a continuación con el paño de lana (ambos paños sobresaldrán por encima de la rodilla). Estirar las piernas de forma relajada. Si se desea disminuir la temperatura corporal, dejar la envoltura cinco minutos y repetir dos o tres veces. Si se desea conseguir un efecto calmante o anti-inflamatorio, dejar que actúe 20 minutos.

Elementos necesarios
➤ un paño de hilo de 30 x 70 cm
➤ un paño de algodón algo mayor
➤ un paño de lana

Las envolturas constan de tres capas: una húmeda, una seca y otra que caliente. La envoltura de cuerpo calma sobre todo los dolores gastrointestinales.

Consejo

Las principales recetas para envolturas

Aquí puede consultar todas las recetas para las envolturas. Si bien a los pacientes menudos y a los mayores no siempre les agrada este tipo de aplicación, se trata de recetas de la abuela con éxito probado. Por eso no es de extrañar que incluso hoy día se sigan utilizando en caso de dolores de garganta o tos. Su preparación es sencilla y rápida, la mayoría de los ingredientes seguramente los tendrá a mano en casa y los resultados saltarán a la vista.

Envoltura con requesón batido
En caso de dolores, inflamaciones cutáneas y quemaduras producidas por el sol.
➤ *Aplicación:* como envoltura de cuello y pantorrillas (pág. 254 y ss.). La receta también es adecuada para aplicaciones o compresas sencillas.
➤ Untar una capa fina de requesón batido sobre un paño de hilo y aplicarlo en la zona afectada.

Envoltura con arcilla
Para inflamaciones y problemas cutáneos
➤ *Aplicación:* como envoltura de cuello y pantorrillas (pág. 254 y ss.). También es adecuada para aplicaciones sencillas.
➤ Mezclar dos o tres cucharadas de tierra curativa de la farmacia con un poco de agua hasta obtener una pasta densa. Dejar reposar. Untar una capa fina sobre un paño húmedo y aplicarlo en la zona afectada.

Envoltura con patata
Efecto analgésico, molestias gastrointestinales
➤ *Aplicación:* envoltura de cuello o cuerpo (pág. 254).
➤ Hervir las patatas, triturarlas y extenderlas sobre un paño, que se doblará a continuación. Atención: compruebe la temperatura antes de la aplicación.

Envoltura con mostaza
Estimula la circulación sanguínea, actúa contra bacterias y hongos, expectorante. No usar sobre heridas abiertas
➤ *Aplicación:* como envoltura de cuello, pantorrillas o pecho (pág. 253 y ss.). Puede producir hipersensibilización. Si surgen molestias, interrumpir inmediatamente el tratamiento. Es importante proteger los ojos con compresas y cubrir siempre los pezones y las axilas.
➤ Según el tamaño del envoltorio, mezclar dos o tres cucharadas de polvo de mostaza de la farmacia con tres a cuatro litros de agua fría, tras dejar reposar 10 minutos añadir agua caliente hasta alcanzar 48 °C (comprobar con el termómetro de baño). Empapar un paño de hilo con este caldo, escurrir y colocar sobre la zona afectada.
➤ *Duración de la aplicación:* una vez al día de 10 a 20 minutos, a continuación lavar bien la zona tratada con agua tibia.

Envoltura con cebolla
Antiinflamatoria, expectorante. No utilizar en caso de heridas abiertas
➤ *Aplicación:* es muy conocida su aplicación como envoltura caliente para los oídos, utilizada especialmente en niños, pero también puede aplicarse como compresa fría sobre la piel.
➤ Picar una cebolla, machacarla con un tenedor y cocinarla al vapor sin grasa brevemente. Repartirla sobre un pañuelo de tela y doblar este. Comprobar la temperatura y aplicar sobre el oído. Colocar encima un trozo de algodón y un paño y fijar mediante una bufanda o un gorro de lana.
➤ *Duración de la aplicación:* mientras la envoltura esté caliente; se puede repetir si se requiere

CATAPLASMAS Y COMPRESAS

El calor, aplicado de cualquier forma, es seguramente el remedio casero más sencillo y de mayor éxito. Ya hemos mencionado el agua como portador del calor en sus aplicaciones más complejas, como los baños y las envolturas. Las cataplasmas y compresas, sin embargo, pertenecen a las aplicaciones en zonas más localizadas que alivian molestias puntuales y se aplican con frecuencia con diferentes aditivos, como arcilla medicinal, puré de patatas, linaza o hierbas. Todas estas aplicaciones calientes y húmedas son ideales en caso de dolores intensos, como la lumbalgia, pues en este caso el calor actúa aliviando el dolor durante un cierto periodo de tiempo. Pero no olvide comprobar siempre la temperatura para no quemarse.

Cataplasma de patata
Ayuda en el tratamiento de la tos y la bronquitis, la pielitis y las cistitis, las artrosis y los dolores de hombro, cervicales y espalda.

A tener en cuenta
No aplicar en caso de hipersensibilidad al calor, operaciones inminentes, disminución de la función cardiaca, enfermedades malignas o disminución de la función nefrítica.

Procedimiento
Aplastar las patatas cocidas con piel, envolver el puré en un paño de hilo y aplicar con cuidado sobre la parte del cuerpo afectada:
➤ En caso de tos o bronquitis, aplicar sobre el pecho
➤ En caso de pielitis, aplicar sobre los riñones
➤ En caso de cistitis, aplicar en la zona de la vejiga
➤ En caso de artrosis o dolores de hombros, cervicales o espalda, aplicar directamente en la zona afectada por el dolor

La cataplasma se mantendrá aplicada mientras el paciente la sienta caliente (habitualmente entre 10 y 15 minutos).

Elementos necesarios
➤ 500 a 1000 g de patatas hervidas.
➤ Un paño de hilo.

Compresa de linaza
Está indicada en caso de resfriado, sinusitis e inflamación del seno maxilar, así como bronquitis. También ayuda a madurar orzuelos y forúnculos.

A tener en cuenta
No se debe aplicar en caso de hipersensibilidad al calor, operaciones inminentes, disminución de la función cardiaca, enfermedades malignas o disminución de la función nefrítica.

Procedimiento
Introducir la linaza caliente en un saquito de paño de hilo tras haberla hervido con agua. Aplicar durante 5 minutos sobre la zona a tratar, calentar varias veces y aplicar de nuevo.

Elementos necesarios
➤ 200 a 500 g de linaza molida (según la superficie que se vaya a tratar).
➤ Un saquito de paño de hilo.

Emplastos con peloides
Se usa este concepto para denominar las compresas con barros, fangos, lodos o arcillas medicinales, que se pueden adquirir listos para usar en la farmacia. Están especialmente indicadas en caso de estados dolorosos de la columna vertebral, lumbalgias, tensiones musculares y neuritis.

ⓘ **A tener en cuenta**

No aplicar en caso de hipersensibilidad al calor, operaciones inminentes, disminución de la función cardiaca, enfermedades malignas o disminución de la función nefrítica.

Procedimiento

Calentar las compresas de fango a 45 ºC y aplicar sobre la zona deseada. La duración del tratamiento es de 15 a 20 minutos (mientras siga caliente la compresa). Tras la aplicación, repose entre 30 y 60 minutos. Las compresas con fango no se aplicarán más de una vez al día.

● Saquitos de heno

La cataplasma de flores de heno está indicada para las molestias reumáticas, las tensiones musculares y los estados de tensión psico-vegetativa.

Las flores de heno pueden adquirirse listas para usar en saquitos en la farmacia.

ⓘ **A tener en cuenta**

No aplicar en caso de hipersensibilidad al calor, operaciones inminentes, disminución de la función cardiaca, enfermedades malignas o disminución de la función nefrítica.

Procedimiento

Caliente el saquito en un cacharro grande, a ser posible en un tamiz para cocer al vapor. Tenga en cuenta que el agua no debe hervir, pues se descompondrían las flores de heno. Extráigalo del cacharro de cocina, escúrralo un poco y aplíquelo lo más caliente posible sobre la zona a tratar, teniendo cuidado de no escaldar al paciente.

A continuación, tapar con paños de lana o mantas el saquito de heno para mantener el calor. En cuanto ya no se perciba caliente retirar, la cataplasma. Después, reposar durante 60 minutos. No utilizar más de una vez al día.

Los saquitos de heno solo deben usarse una vez por cuestiones de higiene.

Elementos necesarios

➤ Un cacharro grande a ser posible con tamiz para cocer al vapor.
➤ Un saquito para hierbas.
➤ Paños de lana o una manta.

● Compresas calientes de vapor

Las compresas de vapor son aplicaciones ideales para aquellos momentos en los que se sienta demasiado cansado o simplemente no le apetezca la parafernalia de los baños o las envolturas. Las compresas de vapor permiten realizar un tratamiento localizado de las partes del cuerpo enfermas y mitigan los dolores y las tensiones.

Las compresas calientes de hierbas y las cataplasmas de plantas medicinales alivian los dolores de todo tipo.

A tener en cuenta

Las compresas de vapor son aplicaciones ideales para aquellos momentos en los que se sienta demasiado cansado o simplemente no le apetezca la parafernalia de los baños o las envolturas. Las compresas de vapor permiten realizar un tratamiento localizado de las partes del cuerpo enfermas y mitigan los dolores y las tensiones.

Elementos necesarios
➤ Dos toallas
➤ Una palangana con agua hirviendo

Procedimiento
Doblar una toalla a lo largo, sujetarla por ambos extremos y sumergir la parte central en agua hirviendo. Estirar de ambos extremos la toalla al sacarla del agua y escurrirla. A continuación, aplicarla con cuidado sobre la zona dolorida, levantándola una y otra vez hasta que la temperatura resulte soportable. Doblar los dos extremos secos, colocándolos encima de la parte húmeda para aislar el calor y colocar con el mismo fin la segunda toalla, tapando con una manta.

Si es preciso, puede renovarse la compresa dos o tres veces. Tras el tratamiento, es beneficioso lavar la zona de la piel tratada con agua fría.

● Compresa de hierbas

Otra forma de compresa de vapor más eficaz si cabe se obtiene añadiendo hierbas medicinales en el agua caliente. El árnica se aplica para reforzar la acción paliativa en el tratamiento de distensiones, contusiones, dislocaciones, dolores musculares y articulares, e hinchazones producidas por magullamientos y golpes. Asimismo acelera la reabsorción de los hematomas. El romero y el tomillo estimulan además el riego cutáneo.

 A tener en cuenta

No aplicar en caso de hipersensibilidad al calor, operaciones inminentes, disminución de la función cardiaca, enfermedades malignas o disminución de la función nefrítica.

Procedimiento
Para preparar una compresa de hierbas, hervir un litro de agua con dos cucharadas de árnica, romero o tomillo, dejar reposar durante 10 minutos y colar. Doblar una toalla por la mitad y empaparla bien; colocarla lo más caliente posible sobre la zona dolorida. Para aislar el calor se cubrirá con una toalla seca y una manta de lana. Dejar puesta la compresa mientras siga produciendo sensación de calor.

Elementos necesarios
➤ Dos cucharadas de cada una de las hierbas medicinales secas (árnica, romero, tomillo).
➤ Dos toallas.
➤ Una manta.

Consejo

El calor seco: la lámpara de infrarrojos

La irradiación con una lámpara de infrarrojos tiene efecto analgésico, estimula la circulación sanguínea y resulta expectorante. La aplicación no es complicada, los aparatos pueden adquirirse en comercios de productos sanitarios o de electrodomésticos. Para evitar quemaduras hay que mantener siempre una distancia de 30 a 50 cm y no permitir nunca que los niños se acerquen a la lámpara. La duración de los tratamientos depende de la gravedad de la enfermedad:

➤ En caso de dolor de oídos aplicar la irradiación sobre el oído afectado durante 5 a 10 minutos tres veces al día.

➤ En caso de bronquitis, sinusitis o inflamaciones de las fosas paranasales, irradiar desde delante tres veces al día durante 10 a 15 minutos.

SALUDABLE GRACIAS A LAS PLANTAS MEDICINALES

El tratamiento de las enfermedades mediante plantas medicinales es tan antiguo como la humanidad misma. Ya la medicina popular y monacal apreciaba su poder curativo. Antaño se utilizaba, por falta de otros medios, esencialmente en forma de infusión, y lo cierto es que se sabía poco sobre los fundamentos de estos "remedios milagrosos".

EL REDESCUBRIMIENTO DE REMEDIOS ANTIGUOS PROBADOS

La medicina moderna es impensable actualmente sin las plantas medicinales, puesto que se ha demostrado su eficacia. Precisamente en los últimos años se ha prestado más atención a la increíble eficacia de las plantas medicinales, y estas investigaciones han dado como resultado algo positivo: el desarrollo de medicamentos fitoterapéuticos mediante procedimientos de elaboración industrial modernos. Estos nuevos medicamentos fitoterapéuticos garantizan actualmente una terapia bien tolerada por muchas personas.

¿Cuáles son las particularidades de los nuevos procedimientos de elaboración? Permiten enriquecer los principios activos con las sustancias complementarias deseadas y eliminar sustancias complementarias no deseadas que hasta el momento siempre había que aceptar. Además, estos preparados contienen una concentración constante de las sustancias que los componen, de modo que también garantizan una eficacia sostenida. Asimismo, permiten el almacenamiento más prolongado de este tipo de medicamentos a la vez que se pueden aplicar igual que las infusiones de hierbas habituales. Otra ventaja que tienen es que algunos preparados resultaban molestos por su sabor desagradable o amargo, lo cual ha podido mejorarse en los preparados de elaboración industrial. Y también hay que tener en cuenta el aspecto ecológico que supone la elaboración industrial, pues optimiza el uso de los principios activos que contienen las plantas medicinales para bien de la naturaleza.

• De la planta al medicamento

Tanto si se trata de obtener el efecto curativo de una sencilla infusión como de un preparado listo para usar, antes que nada debe cosecharse la planta y prepararse de la forma correspondiente. La mayoría de las plantas medicinales se cortan y se secan cuidadosamente para elaborar los medicamentos. Este proceso permite preservar los principios activos y elimina los microorganismos, como

---

Información

Sustancias que curan

Las plantas o partes de las plantas secas que se aplican directamente como remedios curativos (por ejemplo en forma de infusión) o aquellas que sirven para la preparación de remedios curativos (por ejemplo tinturas) se denominan drogas, si bien no tienen nada que ver con los estupefacientes ni el alcohol ni los medicamentos que crean dependencias.

los hongos de la podredumbre y las bacterias que se encuentran en el suelo. Las plantas medicinales secas son por ello más durables y pueden guardarse hasta su aplicación definitiva.

De unas pocas plantas medicinales se elaboran zumos naturales. Para ello, se desmenuza la planta entera, se exprime y se embotella. Estos zumos conservan una gran parte de las sustancias activas y complementarias de las plantas.

¿Qué son los medicamentos fitoterapéuticos?

Para la elaboración última de medicamentos fitoterapéuticos se utilizan partes de las plantas, como las flores, los pétalos, las hojas o las raíces, de los que se extraen las sustancias que contienen por medio de varios procedimien-

tos. Esto se realiza generalmente añadiendo agua y alcohol en proporciones determinadas.

La solución obtenida contiene diferentes sustancias de las partes utilizadas de la planta, que actúan (principios activos) o que no producen ningún efecto (sustancias complementarias). Dependiendo del siguiente paso en la elaboración, se preparan, a partir de los extractos, medicamentos en las formas habituales de administración, como por ejemplo gotas, pastillas, grageas, ampollas, cremas y pomadas.

⊙ A tener en cuenta

Todo medicamento fitoterapéutico contiene una serie de diferentes componentes y su composición determina el efecto curativo del medicamento. Por definición, no se considera medicamento fitoterapéutico a la sustancia aislada de una planta, como por ejemplo la digitoxina de la dedalera, pues no contiene las demás sustancias complementarias contenidas en la planta.

Aplicación sensata de las plantas curativas

Los medicamentos fitoterapéuticos se utilizan fundamentalmente para eliminar alteraciones de la salud, es decir, cuadros clínicos como pueden ser los estados de miedo o inquietud, los problemas de digestión o el insomnio. Pero también pueden aplicarse para tratar con éxito enfermedades con síntomas leves en pediatría o geriatría, pues permiten una administración sin riesgos aunque sea más prolongada. Esto se debe a que los fitofármacos suelen ser más tolerables que los medicamentos de síntesis química. Además, resultan mucho más económicos. Todos estos criterios ponen en evidencia por qué los preparados a base de plantas curativas no deben faltar en ninguna farmacia en casa.

Información

Aplicaciones de los medicamentos fitoterapéuticos

➤ Enfermedades leves de las vías respiratorias.
➤ Enfermedades funcionales de los órganos digestivos y otras molestias del tracto digestivo.
➤ Enfermedades funcionales del corazón.
➤ Alteraciones del rendimiento cerebral.
➤ Depresiones.
➤ Problemas de irrigación arterial de las extremidades.
➤ Enfermedades de las venas.
➤ Enfermedades de los órganos urinarios y genitales.
➤ Enfermedades psicovegetativas (estados de miedo nervioso, tensión y desasosiego).
➤ Enfermedades de la piel.
➤ Molestias durante la menstruación.

● Autotratamiento con medicamentos fitoterapéuticos

Debido a sus reducidos efectos secundarios y su buena tolerabilidad, los medicamentos fitoterapéuticos resultan aptos para la automedicación. No obstante, hay que tener en cuenta las normas básicas de cualquier terapia que uno decida aplicarse:

➤ En primer lugar, intente averiguar la causa de su enfermedad.

➤ No elija cualquier infusión o medicamento sino esfuércese en preparar una terapia específica.

➤ No tome varios medicamentos a la vez.

➤ Trate sus molestias mediante una dosis relativamente baja. Siga siempre las instrucciones de los prospectos adjuntos.

Las nociones básicas sobre el autotratamiento puede consultarlas también en las páginas 11 a 15.

● ¿Cuál es el mejor tipo de presentación?

Si tiene intención de autotratarse con plantas medicinales no dude en comprar modernos preparados listos para usar en la farmacia. Son fáciles de aplicar y especialmente adecuados para personas que trabajan. Además tienen la ventaja de que la calidad está estrictamente controlada y que su contenido en principios activos es prácticamente siempre igual. Por otro lado, las infusiones que se preparan con plantas medicinales secas no solo actúan por medio de los principios activos disueltos en ellas, sino también por medio de las sustancias volátiles y los aceites esenciales que contienen. Las infusiones aúnan los beneficios y el alivio que producen el calor y los principios activos que pueden asimilarse a través del tracto digestivo. Por otro lado, el aroma que emanan ya tiene un efecto curativo. En las páginas siguientes encontrará consejos útiles para la compra y preparación de infusiones.

● Tenga en cuenta la dosis diaria

Tanto si se lo prepara uno mismo como si hace uso de la solución lista para usar, usted tiene la elección, pero en cualquiera de los casos solo debería adquirir medicamentos fitoterapéuticos en la farmacia, pues allí encontrará la calidad que cumpla con los criterios más exigentes. También podrá obtener información sobre cuáles son los preparados que contienen la dosis diaria de principios activos recomendada por los científicos.

Hay muchos remedios que se ofrecen en otros establecimientos que contienen una cantidad insuficiente de principios activos y no pueden, por tanto, ser de utilidad alguna.

ⓘ A tener en cuenta

La dosis diaria recomendada se rige por la cantidad del material de la planta utilizada para la elaboración del medicamento (alcachofa, 6 g de principio activo por día) o por el contenido de ciertas sustancias (por ejemplo, escina en el castaño de Indias).

Las plantas medicinales son eficaces para tratar muchas enfermedades y suelen resultar muy tolerables.

LAS INFUSIONES Y LAS HIERBAS

Tradicionalmente se tratan muchas enfermedades mediante infusiones, pues esta es la manera más antigua de aplicar la fitoterapia y resultan fáciles de preparar. Pero ¿conoce la diferencia entre infusión, decocción y extracto? A continuación encontrará algunas recetas básicas que debería conocer para el autotratamiento con plantas medicinales.

● Pequeña introducción a las infusiones

Existe una gran diferencia si compra las mezclas de hierbas en bolsitas, instantáneas o a granel. Criterios tales como la frescura, la eficacia y la pureza de las hierbas, así como su precio, son aspectos importantes que deben tenerse en cuenta a la hora de elegir.

Infusiones en bolsitas

Compruebe si la calidad de las plantas medicinales es buena. Por ejemplo, las plantas medicinales secas deberán estar muy picadas para que puedan liberar sus principios activos.

Información

Cuidado con el azúcar

Preste atención al comprar infusiones instantáneas, pues para que el extracto seco pueda dosificarse debe llevar un excipiente. Si se trata de azúcar, el granulado contendrá entre un 70 y un 96% del mismo. Las infusiones que en vez de azúcar llevan edulcorantes o sustitutivos del azúcar también pueden ser usadas por lo general por diabéticos. Pero un consumo excesivo de edulcorantes no es recomendable (pág. 229). La solución más baja en calorías, más saludable y más económica son las infusiones preparadas por uno mismo sin aditivos, pues no contienen azúcar y sientan bien.

Eche también un vistazo a la forma en que se han almacenado las infusiones, si están bien cerradas y si se han almacenado en lugar fresco y seco. Las bolsitas de infusiones cumplen con estos criterios cuando llevan envolturas independientes (a ser posible biodegradables), pues garantizan una mayor duración de las sustancias que contienen.

Si bien son algo más caras, son más fiables las infusiones que indican la fecha de caducidad.

Infusiones instantáneas

Las infusiones instantáneas se preparan de forma rápida pero con frecuencia tienen una composición diferente a las infusiones preparadas por uno mismo. Se elaboran mediante extractos acuosos, a veces alcohólico-acuosos, de la planta medicinal seca y se deshidratan mediante procedimientos de inyección, vaciado o congelado, lo que sin embargo puede hacer que pierdan valiosas sustancias.

Para compensar la pérdida de aceites esenciales, algunos fabricantes añaden a sus infusiones los aceites aislados en cantidades estandarizadas. Esto les supone la ventaja de obtener un producto con una calidad constante.

Mezclas de infusiones a granel

Las mezclas de infusiones a granel resultan cómodas pues ofrecen la combinación de diferentes sustancias en proporciones equilibradas. Consulte a su farmacéutico:
➤ Si la mezcla es razonable.
➤ Si el calibre del picado de hierbas es adecuado para que se desprenda la cantidad suficiente de principios activos al preparar la bebida.
➤ Si debido al calibre del picado puede producirse una separación de las diferentes hierbas (en ese caso deberá volver a mezclar usted mismo las hierbas).

➤ Si es conveniente que se traslade la mezcla a un envase de vidrio con tapa hermética cuando se lleve a casa para mejorar su preservación.

● Cómo preparar las hierbas

Las infusiones, los extractos y las decocciones no son cuestión de brujería. Las siguientes recetas ofrecen un resumen sobre cómo prepararlas.

Las infusiones

Las infusiones se preparan con plantas medicinales secas cuyos principios activos se disolverían o se evaporarían al hervirlos (como, por ejemplo, los aceites esenciales).

Para la preparación correcta de una infusión, cubrir la dosis de la planta medicinal picada y seca con 200 ml de agua recién hervida y dejar reposar en un recipiente cubierto diez minutos; después, filtrar. Esto se puede realizar de manera especialmente fácil con las denominadas tazas

Consejo

Receta estándar para infusiones

Las infusiones que contengan aceites esenciales se preparan con agua caliente. A continuación se deja reposar la infusión de 5 a 10 minutos y se filtra. Si se hirvieran durante algún tiempo los aceites esenciales se perderían y la infusión contendría mayor cantidad de taninos.

Norma general para la dosificación

Una o dos cucharaditas de hierbas o mezcla de hierbas por vaso o taza de agua (150 ml).

Aplicación

Tome dos o tres veces al día una taza de infusión a sorbitos pequeños. Resulta beneficioso realizar una cura con infusiones durante tres o cuatro semanas. Consulte a su médico de cabecera sobre el ámbito de aplicación y las sustancias que contienen las hierbas.

para infusiones de hierbas, que tienen una tapa para que no se evaporen los aceites esenciales.

ⓘ A tener en cuenta

➤ Los frutos que contienen aceites esenciales (como el hinojo, el anís o el comino) deben machacarse antes de verter el agua caliente sobre ellos para que pueda liberarse mejor el aroma.
➤ Las infusiones de plantas secas que no contienen aceités esenciales, como las flores y las hojas del espino majuelo, pueden mantenerse calientes cinco minutos a fuego bajo.
➤ Las infusiones de hierbas que contienen sustancias amargas no deben hervirse ya que si se calientan demasiado se liberan taninos.

Las decocciones

Las decocciones se preparan normalmente con vegetales más duros, como la corteza de árbol, la madera o las raíces, o de plantas medicinales que contienen sustancias que requieren más tiempo para liberarse.

Para preparar una decocción se vierte sobre la dosis recomendada de la planta picada (una cucharadita o una cucharada) unos 200 ml de agua caliente y se mantiene unos 30 minutos sobre una fuente de calor (a más de 90 ºC). A continuación se filtra el preparado.

Los extractos

De algunas plantas medicinales (hojas de gayuba, alteína, muérdago, hojas de sen) se preparan extractos a temperatura ambiente. Para ello, se vierte sobre la mezcla de plantas medicinales picadas unos 150 a 200 ml de agua fría que en un caso dado se haya hervido previamente y se deja reposar hasta 8 horas removiéndola de vez en cuando. Después de esto se cuela.

Una infusión laxante, por ejemplo que contenga corteza de arraclán, puede prepararse en frío por la noche y dejarse reposar para filtrarla al día siguiente.

HOMEOPATÍA

*En la homeopatía se considera a la persona como un todo:
siempre se tiene en cuenta la relación entre el estado anímico y
físico del paciente a la hora de realizar el diagnóstico y de elegir la
medicina. El efecto no se obtiene tanto en el plano material como
en el plano energético.*

Las medicinas homeopáticas se obtienen de productos vegetales, animales y minerales. Su preparación y aplicación se basa en principios totalmente diferentes a los de los productos de síntesis química o los que se obtienen de las plantas. Estos dos grupos forman parte de lo que se denomina remedios alopáticos, lo que significa en síntesis que tienen un efecto opuesto a la enfermedad. Se trata por lo tanto, de remedios que actúan para com-

batir la enfermedad: cuando aparece fiebre se aplica un remedio que la disminuya, en caso de tos se usan calmantes de la tos y expectorantes, cuando surge una infección bacteriana se aplica un antibiótico, etcétera.

El éxito del método de curación homeopática que desarrolló su fundador, el doctor Samuel Hahnemann (1755-1843), creando un sistema extenso de terapias se basa sin embargo en un principio totalmente diferente.

Información

¿Cuándo resulta de ayuda la homeopatía?

Se puede tratar las siguientes afecciones:

➤ Enfermedades funcionales como, por ejemplo, un estómago irritable.

➤ Enfermedades psicosomáticas como, por ejemplo, dolores de cabeza del tipo de la migraña.

➤ Enfermedades anímicas como, por ejemplo, desazón depresiva.

➤ Enfermedades infecciosas como, por ejemplo, catarros.

➤ Enfermedades inflamatorias crónicas y degenerativas como, por ejemplo, dolores de las articulaciones en caso de reuma.

• El principio de las similitudes

La aplicación de medicamentos homeopáticos se basa en el principio de la similitud. El descubrimiento innovador del doctor Hahnemann, al que llegó realizando ensayos consigo mismo con corteza de quina, fue que lo similar puede curar lo similar. De forma sencilla, esto significa que la homeopatía cura la enfermedad con un remedio que en una persona sana produciría síntomas similares.

Por ejemplo, ingerir *Nux vomica* en dosis altas produce vómitos. Según el principio de la similitud, la *Nux vomica* se aplica para tratar los vómitos, para lo cual se administra el medicamento en altas diluciones, que contienen una cantidad del principio activo tan pequeña que no pueden producir el vómito. El modo de actuar de un remedio homeopático se explica por el hecho de que una sustancia administrada a una dosis muy baja de alguna forma despierta y moviliza la capacidad de curación del organismo.

● El secreto del medicamento

Todos los medicamentos homeopáticos se administran a dosis muy bajas que requieren un proceso de elaboración muy complejo. Las sustancias de partida se diluyen o se trituran añadiendo un vehículo (alcohol, agua o azúcar) en la proporción 1:10 (denominada potencia decimal D) o 1:100 (denominada potencia centesimal C).

El producto homeopático se sigue diluyendo progresivamente hasta conseguir la concentración requerida, que también se denomina potencia. Las potencias decimales están compuestas de una parte de sustancia original y de nueve partes de excipientes. De la primera potencia decimal D1 se elaboran de forma análoga las demás potencias, hasta obtener la potencia decimal deseada. Se trata de un proceso lento pues no puede saltarse ningún paso.

● A mayor dilución mayor eficacia

Cabría esperar que tras cada uno de estos procesos de dilución de la sustancia disminuyera su efecto. Bien al contrario, a cada dilución se producen remedios con una mayor eficacia. Posiblemente se deba a la elaboración o a modificaciones físicas que con los medios actuales todavía no pueden explicarse. Es evidente que no depende de las moléculas de la sustancia inicial sino de una fuerza dinámica que se obtiene mediante este proceso de elaboración. Por ello también se habla, cuando se trata de la elaboración de medicamentos homeopáticos en sus diferentes potencias, de una dinamización.

● En busca del remedio adecuado

Todo medicamento homeopático está relacionado con un cuadro clínico, que se ha elaborado administrando el medicamento en una dosis elevada o incluso tóxica en una persona sana. Este cuadro clínico, por lo tanto, describe todos los síntomas que padeció la persona tras ingerir el remedio sin diluir.

Para seleccionar el remedio homeopático adecuado para el tratamiento de una enfermedad no solo deben coincidir los síntomas de la enfermedad del paciente con el cuadro clínico del medicamento correspondiente, sino que también hay que considerar ciertas sensaciones personales del enfermo que el médico homeópata debe averiguar antes de decidirse por un remedio. Por ejemplo, puede ser importante si las molestias mejoran o empeoran con el frío, si la piel es especialmente sensible al contacto o si el enfermo se siente equilibrado, cansado, agresivo o decaído.

● Ideal para afecciones "menores"

Solo un experto homeópata es capaz de dominar totalmente el complejo sistema de diagnóstico y terapia de la homeopatía. Sin embargo, hay una gran cantidad de pequeñas molestias, como por ejemplo dolores de cabeza o de dientes, una mala digestión o problemas nerviosos, que uno mismo puede tratarse aplicando medicamentos homeopáticos.

En principio puede tratar todas las enfermedades que requieren una estimulación de la autorregulación del organismo mediante remedios homeopáticos. Sin embargo, si ya han empezado a producirse cambios físicos (como, por ejemplo, una transformación de las articulaciones en caso de reuma), estos no pueden ya desaparecer mediante un tratamiento homeopático. Pero sí es posible influir positivamente en los síntomas acompañantes, como la inflamación o los dolores, aplicando el remedio adecuado. Ciertas enfermedades no pueden tratarse solamente con remedios homeopáticos, pero sí beneficiarse de ellos. Entre estas enfermedades se encuentran aquellas que requieren la administración de hormonas (por ejemplo la insulina en caso de diabetes, así como enfermedades agudas o cuadros clínicos graves que pueden ser mortales).

En teoría, la capacidad de reacción del organismo puede verse afectada cuando se tiene una edad avanzada, se toman determinados medicamentos (cortisona, inmunodepresores) o tras una larga enfermedad de modo que las sustancias homeopáticas ya no actúan. Sea responsable y tenga en cuenta las advertencias contenidas en los prospectos sobre cuándo debe tomarse un medicamento. Puede consultar las indicaciones generales para el autotratamiento y la automedicación (pág. 11 y ss.).

● Consejos útiles para el autotratamiento

En el marco de este manual no nos ha sido posible incluir todas las sustancias homeopáticas adecuadas. En el capítulo "Molestias y enfermedades" encontrará bajo cada entrada, una selección de los medicamentos homeopáticos recomendados.

Consejo

Dosificación

➤ Como norma para la dosificación, valga que cuando no se hallen otras indicaciones, se tomará una pastilla o de cinco a diez gotas o diez glóbulos tres veces al día.

➤ En caso de administrarse el medicamento en forma de gránulos, tomar tres veces al día una pizca sin diluir antes de las comidas dejándola deshacerse en la boca para que se garantice su asimilación a través de la mucosa de la lengua.

La elección del remedio

➤ A la hora de elegir el remedio adecuado, compruebe los síntomas indicados y busque el medicamento que más se adapte a su afección. Un medicamento homeopático solo debe aplicarse si la descripción de los síntomas guarda un parecido importante con las molestias que siente el paciente, aunque no es necesario que padezca todos los síntomas descritos para el remedio correspondiente.

➤ También hay que tener en cuenta que si se aplican otros tratamientos complementarios, como los baños, las envolturas o similares, ello puede influir en los síntomas de la enfermedad. Elija por tanto el remedio adecuado teniendo siempre en cuenta los síntomas originales.

➤ No debe preocuparse si las molestias empeoran durante un periodo corto tras la ingesta del medicamento. Este empeoramiento inicial es de corta duración y es una buena señal de que ha encontrado el remedio adecuado para usted.

Las potencias

Solo se han indicado las potencias más habituales. Si no está seguro sobre esta cuestión pregunte al farmacéutico. Por ello, en este libro se recomiendan principalmente pastillas o gotas.

Los límites de la homeopatía

Tenga en cuenta que existen casos en los que los medicamentos homeopáticos no son suficientes. En caso de duda, consulte a su médico o terapeuta.

SALES DE SCHÜSSLER

Para el funcionamiento de nuestro organismo por medio de un metabolismo sano son necesarios los minerales. Deben asimilarse a través de la alimentación del mismo modo que las vitaminas, ya que el organismo no es capaz de generarlos él mismo. Los estados carenciales conducen a enfermedades del cuerpo, el alma y la mente. En estos casos pueden ayudar las sales de Schüssler.

El médico Wilhelm Schüssler (1821-1898) fue un usuario convencido de la homeopatía, la cual tiene como premisa una selección cuidadosa de los remedios disponibles (en aquella época 300, hoy día 3000). Su trabajo consistió en buscar un método de curación científicamente demostrable que también pudiera ser usado por los legos en medicina. Pronto reconoció la posibilidad de curar enfermedades mediante la administración sistemática de minerales de los que el enfermo carecía, a los que denominó agentes funcionales fisiológicos. La preparación de estos agentes funcionales fisiológicos es comparable a la de los medicamentos homeopáticos, pues se realiza por medio de la potenciación (pág. 266 y ss.). No hay que desestimar la cantidad real de principios activos que contiene, por ejemplo, una pastilla (0,25 g) de potenciación D6, pues contiene nada más y nada menos que 2600 billones de moléculas (éstas son las unidades más pequeñas de una sustancia). Haciendo cálculos, al tomar esta cantidad resultan pues 26 moléculas por cada uno de nuestros 70 billones de células.

Con este tipo de terapia, el doctor Schüssler se adelantó en gran medida a su tiempo. Actualmente ya se ha demostrado que tanto las sales potenciadas como las sales no potenciadas equilibran los estados carenciales. Aparte de sus efectos meramente micronutrientes, las sales tienen un efecto regulador.

Las sales minerales forman, al disolverse en el organismo, iones que son conductores de la corriente eléctrica, por lo que reciben el nombre de electrolitos. Mejoran la capacidad de absorción de sales por parte de las células, normalizando de este modo el metabolismo. Por la física sabemos que toda materia también supone un movimiento de oscilación y la emisión de ondas electromagnéticas. Algunas oscilaciones tienen efecto normalizador, regulador y curativo para el organismo.

• Formas de administración de las sales de Schüssler

Las formas de administración más habituales en la actualidad son las que se toman por vía oral, pastillas y polvo sobre base de lactosa, glóbulos (cuando se trata de potencias mayores a partir de D8) de azúcar de caña y soluciones alcohólicas para personas sensibles a la lactosa. Las pastillas no se tragan, sino que se dejan disolver en la boca. Si se utilizan varias sales pueden disolverse por las mañanas en un vaso con agua previamente hervida y beberse la solución repartida a lo largo del día. Las pomadas sirven para aplicación externa. A las 11 sales básicas descritas por el doctor Schüssler inicialmente se han añadido sustancias complementarias, de modo que actualmente hay 24 sales de Schüssler.

En este manual se presentan las 11 sales básicas originales, que son las que se han tenido en cuenta para el tratamiento de las afecciones, pues cubren un amplio espectro de posibilidades terapéuticas. Las sales de Schüssler pueden obtenerse en cualquier farmacia.

Posología y duración del tratamiento
Afecciones agudas
➤ Adultos y niños mayores de 12 años: una pastilla cada 5-15 minutos hasta que desaparezcan las molestias.
➤ Niños menores de 12 años: una pastilla cada hora o dos horas hasta que desaparezcan las molestias.
➤ Disolver una pastilla con un poco de agua y hacer una pasta para aplicar sobre los labios.

Afecciones crónicas
➤ Adultos y niños mayores de 12 años: una a dos pastillas de dos a seis veces al día hasta que desaparezcan las molestias.
➤ Niños menores de 12 años: una pastilla tres a cuatro veces al día hasta que desaparezcan las molestias.
➤ Disolver una pastilla en un poco de agua y untar con la pasta los labios.

Tratamiento para las inflamaciones
Todas las inflamaciones del organismo tienen prácticamente un proceso idéntico, con síntomas como enrojecimiento, aumento de la temperatura, hinchazón y dolor. Para ello se han obtenido buenos resultados con este tratamiento:

En el estadio inicial de la inflamación resulta eficaz n.º 3: *Ferrum phosphoricum* (fosfato de hierro) D12 para transportar oxígeno al tejido correspondiente, estimulando el metabolismo. Durante la primera hora (en niños durante la primera media hora) se administra una pastilla cada 5 a 10 minutos. A continuación se disminuye los intervalos de ingesta a un cuarto de hora, media hora y una hora. Normalmente es suficiente tomar el medicamento durante un día.

Si la inflamación se encuentra en el segundo estadio (ya se ha manifestado), por ejemplo las amígdalas están inflamadas y duelen, la garganta está enrojecida, la lengua está seburrosa y se forman secreciones y mucosidades, resulta eficaz la n.º 4: *Kalium chloratum* (cloruro de potasio) D6.

Puesto que con frecuencia no pueden diferenciarse con claridad el primer y el segundo estadios, también puede tomarse de forma alterna las sales n.º 3: *Ferrum phosphoricum* (fosfato de hierro) D12 y n.º 4: *Kalium chloratum* (cloruro de potasio) D6 al inicio de una enfermedad.

En el tercer estadio de la inflamación, denominada fase depurativa, es adecuado tomar n.º 6: *Kalium sulfuricum* (sulfato de potasio) D6. Los defectos de la piel y el tejido conjuntivo se reparan por la estimulación del crecimiento de las células, y la mucosidad amarillenta y otras secreciones se eliminan con mayor rapidez.

La sal n.º 7 en caliente
Disolver diez pastillas si el paciente es adulto y cinco si es niño de n.º 7: *Magnesium phosphoricum* (fosfato de magnesio) D6 en agua caliente y tomarse la solución a sorbos. Puede repetirse el tratamiento una o dos veces haciendo un descanso de media hora entre tomas. Del mismo modo, también pueden tomarse otras sales de Schüssler si las molestias son muy intensas.

Aplicación externa de las pomadas
La aplicación externa es muy eficaz en caso de dolencias musculares, articulares, cutáneas y óseas y puede combinarse con la administración oral de pastillas. Aplique en la zona afectada uno o dos centímetros de crema y extiéndala (en caso de varices aplíquese mediante leves golpecitos). También pueden realizarse masajes o aplicarse en envolturas, por ejemplo, durante la noche.

● **Tolerabilidad de las sales de Schüssler**

Hasta el momento no se conocen efectos secundarios o un empeoramiento de los síntomas (exceptuando el efecto laxante debido a la lactosa en caso de tomar de 30 a 100 pastillas de una vez). Si es alérgico infórmese de si puede tomar las sales que llevan lactosa como excipiente.

● **Elección de las sales**

La elección de las sales se basa fundamentalmente en la sintomatología. Otros indicios de carencia de sales se obtienen observándose la cara desmaquillada en el espejo, deteniéndose en el estado de la piel, el pelo y las uñas. Los cambios observables, como por ejemplo en el color y la estructura de la piel, la hidratación de la piel o la formación de arrugas, son con frecuencia indicios de una carencia de minerales.

A continuación se presenta una lista con cada una de las sales ordenadas por las partes del cuerpo donde se encuentran, por sus efectos y por las tipologías y signos faciales asociados.

Nr. 1: Calcium fluoratum (fluoruro cálcico) D12

Dónde se encuentra

Células de la epidermis, huesos, tendones, ligamentos, vasos sanguíneos, esmalte dental.

Efectos

Fortalece el esmalte dental, protege contra la caries, fortalece los huesos, por ejemplo en caso de osteoporosis; fija los ligamentos, los tendones y la piel descolgada (también en caso de embarazo o tratamiento radiológico); mejora la elasticidad de la piel en caso de eccema con descamación, enfermedades de hongos, cicatrices y grietas.

La sal Kalium chloratum *regula el nivel de potasio en el organismo. Está particularmente indicada para lesiones e inflamaciones de la piel y las mucosas tras haberse iniciado la curación de las heridas.*

Tipología y signos faciales

Pérdida de elasticidad en la piel de la cara y el vientre, cutis con muchas pequeñas arrugas; deformaciones de las uñas; caries; exceso de callosidades; debilidad de los tendones y los ligamentos, problemas posturales en columna y pies (pies con los dedos en abducción); alteraciones de las venas (varicosis y varices).

N.º 2: *Calcium phosphoricum (fosfato de calcio) D6*

Dónde se encuentra

Es la sal ósea más importante para la mineralización de huesos y dientes. También está presente en las células de los músculos, los vasos sanguíneos, los nervios, el cerebro y el hígado.

Efectos

Fortalece tras enfermedades; ayuda a los niños con la dentición; estimula la función muscular; tiene efecto antiespasmódico, relajante y tranquilizante (también en caso de hiperactividad). Disuelve secreciones proteicas y refuerza el flujo linfático.

Tipología y signos faciales

Tez pálida y cerúlea, sobre todo en la frente, la raíz y las aletas de la nariz, y las orejas; fatiga, debilidad; alteraciones de la columna (como en el caso de *Calcium fluoratum*), administrar ambas sales de forma alterna; secreciones proteicas, ampollas.

N.º 3: *Ferrum phosphoricum (fosfato de hierro) D12*

Dónde se encuentra

El hierro es un oligoelemento esencial que actúa en las proteínas y los enzimas durante los procesos de combustión. También refuerza la formación de colágeno. El fosfato participa en la obtención de energía en las células y refuerza la absorción de oxígeno. Es especialmente importante para el metabolismo de los nervios (funciones cerebrales, transmisión de impulsos de los nervios a los músculos) y tiene efecto analgésico. En caso de inflamaciones el fosfato de hierro induce la distribución del hierro en las células defensivas del bazo y los nódulos linfáticos, consiguiendo dificultar la multiplicación de los agentes patógenos.

Efectos

Se trata de un remedio para las heridas internas y externas así como las infecciones agudas y las inflamaciones.

Tipología y signos faciales

Coloración negro-azulada en el interior de las cuencas de los ojos y los párpados debido a una falta de oxígeno (la sangre se oscurece); en caso de una carencia grave, se observa además un ligero enrojecimiento de las orejas, las mejillas y la frente; pelo crespo, piel marchita, ranuras en las uñas (longitudinales y transversales); vómitos de comida, diarrea con restos de alimentos no digeridos.

N.º 4: *Kalium chloratum (cloruro de potasio) D6*

Dónde se encuentra

Sal de las mucosas, regula la eliminación de agua. Imprescindible para los nervios y los músculos así como el metabolismo de las proteínas y los hidratos de carbono, regula la digestión y las funciones cardiacas.

Efectos

Equilibra la irritación de piel y mucosas; actúa contra las inflamaciones manifiestas (no agudas) de las mucosas (por ejemplo, intestino grueso, vejiga, bronquios), la tendovaginitis y la fiebre.

Tipología y signos faciales

Color facial azul blanquecino, contorno de los ojos claro, expectoraciones blanquecinas en caso de enfermedades gripales. Cuando se padecen eccemas, se secan las excreciones adquiriendo un aspecto pulverulento. Excreciones viscosas con restos de sangre.

N.º 5: *Kalium phosphoricum* (*fosfato de potasio) D6*

Dónde se encuentra

Sal de los nervios, musculatura, alimenta el organismo, la mente y el espíritu.

Efectos

En depresión debida a disgustos o tras grandes esfuerzos, en caso de problemas de memoria y concentración. Ayuda a los músculos a asimilar oxígeno y transmite energía a las células. En caso de debilidad muscular y cardiaca. Tiene un efecto antifermentativo en el tracto digestivo.

Tipología y signos faciales

Semblante grisáceo, pálido, con las sienes claramente hundidas; halitosis, excreciones viscosas y fétidas, ampollitas cutáneas con sangre.

N.º 6: *Kalium sulfuricum* (*sulfato de potasio) D6*

Dónde se encuentra

Responsable de la formación de nuevas células en la piel y las mucosas y en caso de enfermedades articulares, así como del crecimiento del cabello y las uñas.

Efectos

Transmisor de oxígeno, importante para la regeneración tras inflamaciones.

Tipología y signos faciales

Excreciones amarillentas (secreciones de heridas, de nariz y mocos); transformaciones pardo-amarillentas en los párpados, en la boca y en la nariz; manchas de la edad claramente visibles.

N.º 7: *Magnesium phosphoricum* (*fosfato de magnesio) D6*

Dónde se encuentra

Huesos, nervios y tejido muscular, así como corpúsculos de la sangre.

Efectos

Formación de hueso y tejido de los dientes; controla la transmisión de la excitación del nervio al músculo. Equilibra la función muscular, regula la función cardiaca, tiene efecto tranquilizante. Resulta de ayuda en caso de espasmos faciales, nistacmo, dolores, tensión muscular y espasmos así como problemas de concentración y vista.

Tipología y signos faciales

Tendencia a enrojecer, excitabilidad anímica; con frecuencia en consumidores de café, fumadores y consumidores de alcohol; vómito acuoso acompañado de dolor de vientre.

N.º 8: *Natrium chloratum* (*cloruro de sodio ‹sal común›) D6*

Dónde se encuentra

Estimula el aporte de micronutrientes en todas las células del organismo; se usa actualmente en exceso; necesita 23 veces más cantidad de líquido corporal que la sal de roca.

Efectos

Remedio de acción rápida contra el resfriado. Administrar en caso de anemia y eccema con erupciones exudativas.

Tipología y signos faciales

Piel y mucosa seca de poro grande, escamas, celulitis; cutis grasiento; cara redonda; crujido de las articulaciones; lagrimeo y salivación acuosos; vómito y diarrea acuosos; ampollitas acuosas en la piel.

N.º 9: *Natrium phosphoricum* (*fosfato de sodio) D6*

Dónde se encuentra

Presente en los procesos de metabolismo del organismo.

Efectos

Neutralizante de los ácidos; equilibra trastornos del metabolismo, por ejemplo los trastornos del metabolismo del ácido úrico (gota), los trastornos del metabolismo de las grasas y la hiperproducción de ácido gástrico; ayuda en caso de agujetas.

Tipología y signos faciales

Afecciones causadas por deposiciones del ácido úrico (nódulos gotosos), cabello y piel grasientos, espinillas; excreciones ácidas con olor a queso, ampollitas en la piel con contenido amarillento a purulento.

N.º 10: Natrium sulfuricum (sulfato de sodio) D6

Dónde se encuentra

En la zona intercelular y en los humores del organismo.

Efectos

Estimula la eliminación, sobre todo a través del intestino y los riñones; depura las impurezas. Tiene efecto antiinflamatorio; regula la digestión también en caso de diarrea. Ayuda a la producción de secreciones de la vesícula biliar y el páncreas. Tiene efecto antibiótico.

Tipología y signos faciales

Enrojecimiento significativo de la cara (violeta), con excepción del triángulo de nariz y boca, tras las comidas o haber tomado café, nariz roja, manchas de tono amarillo-verdoso sobre todo en la frente; aerofagia, heces claras, diarreas verdosas; tendencia a la acumulación de agua en las pantorrillas; excreciones blanco-amarillentas, vómito de bilis.

N.º 11: Silicea (dióxido de sílice, tierra silícea) D12

Dónde se encuentra

Tras el oxígeno, es el elemento más frecuente de la corteza terrestre (es un oligoelemento, no una sal). Se encuentra en muchos tejidos del cuerpo y liga las proteínas con uniones fuertes.

Efectos

Procura elasticidad y resistencia. Ayuda en caso de debilidad de los ligamentos, rotura de tejidos (hernia umbilical y hernia inguinal), problemas de los discos intervertebrales, artrosis. Estimula la curación de heridas cutáneas, hace más tersa la piel envejecida, ayuda en la formación ósea y previene la calcificación arterial. Tiene efecto antiflatulento y frena los procesos de putrefacción en el intestino. Refuerza las defensas y tiene efecto depurativo.

Tipología y signos faciales

Piel marchita, flácida, brillante (llama la atención con frecuencia en la espinilla) y sensible. El brillo no se puede eliminar. Alteraciones en el crecimiento del cabello, con caída del mismo. Tendencia a sudar. Sudor de pies fétido. Desarrollo óseo deficiente. Ojos hundidos en las cuencas y muy sensibles a la luz; excrecencias purulentas de zonas inflamadas de la piel.

El cristal de roca es un cristal de cuarzo transparente de color claro como el agua y representa el compuesto químico más puro del dióxido de sílice.

ACUPRESURA – El MASAJE A BASE DE PRESIÓN SUAVE

Por acupresura se entiende el masaje localizado en puntos concretos que se encuentran en la superficie de nuestro cuerpo. Mediante la presión de estos puntos vuelven a fluir las energías en el organismo y se estimulan las fuerzas de autocuración. La técnica de la acupresura se aprende rápidamente, la destreza la obtendrá a través de la experiencia.

La acupresura está estrechamente vinculada a la acupuntura, que se desarrolló en los siglos II y I antes de nuestra era en China e India. Ambos métodos se basan en los principios y teorías de la medicina tradicional del Lejano Oriente, según la cual todas las enfermedades y molestias se pueden deducir de alteraciones del flujo de la energía Qi en el organismo. Nuestra energía se mueve a través de una retícula formada a través de canales de energía, los meridianos, que atraviesan el cuerpo y la superficie del mismo.

Todos los puntos de tratamiento que se utilizan tanto en la acupuntura como en la acupresura suponen vías de acceso a los meridianos. Mediante su estimulación desde fuera, a través de la aplicación de agujas (acupuntura) o la presión del masaje (acupresura), pueden eliminarse bloqueos de energía o desviar un exceso de energía. Con esto se consigue restablecer el equilibrio físico y anímico y eliminar las molestias.

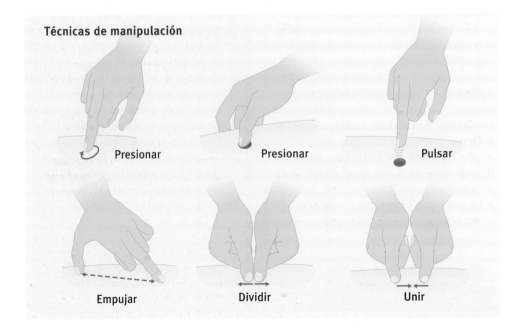

Técnicas de manipulación

Presionar   Presionar   Pulsar

Empujar   Dividir   Unir

Ideal para el autotratamiento

La acupresura es un tratamiento típico de los que uno se puede aplicar a sí mismo, pues no requiere medios auxiliares y puede aprenderse de forma fácil y aplicarse en cualquier lugar de forma rápida y sencilla. Además, no se le conocen efectos secundarios.

Por ello, en China ocupa un lugar importante en el tratamiento médico de la población.

La selección de los puntos

Hay una gran cantidad de puntos de acupresura que pueden desencadenar reacciones muy diferentes. Para facilitarle el autotratamiento se ha seleccionado en *La farmacia en casa* algunos de los puntos más importantes, resumiéndolos en la tabla de la página 276.

En el capítulo "Molestias y enfermedades" (pág. 28 y ss.) encontrará bajo la entrada "Aplicaciones terapéuticas" los puntos de acupresura indicados para el tratamiento de la dolencia mencionada cuando se considere que la aplicación de esta técnica supone una medida terapéutica con perspectivas de éxito. La ubicación de los puntos mencionados puede encontrarla en las imágenes de la pág. 277 y ss.

Aplicar correctamente la acupresura

Todos los puntos descritos pueden masajearse con la yema del dedo, tal como se muestra en la figura "Técnicas de manipulación".

➤ Mueva los dedos formando círculos o deslizándolos de forma longitudinal al eje del cuerpo.

➤ En caso de dolor, resulta beneficioso apretar los puntos en dirección al punto de dolor principal.

Intensidad y dolor de la presión

La presión del masaje depende de la ubicación del punto de acupresura. Los puntos en las zonas musculares pueden masajearse con fuerza, mientras que aquellos que se encuentran en la cara o sobre zonas óseas deben tratarse con cuidado.

➤ Además, también cabe decir que las personas fuertes y equilibradas soportan normalmente un tratamiento más intensivo que las personas debilitadas y sensibles.

➤ Si un punto se encuentra cerca de la zona afectada solo debe tratarse de 30 a 60 segundos, mientras que los puntos alejados pueden masajearse de uno a dos minutos.

Información

Casos en que resulta beneficiosa la acupresura

➤ El ámbito de aplicación principal es el tratamiento de dolores leves o medianamente intensos, como los de cabeza, cara, dientes y muelas, cervicales, hombros y nervios.

➤ También resulta eficaz el tratamiento del insomnio, el nerviosismo, la inquietud interior, el malestar, las ganas de vomitar, el malestar al viajar en barco, el estreñimiento y los dolores de la menstruación. En estos casos puede combinarse la acupresura con un tratamiento de acupuntura.

➤ Tenga en cuenta también en este caso que al igual que en cualquier otra forma de medidas curativas que uno se aplica a sí mismo, hay que asegurarse de que no se padezca de enfermedades graves o malignas, o que no sean estas enfermedades la causa de las molestias. Un autotratamiento demasiado prolongado sin contar con asistencia médica puede hacer que uno arrastre más tiempo esas enfermedades.

Aplicación de los principales puntos

Punto	Efecto / Zona de aplicación	Técnica
Di 4–Hegu	➤ Analgésico general, dolores de ojos y de dientes y muelas, resfriados	➤ Masajear entre el pulgar y el índice durante 60 a 120 segundos desde la mano hacia el cuerpo
Du 26–Renzhong	➤ Estado grave, pérdida del conocimiento, problemas circulatorios, dolores de dientes o muelas	➤ Masajear con la uña del dedo índice o el pulgar unos 30 segundos sobre el mismo punto
He 7–Shenmen	➤ Insomnio, intranquilidad interior, nerviosismo, alteraciones psicosomáticas, estados de miedo	➤ Masajear con la uña del índice unos 60 segundos desde el cuerpo hacia la mano
Le 3–Taichong	➤ Dolores en general, dolores de pierna, dolores de vesícula biliar, retortijones de barriga	➤ Masajear con la uña del dedo índice durante 60 segundos desde el pie hacia el cuerpo
Ma 36–Zusanli	➤ Malestar, diarrea, estreñimiento, enfermedades generales del tracto digestivo, dolores de piernas	➤ Masajear con el índice durante 60 a 90 segundos desde el cuerpo hacia el pie
Ma 44–Neiting	➤ Dolores de cabeza, dolores de dientes y muelas, enfermedades gripales; punto de dolor principal en la pierna	➤ Masajear con la uña del índice o del pulgar de 30 a 60 segundos desde el cuerpo hacia el pie
MP 6–Sanyinjiao	➤ Irregularidades de la menstruación, micciones nocturnas, insomnio	➤ Masajear con el índice durante 60 a 90 segundos desde el pie hacia el cuerpo
Pe 6–Neiguan	➤ Malestar, ganas de vomitar, hipo, malestar al viajar en barco	➤ Masajear con el índice durante aproximadamente 60 segundos desde el cuerpo hacia la mano
Ren 4–Guanyuan	➤ Irregularidades de la menstruación, diarrea, problemas de próstata	➤ Masajear con el índice unos 60 segundos hacia el ombligo
Ren 12–Zhongwan	➤ Estómago, malestar, falta de apetito, malestar del viajero	➤ Masajear con el índice unos 30 segundos sobre el esternón
Ren 17–Shanzhong	➤ Enfermedades pulmonares, relajación	➤ Masajear con el índice durante 60 segundos hacia el esternón
SJ 5–Waiguan	➤ Dolores de cabeza, resfriados	➤ Masajear con el índice durante 60 segundos desde la mano hacia el cuerpo

Ubicación de los puntos

Di 4–Hegu – La hondonada del valle
Este punto se encuentra cuando se acerca el pulgar a la mano en el lugar donde se forma una pequeña elevación de la musculatura. El punto se encuentra en el lugar más elevado.

Du 26–Renzhong – El canal del agua
Este punto se encuentra sobre la línea situada entre la nariz y el labio superior, en el límite entre el tercio central y el superior.

He 7–Shenmen – El portal divino
Este punto se encuentra sobre la línea donde se dobla la muñeca en el borde exterior del tendón exterior.

Le 3–Taichong – Máximo ataque
Este punto se encuentra en el ángulo entre el primer y el segundo metacarpio.

Ma 36–Zusanli – La indiferencia divina
Este punto se encuentra en el lado externo del canto de la espinilla a unos tres dedos por debajo del hueco de la articulación de la rodilla.

Ma 44–Neiting – El patio interior
Este punto se encuentra entre el segundo y el tercer dedo del pie a medio dedo de la intersección entre ambos dedos.

MP 6–Sanyinjiao – Cruce de los tres Yin
Este punto se encuentra a unos cuatro dedos por encima del punto más elevado de la cara interna del tobillo, al lado de la espinilla.

Pe 6–Neiguan – Muralla del límite interior
Este punto se encuentra entre los dos tendones principales, que se sienten a dos dedos y medio de la muñeca en sentido hacia la flexura del codo.

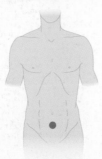

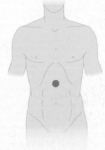

Ren 4–Guanyuan – Mar de energía
Este punto se encuentra en la línea central del vientre a cuatro dedos por debajo del ombligo.

Ren 12–Zhongwan – Centro del estómago
Este punto se encuentra en la línea central del vientre a cuatro dedos por encima del ombligo.

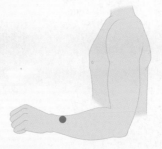

Ren 17–Shanzhong – Cola de paloma
Este punto se encuentra en la línea central del estómago, en medio del esternón entre ambos pezones.

SJ 5–Waiguan – Puerto externo
Se encuentra en el centro entre el cúbito y el radio en el antebrazo, a dos dedos y medio del eje de la muñeca en dirección al codo.

ÍNDICE DE CONTENIDOS

Dirección editorial:
Ulrich Ehrlenspiel
Redacción: Monika Rolle
Revisión: Gerdi Killer
para bookwise GmbH, Múnich
Redacción gráfica:
Henrike Schechter
Composición y diseño:
bookwise GmbH, Múnich
Maquetación: independent
Medien-Design, Múnich
Producción: Susanne Mühldorfer

Título original: *Hausapotheke*
Traducción: Nicole Pardo
Adaptación y revisión de textos:
Carmen Gutiérrez

PRIMERA EDICIÓN,
primera reimpresión 2009

GU © GRÄFE UND UNZER
VERLAG GmbH, München
y EDITORIAL EVEREST, S. A.
Carretera León-La Coruña,
km 5 - LEÓN
ISBN: 978-84-441-2001-0
Depósito Legal: LE: 1951-2008
Printed in Spain - Impreso en España

EDITORIAL EVERGRÁFICAS, S. L.
Carretera León-La Coruña, km 5
LEÓN (ESPAÑA)

www.everest.es
Atención al cliente: 902 123 400

Fotografías:
Producción fotográfica: Nicolas
Olonetzky (pág. 2 superior, 7 centro, 8-9, 51, 88, 183, 191, 220-221,
244, 245, 255). Katja Dingel (pág. 2
abajo der., 10, 26-27, 198-199, 258).

Otras fotografías:
Arco Images: pág. 83, 123. Avenue
Images: cubierta (bolsa de agua),
pág. 80, 163. Bildagentur Online:
cubierta abajo; pág. 1 (taza para el
té). Hans Christoph Borucki: solapa.
Brand X Pictures: cubierta y pág. 1
(ajo). Corbis: pág. 4 centro, 41, 62,
105, 173. Deutsche Homeopathie
Unión: cubierta (sales de Schüssler).
Beat Ernst: pág. 77, 94, 133. Getty:
cubierta (equinácea, ampolla con
pipeta y tirita) contracubierta pág. 1
(equinácea), 23, 69, 75. GU-Archiv:
pág. 4 derecha; 29, 145, 235, 238,
273 (H. Bischof); pág. 6 izq., 58,
106, 121, 171, 186, 197 (J. Rickers);
7 izq., 127, 270 (A. Hoernisch); 59,
113 (L. Lenz); 149 (M. Weber); 180
(T. Roch); 254 (B. Büchner); IFA:
pág. 2 abajo izq., 7 derecha, 47,
119. Jump: pág. 73, 125, 138, 194.
Mauritius: pág. 4 izq., 6 derecha, 12,
33, 48, 55, 65, 117, 131, 184. Pixtal:
pág. 279. Science Photo Library: pág.
15, 56, 57. Stills Online: cubierta y
pág. 1 (cápsulas). Stockfood: pág.
71, 82, 93, 155, 169, 223, 227, 230,
241, 262. TV-Yesterday cubierta y
lomo (termómetro). Wildlife: pág.
39, 159, 179. Zefa: pág. 31, 108, 152,
176, 219.

Ilustraciones:
Holger Vanselow

Abreviaturas

g = gramo
l = litro
ml = mililitro
cm = centímetro
pág. = página
s. = siguiente
ss. = siguientes